# L'espace d'un été

Jill Barnett

# L'espace d'un été

*Traduit de l'anglais (États-Unis)*
*par Martine C. Desoille*

ÉDITIONS
FRANCE
LOISIRS

Titre original : *Days of Summer*
publié par Atria Books.

Une édition du Club France Loisirs,
avec l'autorisation des Presses de la Cité.

Éditions France Loisirs,
123, boulevard de Grenelle, Paris.
www.franceloisirs.com

© 2006 by Jill Barnett Stadler. Tous droits réservés.
© Presses de la Cité, un département de Place des Éditeurs, 2008, pour la traduction
française.
Traduction des extraits de John Donne par René Agostini.
ISBN : 978-2-298-01122-7

*Ma vie d'écrivain m'a apporté
quantité de bienfaits,
parmi lesquels vingt ans d'une précieuse amitié.
À Kristin et Benjamin Hannah,
mes anges gardiens,
qui m'ont soutenue et épaulée
en toutes circonstances,
bonnes ou mauvaises.*

« *La vie doit être vécue en direction de l'avenir,
mais elle ne peut être comprise
que le regard tourné vers le passé.* »

Søren KIERKEGAARD

# Première partie

## 1957

« Faire le mal, c'est transférer aux autres
la dégradation que nous portons
en nous-mêmes. »

Simone WEIL

# 1

La nuit était chaude et étoilée, comme presque toujours à L.A., où la vie se déroulait sous les feux des projecteurs et où il eût été impensable que le temps ne soit pas de la partie. Ce soir, c'était la galerie d'art La Cienaga qui tenait la vedette. Figures mondaines, aristocrates et nouveaux riches étaient venus en force au vernissage, rejoints par tout ce que les cafés d'Hollywood et d'Hermosa Beach comptaient de bohèmes et de poètes existentialistes.

D'éminents critiques d'art débattaient de sens, de perspective et de message social. Ils vénéraient l'artiste, une femme exubérante et exotique dont les immenses toiles vibrantes de couleurs rappelaient celles de peintres expressionnistes comme De Kooning ou Pollock. Rachel Espinosa était l'enfant chérie de l'avant-garde californienne, et la femme de Rudy Banning.

La soirée était déjà bien entamée quand Rudy fit son entrée, après avoir passé l'après-midi à boire comme un trou. Son père avait raison de dire que c'était un raté, mais la critique était plus facile à avaler quand il s'était enfilé une bouteille de scotch. Les lumières de la façade étaient éteintes quand il gara sa voiture devant la galerie. Arrivé sur le seuil, il dut s'appuyer au chambranle pour se remettre d'aplomb.

À l'intérieur, un nuage laiteux de fumée de cigarette flottait au-dessus d'un océan incolore de couvre-chefs et de chignons. Installé dans un coin, un petit orchestre jouait un drôle de mélange de calypso et de jazz. L'alcool coulait à flots, sans oublier les pyramides de cigarettes présentées sur d'élégants trépieds en argent. Le buffet était catalan – détail insolite, destiné à entretenir le mythe selon lequel sa femme, Rachel Maria-Teresa Antonia Espinosa était issue de la noblesse espagnole. Comme toujours, elle avait voulu faire de cette soirée un événement inoubliable en apposant sa griffe sur chaque chose.

Il l'aperçut tout au fond de la salle. Sous un projecteur, elle posait devant l'une de ses dernières œuvres, *Le Cri de Ginsberg*. Les gens se pressaient autour d'elle, tout en gardant respectueusement leurs distances, comme s'ils n'avaient pas osé approcher de trop près cette icône vivante. Tandis qu'un journaliste du *Los Angeles Times* l'interviewait, un photographe en bras de chemise la mitraillait avec son flash.

Rachel s'offrait complaisamment à l'objectif, dans une pose soigneusement étudiée que Rudy connaissait par cœur : le bras levé, son cocktail à la main. Ce soir, elle s'était habillée d'orange vif de la tête aux pieds. Elle savait d'instinct comment attirer l'attention sur elle.

Rudy prit un cocktail sur le plateau d'un serveur qui passait et le descendit d'un trait en continuant d'avancer. Brusquement, comme si elle avait flairé sa présence, elle se retourna. Ils étaient loin, les jours où un seul regard suffisait à leur faire oublier le monde autour d'eux. Il posa son verre vide et en reprit un autre, qu'il leva en faisant mine de trinquer. Elle le regarda, l'expression de son visage parfaitement composée, puis lui tendit les bras en s'écriant :

— Chéri !

Comme il tardait à réagir, elle s'approcha et le prit par le bras.

— Tu es en retard.

— Vraiment ? s'étonna Rudy en jetant un regard ahuri autour de lui. Et peut-on savoir à quelle heure cette mascarade était censée commencer ?

— Tu es complètement saoul. Tu empestes le scotch, murmura-t-elle en l'entraînant à l'écart de la foule.

— Je parie que tu voudrais me faire disparaître dans un placard ! Manque de chance, je mesure un mètre quatre-vingt-quinze. Difficile de passer inaperçu.

S'immobilisant brusquement, Rudy se retourna vers la foule.

— Toi qui mourais d'envie d'attirer l'attention... Te voilà servie, regarde.

— Arrête ! maugréa-t-elle entre ses dents.

— Je sais, Rachel.

— Bien sûr que tu sais. Personne ne t'a obligé à descendre une demi-bouteille de scotch. Bon sang, Rudy, pourquoi faut-il que tu gâches toujours tout ?

— Espèce de garce !

Les doigts de Rachel se resserrèrent sur son bras. Autour d'eux, les gens échangeaient des messes basses, certains s'étaient rapprochés.

— Je sais ! déclama-t-il avec emphase.

La musique s'était tue et le silence s'installait peu à peu dans la pièce. Cette fois, le spectacle a vraiment commencé, songea Rudy, amusé.

— Mais de quoi veux-tu parler ?

Hormis le mensonge et les apparences, il ne restait rien de la femme qu'il avait épousée. Mais, curieusement, il avait beau la provoquer, rien ne se passait comme il l'avait imaginé.

— Tu veux que je le crie tout haut ? Ici ? Devant tout le monde ? dit-il en désignant la foule. Devant ton journaliste *adoré* ?

Il parlait d'une voix haletante, comme s'il venait de courir un marathon. Sa vision latérale était brouillée et des renvois d'alcool lui brûlaient la gorge.

— *Va te faire foutre, Rachel !*

Il lança rageusement son verre sur la toile qui se trouvait derrière elle.

Un fracas de verre brisé résonna dans la pièce silencieuse.

Il se dirigea vers la porte en titubant et sortit dans la nuit. Arrivé au bord du trottoir, il s'appuya sur la voiture pour reprendre son équilibre puis se glissa derrière le volant.

Rachel l'avait suivi. Elle ouvrit la portière côté passager.

— Rudy ! Attends !

Il enfonça rageusement la clé dans le contact.

— Va te faire foutre.

Elle se faufila à l'intérieur et tenta de lui arracher les clés.

— Arrête !

Rudy lui saisit le poignet et l'attira brusquement vers lui jusqu'à ce que leurs visages se frôlent.

— Tu vas descendre de cette bagnole, sinon c'est moi qui vais te faire sortir, rugit-il en la repoussant.

Il mit le contact.

— Non !

Il enfonça la pédale de l'accélérateur. La voiture partit en zigzag dans un hurlement de pneus.

— Rudy, arrête !

Voyant qu'elle perdait son sang-froid, il prit le virage suivant à la corde. La voiture partit en tête-à-queue. Agrippée à la portière, Rachel semblait avoir rapetissé. La déesse qui peignait des toiles complexes et sublimes était tombée de son piédestal. Elle avait repris taille humaine. Devant eux, le feu passa au rouge. Il enfonça la pédale du frein, l'obligeant à s'agripper des deux mains au tableau de bord.

— Tu es complètement fou ! Arrête-toi. Il faut que nous parlions.

— Et voilà, encore et toujours cette voix calme, imperturbable. Notre Rachel est de retour dans toute sa suprême arrogance. Rachel qui s'imagine être supérieure au reste des mortels parce qu'elle est incapable du moindre sentiment.

— C'est faux, et tu le sais. C'est la colère qui te fait parler de la sorte.

— La colère ? Le mot est faible pour décrire ce que je ressens. De toute façon, il est trop tard pour que nous parlions.

Quand le feu passa au vert, il enfonça à nouveau l'accélérateur.

— Rudy, arrête ! Par pitié. Pense aux garçons.

— Je pense aux garçons. Mais toi ? T'est-il jamais arrivé de penser à quelqu'un d'autre qu'à toi-même ?

Il prit le virage suivant si brusquement qu'ils se retrouvèrent nez à nez avec les voitures qui arrivaient en sens inverse. Coups de klaxon, crissements de pneus. Un camion fit une embardée pour les éviter. Rudy dut s'agripper des deux mains au volant pour redresser la voiture lancée à toute allure et la remettre du bon côté de la chaussée. Au feu orange, il leva le pied comme pour freiner, hésita un court instant, puis écrasa à nouveau l'accélérateur.

— Rudy, non ! Le feu est rouge !

— Je sais, dit-il en détournant les yeux de la route pour la regarder. On dirait que tu as peur. Commencerais-tu enfin à ressentir quelque chose ?

Elle laissa échapper un petit cri plaintif qui lui donna la sensation d'être fort. Son père se méprenait à son sujet. Il n'était pas un raté. Plus maintenant. Sur l'indicateur de vitesse, l'aiguille s'emballait, approchant les cent vingt kilomètres-heure. Il avait le pied au plancher, et la puissance du moteur faisait vibrer le volant entre ses mains.

— Regarde ! s'écria Rachel en s'agrippant à son bras.

Une camionnette blanche arrivait par la droite.

Le coup de frein fut si brutal que le dossier de la banquette céda ; puis la voiture partit en zigzag dans un crissement de pneus et une odeur de caoutchouc brûlé. Les lettres bleues qui ornaient le côté du fourgon grandissaient à vue d'œil :

ROCK & ROLL AVEC JIMMY PEYTON
ET LES FIREFLIES

Le conducteur de la camionnette écarquilla des yeux horrifiés tandis que l'un des passagers plaquait ses deux mains sur la vitre latérale. Au même instant, une calme passivité s'empara de Rudy, qui songea : Nous allons tous mourir. L'aiguille continuait de danser sur l'indicateur de vitesse. Rachel poussa un hurlement, puis tout explosa.

# 2

*Seattle, État de Washington*

Trois heures plus tôt, un officier de police s'était présenté chez Kathryn Peyton pour lui annoncer que son mari était mort. Il avait voulu la prévenir avant que les paparazzis s'en chargent, mais à peine avait-elle refermé la porte que la nouvelle éclatait sur les ondes, rendant la mort de son mari encore plus réelle.

« Le chanteur Jimmy Peyton, dont le quatrième album s'est classé en tête du hit-parade la semaine dernière, a perdu tragiquement la vie cette nuit à L.A. dans un accident de la route. Il avait vingt-six ans. »

Comment une chose pareille avait-elle pu arriver ? Lorsque Kathryn avait tenté de joindre la mère de Jimmy par téléphone, on lui avait répondu que Julia Peyton était trop accablée pour pouvoir prendre la communication, si bien que Kathryn avait appelé sa sœur en Californie et lui avait parlé, parlé, jusqu'à ce qu'il n'y ait plus rien à dire.

Plusieurs journalistes avaient ensuite voulu la questionner. Elle leur avait raccroché au nez et enfin elle avait débranché le téléphone. Et lorsqu'ils étaient venus frapper à sa porte, elle était allée s'enfermer dans sa chambre avec les rideaux tirés. Les coups de sonnette s'étaient succédé jusqu'à minuit, mais elle les avait ignorés en serrant si fort l'oreiller de Jimmy que tous les muscles de son corps en restèrent endoloris.

L'odeur de son after-shave flottait partout, sur la taie, sur les draps et même sur la chemise bleue, la sienne, qui lui servait de chemise de nuit. Elle fut soudain prise de panique à l'idée qu'elle allait devoir se débarrasser de ses affaires, sous peine de devenir l'une de ces vieilles cinglées qui gardent les effets des défunts comme des reliques, allant jusqu'à conserver chaque pièce de la maison dans l'état où elle se trouvait avant le drame. Seule dans le noir, Kathryn pleura jusqu'à s'endormir d'épuisement.

La sonnerie du réveil l'arracha si brutalement au sommeil qu'elle en eut la nausée. Quand il partait en tournée, Jimmy n'oubliait jamais de lui passer un coup de fil après le concert. *On a fait un tabac ce soir. Je t'aime, mon cœur.*

Mais dans ce monde irréel où Jimmy avait cessé d'exister, la sonnerie persistait. Elle chercha le bouton de l'alarme à tâtons. En vain. Saisissant le réveil à pleine main, elle le jeta de toutes ses forces contre le mur. Mais le maudit timbre continuait de bourdonner avec une persistance exaspérante. Vaincue, elle se leva pour aller le ramasser. Une profonde entaille creusait le plâtre à l'endroit où le projectile avait heurté le mur. Trois semaines auparavant, la chambre avait été entièrement repeinte, en bleu, comme les draps, le couvre-pieds, les fauteuils, parce que *Blue* était le titre du dernier succès de Jimmy.

Kathryn se dirigea d'un pas chancelant vers la salle de bains, ouvrit le robinet et but à grandes lampées bruyantes dans le creux de ses mains, puis s'essuya les lèvres et ouvrit l'armoire à pharmacie.

L'étagère de Jimmy était à hauteur des yeux. L'huile capillaire qu'elle avait achetée la semaine dernière. Une bouteille rouge d'Old Spice sans son capuchon argenté. Elle l'approcha de ses narines pour en humer le parfum, mais ce fut comme d'inspirer une immense bouffée de désespoir. Elle lâcha le flacon, qui tomba dans la poubelle. Son estomac se noua. C'était encore pire de le voir là que sur l'étagère, car c'était la preuve que Jimmy était mort pour de bon. Tant que ses affaires étaient rangées dans l'armoire à pharmacie, la vie revêtait encore un semblant de normalité.

Elle reposa la bouteille là où elle l'avait trouvée, et contempla pendant un long moment la petite boîte de lames de rasoir qui se trouvait à côté. Pour finir, elle prit un tube de médicaments dont l'étiquette blanche, soigneusement libellée à l'encre noire, ressemblait à une épitaphe. « James Peyton ». *Seconal. Un comprimé au coucher. 60 unités.*

Un comprimé pour dormir. Soixante pour mourir. Elle ouvrit le robinet et se pencha au-dessus du lavabo, une pleine poignée de pilules rouges à la main.

— C'est des bonbons ?

Kathryn se redressa comme sous l'effet d'une décharge électrique.

— Que fais-tu debout, Laurel ?

— Je veux des bonbons, répondit la fillette, un regard intrigué dans les yeux.

— Ce ne sont pas des bonbons.

— Si, j'en veux. Je veux un bonbon.

— Ce sont des médicaments. Tiens, regarde, dit Kathryn en ouvrant la main, puis en remettant les pilules dans le tube. Ce sont des comprimés pour m'aider à dormir.

— Je veux des comprimés.

Kathryn s'agenouilla devant la petite fille de quatre ans et lui dit :

— Viens là.

Laurel l'aurait retrouvée morte. Tremblante et abasourdie, elle l'attira contre elle et posa son menton sur sa tête qui sentait bon le shampooing pour bébé.

— Je peux pas dormir, protesta Laurel.

Le visage de Jimmy en miniature l'observait avec insistance. Elle songea que désormais, chaque fois qu'elle regarderait sa fille, elle verrait l'homme qu'elle avait aimé, et se demanda si c'était un bienfait ou une malédiction.

— Laisse-moi te débarbouiller, dit-elle. Tu as des traces de larmes sur les joues.

Elle passa un gant humide sur le visage empourpré de sa fille, puis se releva et referma l'armoire à pharmacie. La glace lui renvoya le reflet fugace d'une femme pâle et triste. Elle s'agrippa des deux mains au lavabo. C'était trop douloureux de songer que Jimmy n'était plus avec elles.

Qu'elle le veuille ou non, elle allait devoir faire le vide dans la maison, jeter toutes ces choses à la poubelle, laver les draps, se débarrasser de ses vêtements. Car ce n'étaient que des vêtements, ce n'était pas lui.

— C'est sucré comme les bonbons ? demanda Laurel en montrant le flacon du doigt.

— Non, répondit Kathryn en prenant une moue dégoûtée. C'est très mauvais.

Elle vida le flacon dans les toilettes.

— Nous n'avons pas besoin de médicaments, dit-elle en tirant la chasse d'eau.

Mais la fillette avait l'air sceptique.

— Il est tard, dit Kathryn. Tu peux dormir dans notre... dans mon lit, si tu veux.

Laurel sauta de joie, tout excitée. Il ne fallait pas grand-chose pour lui changer les idées.

— Parce que papa est parti ?

— Oui, parce que papa est parti.


La dernière fois que Laurel Peyton agita la main pour dire au revoir à son papa, elle se trouvait à l'arrière de la grande Cadillac noire des services funéraires Magnolia. Faire au revoir à son papa qui passait sa vie en tournée était une chose normale, mais ce qui l'était moins, en revanche, c'était la présence de tous ces reporters qui faisaient crépiter leurs flashes autour de la voiture.

Les trois femmes qui étaient avec elle – Kathryn, sa sœur Evie, et Julia, la mère de Jimmy – s'efforcèrent de la protéger des visages qui se pressaient contre les vitres jusqu'à ce que la Cadillac démarre et que les silhouettes des journalistes aux allures de corbeaux refluent dans le lointain.

Derrière eux, on n'apercevait rien d'autre que le ciel monochrome de Seattle et la pelouse verte, ponctuée çà et là de touffes colorées comme autant d'éclats de vie éparpillés dans un lieu dédié à la mort. Le gravier de l'allée crissait tel du verre sous les pneus de la limousine tandis que la pluie tambourinait rageusement sur le toit et que le clignotant égrenait son tic-tac avec la régularité d'un battement de cœur.

La mère de Jimmy tapota l'épaule du chauffeur.

— Jeune homme. Jeune homme ! Vous n'entendez pas ? Éteignez votre clignotant !

Julia Laurelhurst Peyton semblait taillée dans le granit. Jimmy était la seule personne à avoir réussi à faire craquer le vernis de cette femme froide et hautaine.

Laurel se mit à fredonner une chanson de Jimmy, de sa petite voix aiguë. Le cœur chaviré, Kathryn jeta un coup d'œil du côté de Julia, qui continuait de regarder par la vitre, comme pour mettre de la distance entre elle et les autres occupants de la voiture.

Evie prit la main de sa sœur.

—Laurel ne comprend pas ce qui se passe, Kay.

—Elle comprendra bien assez tôt, dit Julia de sa voix éraillée de fumeuse.

Sans tourner la tête, elle ouvrit son sac à main et en sortit son porte-cigarettes.

—C'est à vous de le lui expliquer, Kathryn, c'est votre rôle de mère.

Son rôle de mère consistait à ne pas prendre de Seconal, il consistait à survivre d'heure en heure et de jour en jour, et à se consacrer entièrement au bien-être de Laurel, quitte à sacrifier tout le reste maintenant que Jimmy n'était plus là.

Julia glissa une cigarette entre ses lèvres peintes en rouge et l'alluma. Un nuage de fumée envahit l'habitacle.

—Mon fils était une star. Vous avez vu tous ces journalistes ? Demain, ses chansons vont inonder les ondes.

À cette pensée, Kathryn fondit en larmes.

—Je vous en prie, lui dit Julia avec un geste d'impatience.

—Elle a bien le droit de pleurer, protesta Evie en tendant un mouchoir à sa sœur.

Julia écrasa sa cigarette dans le cendrier.

—Laurel ? Viens voir grand-maman, dit-elle en tapotant la banquette à côté d'elle.

Laurel grimpa sur les genoux de sa grand-mère. Julia commença à chantonner le même air que sa petite-fille en la serrant contre son cœur, et bientôt les larmes se mirent à couler sur ses vieilles joues couvertes de poudre.

Six heures plus tard, c'était Kathryn qui s'agrippait à Laurel en fendant la horde des journalistes qui attendaient au pied de son immeuble.

— Nous aurions dû engager des gardes du corps, dit Evie en maintenant ouvertes les portes de l'ascenseur tandis qu'une poignée de journalistes pugnaces leur criaient des questions.

Heureusement, il n'y avait personne au dixième étage quand Evie introduisit la clé dans la serrure de l'appartement.

— Regarde, lui dit Kathryn. Laurel dort à poings fermés. Si seulement je pouvais en faire autant et oublier tout ce chaos. J'aimerais me réveiller et découvrir que tout ceci n'était qu'un mauvais rêve.

Evie referma la porte derrière elles sans faire de bruit.

— Va vite la mettre au lit.

Quelques instants plus tard, Kathryn revint dans le séjour.

Evie s'affairait autour de la desserte, sur laquelle trônaient un seau à glace et des carafes remplies d'alcools divers.

— Je suis en train de nous préparer un petit remontant.

Son regard s'attarda un instant sur Kathryn, puis elle ajouta :

— J'ai l'impression que c'est un seau de whisky avec une paille qu'il te faudrait.

Kathryn ôta son chapeau et le jeta sur la table du salon en soupirant :

— Quelle journée…

—Il faut dire que ta belle-mère n'a rien fait pour arranger les choses. Regarde-moi, dit Evie en lui tapotant les joues pour leur redonner de la couleur.

—Je suis pâle ? Forcément. Après une journée passée avec Julia, je me sens aussi vidée que si elle m'avait sucé le sang jusqu'à la dernière goutte.

—Tu es dure.

—Non, c'est elle qui est dure. Moi, je ne fais que dire ce que je pense.

Kathryn déboutonna sa veste puis se laissa tomber sur le canapé, la nuque appuyée contre les coussins. Au plafond, le trou laissé par la suspension n'avait jamais été rebouché. À côté du coffre à bûches reposait le tisonnier tordu depuis que le camion de déménagement avait roulé dessus. Le miroir au-dessus de la cheminée était légèrement de guingois. Tout était comme avant, et pourtant rien ne serait jamais plus pareil.

—Il faudrait être un ange pour supporter cette femme qui passe son temps à tout critiquer, remarqua Evie.

Elle remplit de glaçons deux verres à pied puis demanda :

—Qu'est-ce qui te ferait envie ?

—N'importe.

—Je ne sais pas où tu trouves ta patience. Papa consultait sa montre toutes les deux secondes quand on le faisait attendre, et maman était comme moi : incapable de supporter la moindre contradiction. Tu as toujours été la sainte de la famille, Kay.

—Je ne suis pas une sainte. Mais j'aimais son fils, voilà tout.

Evie marqua une pause, la pince à glace dans la main.

—Quand Laurel s'est mise à chanter, ça m'a brisé le cœur.

— Mon premier réflexe a été de lui mettre la main sur la bouche pour la faire taire.

— Si la propre fille de Jimmy Peyton ne peut pas chanter ses chansons, alors qui? En réalité, c'est à cause de Julia que tu n'as pas su comment réagir. Cette femme met tout le monde mal à l'aise.

— Ce n'est pas la faute de Julia. C'est la mienne. Je n'arrive plus à comprendre comment marche le monde. C'est tellement injuste, Evie. Je voudrais prendre Dieu à partie, lui agiter mon poing sous le nez et lui dire qu'il a commis une énorme erreur. Jimmy avait encore tant de choses à donner... Il était promis à une carrière fracassante. J'en suis sûre. Tu l'as bien vu, du reste.

— Tout le monde l'a vu, Kay.

— Jimmy et moi avions de grands rêves. Quand j'y pense, j'ai envie de me mettre à hurler.

— Tu peux démolir les murs si ça te chante. L'important, c'est que tu arrives à sortir de ce cauchemar.

Un cauchemar, oui, c'était bien le mot qui convenait. Sa vie tout entière était en train de basculer sans qu'elle y puisse rien. Sa peau lui faisait mal, comme si son épiderme avait rétréci en l'espace de quelques jours et n'arrivait plus à contenir son corps. Elle jeta un coup d'œil dans le miroir accroché au-dessus de la cheminée et vit les traits tirés d'une jeune veuve dévastée par le chagrin.

Pendant ce temps, Evie continuait de s'affairer autour du chariot à cocktails.

— Où sont passées les chaînettes des carafes à liqueur?

— Laurel les a prises pour les mettre au cou de ses poupées, croyant que c'étaient des colliers. Jimmy était hors de lui, mais il n'a pas eu le courage de les lui reprendre.

Evie leva deux carafes vers la lumière.

—Laquelle contient du whisky, d'après toi ?

—La plus sombre.

Elle en renifla le contenu.

—C'est du bourbon.

—Pour moi, ce sera un bourbon-Coca.

Evie versa une bonne rasade de whisky dans un verre puis l'aspergea légèrement de Coca.

—Un soir, Laurel m'a demandé de lui dire ce qui était écrit sur chaque collier. Elle a appelé ses poupées Bourbon, Scotch, Rhum, Gin et Vodka. Ça nous a beaucoup fait rire, Jimmy et moi.

Curieux comme le rire de Jimmy était encore présent dans son esprit. L'espace d'un très court instant, elle se sentit transportée hors des limbes où se débattent les vivants qui ont perdu un être cher.

—Tiens, lui dit Evie en lui tendant son verre avant de s'asseoir à ses côtés sur le canapé.

Sa sœur restant muette, Kathryn se plongea dans ses souvenirs.

Les années passées avec Jimmy se mirent à défiler dans sa tête comme les séquences d'un film. Le rire de Jimmy, ses appréhensions, ses larmes de joie la première fois qu'il avait vu leur fille brailler de faim entre ses bras. Elle l'entendait fredonner les chansons qu'il lui avait dédiées. Elle se souvint de la première phrase qu'il lui avait dite – et de la dernière : *Encore une nuit sur la route, ma chérie. Et demain, je serai à la maison.*

Evie reposa son verre.

—Rien de tel qu'une bonne rasade pour faire passer le fiel de ta belle-mère.

—Tu penses que Julia disait vrai ?

—J'en doute, dit Evie. Mais plus précisément, à quelle réflexion de cette langue de vipère fais-tu allusion ?

— Elle m'a dit qu'une femme sans mari devenait invisible aux yeux de la société.

— Je vois, dit Evie avec un petit rire amer. Elle a fait sien le bon vieux précepte selon lequel une veuve doit s'abstenir de faire étalage de son chagrin pour ne pas incommoder son entourage.

— Étant veuve elle-même, elle doit savoir de quoi elle parle.

— C'est une veuve noire, de celles qui dévorent leur conjoint. Pour surmonter son propre chagrin, elle t'oblige à ravaler le tien. Si je ne m'abuse, elle a dit aussi que les femmes indépendantes et célibataires étaient mal vues.

Evie releva le menton et imita la voix rauque de Julia :

— « Vous êtes divorcée, ma chère Evie. Épouser une femme divorcée, c'est comme miser son va-tout sur un cheval boiteux. Les divorcées sont des jouets entre les mains des hommes. Ils cherchent par tous les moyens à les attirer dans leur lit mais ne les épouseraient pour rien au monde. »

— Tu ne devrais pas la laisser te parler ainsi.

— Il est vrai que tu as plus d'expérience que moi dans ce domaine, Kay.

— Et je risque d'en avoir encore plus. Julia veut que je quitte cet appartement pour aller vivre avec elle.

— Tu ne vas tout de même pas aller vivre avec cette vieille toupie, protesta Evie. Elle va te vampiriser. Chaque fois qu'elle ouvre la bouche, j'ai envie de la faire taire. J'ai beau me dire que je devrais éprouver de la compassion pour elle, c'est plus fort que moi, j'ai envie de la gifler.

— Sous son apparente froideur, Julia est aussi fragile que moi. Tu l'as vue dans la voiture. Elle a besoin de

29

Laurel, et Laurel a besoin de la seule grand-mère qui lui reste.

— Cette femme n'a pas de cœur.

— Avec Laurel, si. Elle m'a fait de la peine quand elle a parlé de son fils, la star, comme si tout ce qui lui restait de Jimmy, c'étaient quelques minutes de musique diffusées à la radio. Moi, j'ai Laurel. Et Julia a besoin de voir sa petite-fille.

— Mais en tant qu'épouse de Jimmy, elle doit te respecter.

— Jimmy avait coutume de dire que ce n'était pas moi qui posais problème à sa mère, mais lui. Elle n'a jamais pu accepter de le laisser partir. Et d'ailleurs, je ne suis pas certaine de pouvoir élever Laurel seule. J'ai peur de trop la couver, de ne pas savoir ce qui est bon ou mauvais pour elle.

— Tu vas continuer de te comporter exactement comme quand Jimmy était en vie. Tu ne peux pas la protéger de tout.

— Laurel n'a plus de papa, mais elle aura au moins sa grand-mère si nous allons habiter chez Julia. De toute façon, sans Jimmy, cet appartement n'est plus le même. Il me semble vide et incolore. Je ne crois pas que je pourrai continuer à vivre ici.

— Tu pourrais venir habiter avec moi à Catalina, Kay. C'est une petite île tranquille et très agréable. La maison n'est pas grande, mais on peut y tenir à trois en se serrant un peu. Et puis il y a suffisamment de terrain à l'arrière pour aménager un atelier de poterie.

— Je croyais que tu voulais avoir un jardin.

— Ai-je vraiment besoin d'un jardin ? Mes cours à la fac ont toujours lieu le matin. Je pourrais garder Laurel l'après-midi et le soir pour que tu puisses travailler. Prends le temps d'y réfléchir.

—C'est très généreux de ta part, mais ce serait un désastre. Mi à part le fait que tu viens à peine d'acheter cette maison, tu n'as qu'une salle de bains. Nous serions constamment dans les pattes les unes des autres, tu le sais très bien.

Evie prit la main de sa sœur.

—J'aimerais tellement que tu viennes vivre à Catalina…

—Je sais, dit Kathryn en jetant un regard autour de la pièce. Je suis en train de me comporter en gamine. En fait, je me demande si je ne ferais pas mieux de rester ici.

—Kay, je ne peux pas décider à ta place. Mais je ne te vois pas allant habiter chez cette femme avec la petite.

La sonnette de la porte d'entrée retentit soudain.

—Ignore-les. Ils finiront par se lasser, dit Kathryn en prenant une gorgée de son verre.

Les coups de sonnette redoublèrent. Excédée, Evie se leva.

—Laisse-moi faire ! lui dit Kathryn.

Quand elle ouvrit la porte, un flash crépita, et tout devint blanc.

—Magazine *Star*. Nous aimerions interviewer la femme du défunt.

—Fichez-lui la paix ! s'écria Evie en leur claquant la porte au nez.

Kathryn se prit la tête entre les mains.

—Je ne suis pas sûre de pouvoir supporter longtemps ce harcèlement.

—Maman ?

Debout dans le couloir, son canard en peluche sous le bras, Laurel les observait. Kathryn s'élança vers sa fille et la prit dans ses bras.

—Tu vas bien, mon ange ?

Laurel hocha la tête en regardant la porte d'entrée d'un air intrigué.

— Ce genre de chose n'arriverait pas si nous étions chez Julia, dit Kathryn en jetant un regard appuyé à sa sœur. Là-bas, au moins, il y a un portail sécurisé et des domestiques.

Evie hocha la tête.

Kathryn savait qu'elle devait avant tout protéger sa fille. Tout au long de la journée, les gens n'avaient cessé de lui tenir des propos ineptes : *Vous verrez, ça s'arrangera avec le temps. Dieu a rappelé Jimmy parce qu'il avait besoin de lui à ses côtés. Vous êtes encore jeune, ma chère, vous avez tout le temps de refaire votre vie.* Elle n'osait imaginer l'effet que de telles paroles risquaient d'avoir sur Laurel et se demandait pendant combien de temps encore les journalistes allaient continuer de les harceler.

— Maman ?

Laurel prit le visage de Kathryn entre ses mains et l'attira tout près du sien, comme lorsqu'elle voulait capter l'attention d'un adulte.

— Les gens dehors, ils veulent t'interviewer parce que tu es la femme du dauphin ?

Evie fit la grimace, comme pour réprimer un rire.

— Je suis la femme du dauphin, répéta Kathryn.

Et soudain la situation lui parut tellement absurde qu'elle partit malgré elle d'un grand éclat de rire.

Ce fut comme si les vannes avaient subitement lâché et qu'un torrent de rire s'échappait de sa gorge sans qu'elle puisse l'arrêter. Ce n'était qu'une réaction idiote, songea-t-elle pour se rassurer, mais au fond d'elle-même elle savait que c'était un rire grinçant, cassant comme du verre, et qui frisait la démence.

# 3

*Orange County, Californie*

Sur la bande côtière entre L.A. et San Diego, les villes nouvelles avaient poussé jusqu'à former un lacis inextricable. Les parcs d'attractions et leur grand huit avaient remplacé les vergers, et le temps béni où, moyennant cinquante cents, on pouvait cueillir autant d'oranges qu'on en voulait n'était plus qu'un lointain souvenir. Les bungalows achetés sur plan partaient comme des petits pains, et à tous les coins de rue des feux tricolores fleurissaient pour tenter d'endiguer un trafic devenu si dense que les panneaux de stop n'y suffisaient plus.

Les transports publics ? Inexistants. Dans cette partie de la Californie où l'industrie pétrolière était omniprésente, posséder une voiture était indispensable pour aller et venir librement. Les pompes de forage alignaient leurs hautes silhouettes en forme de marteaux au bord de l'autoroute, et sur la plage de Huntington le goudron formait des nappes visqueuses dans lesquelles venaient s'engluer les coquillages, les détritus et le varech rejetés par la mer.

Le goudron n'était pas le seul effet pervers de la prospection pétrolière triomphante. Il y avait aussi les grands squelettes noirs des derricks dominant la colline de Signal Hill et les raffineries de Sepulveda Boulevard dont les hauts-fourneaux recrachaient leur fumée blanche et âcre dans le bon air californien. Dans les night-clubs de L.A., une blague courait selon laquelle les gens d'ici payaient leurs voitures en dollars et en air vicié.

Malgré cela, le monde entier rêvait de posséder une maison sur cette terre où le soleil brillait presque toute l'année et où les stars de cinéma vivaient dans le luxe et mouraient tragiquement.

La station balnéaire de Newport Beach ne comptait que des propriétés somptueuses. L'océan y était limpide, le sable blanc et fin comme du sucre glace. Autour des îles, des yachts à la blancheur immaculée étaient amarrés aux pontons privés de villas qui n'avaient rien à envier à celles de Beverly Hills. Quand le vent soufflait depuis les hauteurs de Santa Ana, l'air embaumait l'eucalyptus et vous dégageait les sinus plus efficacement que le Bano-Rub, la préparation à base d'hydrocarbures et de camphre qui avait permis à Banning Oil de se lancer dans l'exploitation des dérivés pétroliers et rapporté à Victor Banning de quoi s'offrir une jolie portion de la très convoitée Lido Isle sans égratigner son compte en banque.

En ce mardi après-midi, Victor se tenait devant la baie panoramique qui le séparait de l'immensité bleue du Pacifique. Il observait son reflet dans la vitre en songeant à l'unique personne à qui il ne voulait pas ressembler. Son père. Un homme faible qui n'avait jamais réussi qu'à accumuler les fiascos.

Victor avait grandi dans un foyer désuni, avec sa sœur Aletta comme seule alliée face aux récriminations d'une mère qui ne voyait en lui qu'une version miniature de son père, le tocard sur lequel elle avait misé. Mais c'était Aletta qui avait payé le plus lourd tribut aux défaillances paternelles. Elle était morte bêtement à une époque où ses parents n'avaient pas les moyens de la faire soigner, et Victor s'était retrouvé privé de la seule personne sur qui il pouvait compter.

La mort d'Aletta avait été un crève-cœur pour sa mère, qui, pour ne pas avoir à supporter la vue du seul enfant qui lui restait, l'enfermait pendant des heures dans un cagibi. Pour finir, renonçant à vivre aux côtés d'un mari impossible et d'un fils qui lui ressemblait comme deux gouttes d'eau, elle avait choisi de se suicider. À sa grande stupeur, Victor l'avait pleurée pendant des jours sans pouvoir se contrôler. La douloureuse et cruelle hérédité des Banning était inscrite en lui, et il savait qu'il ne parviendrait jamais à s'en débarrasser.

Aujourd'hui, on voyait à ses joues mal rasées et à ses yeux fiévreux qu'il n'avait pas dormi. La veille, il était allé identifier les cadavres de son fils et de sa belle-fille remisés dans les tiroirs chromés de la morgue de L.A. Quelques jours plus tôt seulement, il avait revu son fils Rudy pour la première fois depuis dix ans, et le chagrin qu'il ressentait à présent était si grand qu'il aurait été dévasté s'il l'avait laissé s'exprimer. Face à une douleur aussi démesurée, même les plus forts devenaient faibles.

En entendant ronronner le moteur de sa limousine dans l'allée, il s'approcha d'une petite fenêtre masquée par le feuillage d'un vigoureux camélia et jeta un coup d'œil au dehors. Il aperçut les garçons à côté de la Lincoln. Tous deux portaient un tee-shirt rayé et un jean à revers tout neuf. Malgré leurs quatre ans d'écart, c'étaient des Banning : mêmes cheveux blonds, même mâchoire carrée et bouche large, hérités du grand-père de Victor. Ils avaient le teint pâle et les sourcils épais de leur mère, qui leur donnaient une expression légèrement sévère. Cale, le plus jeune des deux, tenait Jud par la main.

35

En les voyant blottis l'un contre l'autre comme deux fillettes apeurées, Victor songea que Rachel les avait trop gâtés, puis réfléchit aux moyens qu'il allait devoir employer pour faire de ces deux poules mouillées des hommes capables d'affronter l'existence.

Peu après, il entendit les murmures des domestiques, puis les pas précipités des enfants dans le vestibule. Son chauffeur entra, sa casquette à la main.

— Vos petits-enfants sont arrivés.

Harlan n'était pas très grand, mais il était râblé et puissant comme un bœuf. C'était un ex-boxeur, catégorie mi-lourds, avec un nez cassé et une dentition en porcelaine entièrement refaite aux frais de Victor.

— Voulez-vous que je les fasse monter ?

— Non, je descends dans une minute. J'espère qu'ils se sont bien tenus ?

Harlan hocha la tête.

— Ils sont restés assis bien sagement à l'arrière. Ils avaient l'air impressionnés par la limousine.

— La MG est-elle revenue de l'atelier ? demanda Victor.

— Oui, Monsieur.

— Assurez-vous qu'il n'y a pas de défaut sur les ailes ou le capot.

— C'est déjà fait, Monsieur. La peinture est impeccable.

— Parfait.

La MG avait jadis appartenu à son fils, qui l'adorait. Mais ça, c'était avant que Rudy lui jette les clés au visage et tourne définitivement le dos à la maison Banning.

— Faites-les attendre, dit Victor. Je ne serai pas long.

Harlan sortit et Victor alla se servir un scotch. Le parquet craqua sous ses pieds et il baissa les yeux sur les contours quasi invisibles de la trappe menant à l'abri antiatomique

que l'architecte l'avait persuadé de faire construire et qui n'avait été en fin de compte qu'une lubie, un trou dans le plancher qui n'avait pas réussi à le protéger des aléas de la vie : son fils était mort en le haïssant. Le whisky restait sans effet. On ne pouvait pas noyer ses erreurs dans l'alcool – Rudy avait essayé. Face à l'océan, son verre à la main, Victor méditait sur son péché le plus noir.

Cale Banning était avec son grand frère dans le vestibule d'une maison inconnue, attendant de faire la connaissance d'un grand-père dont il ignorait encore l'existence quelques heures auparavant. Abandonnés pêle-mêle dans un coin du hall, leurs valises et leurs jouets étaient à leur image, désemparés et confus. Il tira sur la manche de Jud.

— Pourquoi est-ce que je ne l'ai jamais vu, grand-père ? Pourquoi il ne venait jamais nous voir ? Il ne nous aimait pas ?

— Je ne sais pas.

Jud alla s'asseoir sur une marche de l'escalier, ses longues jambes grêles repliées, ses coudes posés sur ses genoux, puis il dit :

— En tout cas, je me souviens de sa voiture. Je l'ai vue une fois ou deux passer devant notre maison.

— Et lui, tu l'as déjà vu ?

— Non.

Cale scruta du regard le vestibule, à la recherche d'un objet familier. Très haut, au-dessus de l'escalier, on apercevait une fenêtre à vitraux, comme dans une église.

— Tu as vu ?

— Oui, dit Jud, l'air ailleurs. C'est une toile de maman.

Cale étudia minutieusement l'immense tableau accroché à côté du vitrail. Une fois, il avait demandé à sa mère pourquoi elle faisait des peintures aussi grandes, et elle lui avait répondu que les grandes toiles avaient plus de choses à dire. Il regarda Jud.

— Tu sais pourquoi maman peignait des toiles aussi grandes ?

— Non.

— Parce qu'elle avait des choses à dire.

Cale recommença à examiner les grands coups de brosse rouges, bleus, verts et jaunes qui s'étalaient comme des balafres en travers de la toile et lui rappelaient les habits de sa mère. Ceux-ci étaient aussi bariolés et énigmatiques que ses peintures et constamment imprégnés d'une drôle d'odeur d'huile de lin. Quand il allait la rejoindre dans son atelier, ils buvaient du Coca-Cola en mangeant des sandwiches aux œufs et des gâteaux fourrés, puis elle reprenait ses pinceaux et, sans cesser de lui parler, se remettait à sa toile en faisant de grands gestes comme si elle avait peint avec tout son corps. Elle lui disait que la peinture révélait des choses sur ce que les gens ressentaient, mais que les messages étaient parfois cachés et que seul un œil exercé pouvait en déceler les secrets. L'âme de l'artiste était toujours visible pour ceux qui se donnaient la peine de la décrypter.

— Jud ? Ça ressemble à quoi, une âme ?

— Tu sais que tu es bizarre ?

Cale vint s'asseoir à côté de son grand frère, son menton posé sur ses mains, et dit :

— Elle me manque.

Sans rien dire, Jud lui passa un bras autour des épaules. Cale était la seule personne qui lui restait maintenant que leurs parents étaient morts.

Quand il releva la tête, il vit qu'un homme se tenait devant eux. Le père de son père était grand, et il ressemblait un peu à son papa si ce n'est que ses cheveux étaient grisonnants et qu'il avait une expression indéchiffrable dans les yeux. Cale se redressa.

— Pourquoi tu nous as fait venir ici ?

Jud se releva précipitamment, comme si son pantalon avait pris feu.

Leur grand-père ne répondit pas.

Pourquoi ne l'avaient-ils jamais rencontré ? Pourquoi les regardait-il ainsi sans rien dire ? Pourquoi leur papa et leur maman les avaient-ils laissés seuls avec lui ? Cale eut soudain envie de frapper cet homme au visage sévère qui l'observait de loin.

— Pourquoi on t'a jamais vu ? Tu es vraiment notre grand-père ? demanda Cale en faisant un pas en avant.

Jud l'attrapa par le bras et l'obligea à reculer.

— Reste ici.

— C'est toi, Cale, dit enfin son grand-père.

— Oui, répondit Cale en se réfugiant dans l'ombre de son grand frère.

— Et toi, tu es Jud.

Son grand-père serra la main de Jud comme s'il s'agissait d'un adulte, mais ignora son cadet.

— Viens avec moi, lui dit-il en se dirigeant vers la porte.

Jud obtempéra.

Cale aussi était son petit-fils. Il se mit à courir derrière eux. Pour finir, il les doubla, puis se retourna et vint se planter en plein devant son grand-père pour lui barrer la route.

— Où est-ce qu'on va ?

— Au garage.

— Pour quoi faire ?

— Il y a une chose que je voudrais montrer à ton frère.

Rien qu'à son frère ?

39

— Quoi donc ? insista Cale.

Son grand-père se remit à marcher.

— Qu'est-ce que tu veux lui montrer ? demanda Cale en gardant ses distances de crainte que son grand-père, qui avançait à grands pas, ne l'écrase comme un insecte. Tu ne m'aimes pas, ajouta Cale.

Son grand-père le regarda.

— Dois-je t'aimer ?

— Oui.

— Et pourquoi cela ?

— Parce que tu es mon grand-père. C'est ton devoir.

Il rit.

— Bien répondu, mon garçon.

L'espace d'un court instant, Cale songea que son grand-père l'aimait peut-être un peu tout de même.

— Qu'est-ce qui te fait penser que je ne t'aime pas ?

— Tu ne veux pas me parler.

— Et cela te dérange ?

— Oui.

— Pourquoi cela ?

— Parce que je n'ai rien fait de mal.

— Parce que tu t'imagines qu'il faut avoir fait quelque chose de mal pour que les gens ne t'aiment pas ?

Cale savait que parfois les gens ne vous aimaient pas sans avoir de raison pour cela.

— Je n'en sais rien.

— Eh bien, réfléchis. Et quand tu auras trouvé une réponse, tu pourras venir frapper à cette porte pour m'en faire part.

Son grand-père se tourna vers Jud en tenant la porte ouverte.

— Entre, mon garçon.

Jud disparut dans le garage.

40

Quand Cale essaya de voir ce qu'il y avait à l'intérieur, son grand-père s'encadra dans le chambranle pour lui masquer la vue.

—Et si je te disais que je préfère Jud parce qu'il est l'aîné?

Cale se redressa, les bras le long du corps, comme les soldats qui montaient la garde devant le palais des reines.

—Réponds-moi, dit le grand-père. Qu'en penses-tu?

—Je pense que tu es un vieil homme stupide.

Son grand-père resta de marbre.

—C'est possible, dit-il.

Puis il lui ferma la porte au nez.


Enfoui sous les couvertures, Cale épiait les bruits du couloir. Les battements de son cœur et le bruit rauque de sa respiration résonnaient dans ses oreilles. La chambre de son frère se trouvait à l'autre bout de la maison d'un homme qui leur avait demandé de l'appeler non pas grand-père, ou grand-papa, mais Victor.

Lorsque plus aucun bruit ne lui parvint du couloir, il fila jusqu'à la penderie et en revint avec une brassée de vêtements qu'il glissa sous les couvertures en les tassant de façon à donner l'impression qu'il était dans son lit en train de dormir.

La chambre de son grand-père se trouvait au premier étage, au bout d'un long corridor obscur. La porte à double battant était entrouverte, laissant passer un trait de lumière qui barrait le parquet. À l'intérieur, Victor était en train de brailler dans le téléphone.

—Comment cela, vous ne pouvez pas récupérer les toiles? Quel hôtel des ventes? Où cela? Dites-leur qu'ils n'ont pas le droit de les mettre aux enchères. Ces tableaux appartiennent à la famille. Je me fiche du contrat ! Vous êtes mon avocat. Stoppez la vente. Tant pis si nous devons toutes les racheter. Peu importe le prix, je les veux toutes sans exception.

Son grand-père raccrocha dans un juron.

Cale attendit que Victor se soit retiré dans sa salle de bains, puis il fonça jusqu'à la chambre de Jud et se faufila à l'intérieur.

— Qu'est-ce que tu veux ? lui demanda Jud en se redressant dans son lit.

— Je voudrais dormir ici.

— Tu as pleuré ?

— Non, mentit Cale.

Jud souleva les couvertures.

— Allez, viens.

Fonçant tête baissée, Cale exécuta une pirouette et atterrit au beau milieu du lit.

— Arrête de faire le macaque, grommela Jud en le repoussant.

— Je ne suis pas un macaque, protesta Cale en levant les yeux au plafond avant de ramener les couvertures par-dessus sa tête.

Une seconde plus tard, la lumière jaillissait, aveuglante, et Victor paraissait sur le seuil.

— Que fais-tu ici ? dit-il sur le même ton rageur que lorsqu'il était au téléphone.

Il s'approcha du lit et tira les couvertures.

L'estomac de Cale se noua. Jud, pétrifié, n'osait pas dire un mot.

— Dans cette maison, chacun dort dans son lit, dit Victor en tirant Cale par le bras pour l'obliger à se lever.

Posant ses mains sur ses épaules, il le poussa jusqu'à sa chambre, puis, désignant le paquet de vêtements sous les couvertures, demanda :

— Tu sais ce que je pense quand je vois ça ?

*Que je vais passer un sale quart d'heure*, songea Cale, qui répondit simplement «Non» d'une voix boudeuse.

Victor rejeta les couvertures.

— Je pense que tu savais que tu devais rester dans ton lit.

Cale ne répondit rien.

— Ce n'est pas un gamin de huit ans qui va apprendre à faire la grimace à un vieux singe comme moi.

Il jeta les vêtements dans un coin.

— À présent, couche-toi.

Cale grimpa dans le lit et s'allongea, raide comme un I, les yeux rivés au plafond.

— Tu veux que je laisse la lumière ?

— Non, répondit Cale, dépité.

Il rabattit les couvertures au-dessus de sa tête, puis la lumière s'éteignit. À travers les draps, il pouvait voir la silhouette de son grand-père éclairée par la lumière du couloir.

— Les Banning sont des hommes forts qui n'ont besoin de personne, Cale.

Il referma la porte et la chambre devint noire.


Un tintamarre de tous les diables tira brutalement Jud du sommeil. Il était minuit passé et les chiens des voisins aboyaient furieusement. Il s'approcha de la fenêtre et aperçut Cale étendu de tout son long devant la porte du garage, deux grosses poubelles en zinc roulant sur le bitume en direction de la chaussée. Son petit frère avait essayé de se hisser jusqu'à l'imposte pour regarder à l'intérieur du garage. Jud ouvrit la fenêtre et chuchota :

— Tu es malade ou quoi ? Remonte tout de suite ! Dépêche-toi !

Cale s'était relevé et se frottait la nuque.

— Je veux voir la voiture rouge.

— Espèce d'andouille ! Tu ne vois pas qu'il fait nuit ?

— Si, mais il ne veut pas que je la voie. Il ne veut pas que je te parle ni que je dorme dans ta chambre. De toute façon, il dort.

— Je dormais, jusqu'à ce que quelqu'un fasse un raffut d'enfer qui m'a tiré du lit.

Leur grand-père sortit de l'obscurité et marcha droit sur Cale.

— Ne le frappe pas ! s'écria Jud en se penchant par la fenêtre.

Victor leva la tête, les sourcils froncés.

— Ce n'est pas mon intention.

— Comment savoir ? On ne te connaît même pas ! lança Jud, qui se mit à dévaler l'escalier à toutes jambes.

Entre-temps, le chauffeur était sorti de sa chambre, qui se trouvait au-dessus du garage. Il était en pyjama et tenait un fusil à la main. Cale leva sur Victor un regard plein de défi dans lequel son grand-père eut l'impression de se reconnaître.

— Ne le touche pas, dit Jud.

— Je ne vais pas le toucher, répondit Victor, excédé.

Puis il demanda à Cale :

— Tu crois que je vais te frapper ?

— Je m'en fiche pas mal.

— Rien de tout cela ne serait arrivé si tu lui avais montré la voiture, s'indigna Jud.

Le chauffeur s'approcha.

— Monsieur Banning.

— C'est bon, Harlan. Vous pouvez retourner vous coucher.

Leur grand-père avait l'air fatigué.

Le chauffeur fit demi-tour.

— Harlan, attendez ! Toi, dit Victor en pointant sur Cale un doigt accusateur, excuse-toi de l'avoir réveillé.

En voyant la mine renfrognée de son frère, Jud pensa qu'il allait refuser. Après un silence interminable, Cale se tourna vers le domestique et lui dit, l'air nullement contrit :

— Je suis désolé de vous avoir réveillé.

— Pas de problème, fiston.

Harlan recommença à gravir l'escalier.

— Eh bien, Jud, tu penses que je devrais montrer la voiture à Cale ?

— Oui.

Tirant une clé de sa poche, Victor ouvrit la porte du garage et dit :

— Entrez, mes garçons, et regardez tout votre saoul.

Rapide comme l'éclair, Cale se faufila sous le bras de Victor. Jud l'imita. Basse et longiligne, la MG brillait de tous ses chromes. Le toit ouvrant avait été rabattu et ses phares scintillaient sous la lumière un peu trop crue des plafonniers. Des voitures comme celle-là, on n'en voyait guère que dans les vieux films. Avec son châssis carré, ses longerons, ses banquettes en cuir havane, sa carrosserie rouge écarlate, on aurait dit une voiture de pompiers miniature.

— Ouah !

Après avoir effectué le tour de la MG, Cale se mit à faire des grimaces dans le rétroviseur, puis dans le chrome de la calandre parfaitement astiquée. Sa veste de pyjama était boutonnée de travers et il avait des restes de feuilles dans le dos et les cheveux.

— J'ai acheté cette voiture pour votre père, leur dit Victor.

Jud fut surpris d'apprendre que la MG avait appartenu à son père, car il ne pouvait l'imaginer conduisant autre chose que leur vieille Ford bicolore.

— Monte, lui dit son grand-père en ouvrant la portière.

Jud se glissa sur la banquette de cuir et posa ses pieds sur les pédales. Son petit frère s'était faufilé sur le siège passager. Jacassant à tue-tête, il n'arrêtait pas d'abaisser et de remonter la vitre, d'enfoncer les boutons de sécurité, tandis que Jud, les mains sur le volant et les yeux fixés sur le pare-brise, cherchait à retrouver des sensations familières, l'empreinte laissée par son père. C'est alors qu'un étrange sentiment, intense et dévorant, s'empara de lui : cette voiture serait à lui. Jamais il n'avait autant désiré une chose comme il désirait cette voiture.

À côté de lui, Cale était agrippé des deux mains au dossier et s'amusait à rebondir sur la banquette.

— Un jour, je la conduirai, comme papa. J'irai partout avec.

Jud jeta un coup d'œil à son frère et songea : *Ça, c'est ce que tu crois, frérot. Mais tu te trompes. Cette voiture est à moi.*

# 4

Kathryn régla sa course et sortit du taxi orange qui empestait le tabac froid. Laurel s'élança en courant sur les marches du perron. La maison de style Tudor, avec son toit à pignons, ses fenêtres à petits carreaux et ses cheminées de granit, occupait le milieu d'une vaste pelouse flanquée de luxuriants jardins. En chaussures à talons, des perles autour du cou, Julia se tenait sur le seuil.

— Je vous attendais pour déjeuner, dit-elle en guise de bienvenue.

— Le déménagement a été plus long que prévu, répondit Kathryn, contrariée de devoir encore et toujours se répandre en excuses.

— Grand-maman ! Grand-maman ! s'écria Laurel en sautillant gaiement. On va vivre avec toi !

— Oui, ma chérie. Viens m'embrasser, dit Julia en lui tendant les bras.

Kathryn se retourna et vit le taxi qui disparaissait au coin de la grande grille. Au-delà, l'océan déployait ses reflets métalliques sous le ciel bleu limpide. Seules une proéminence verdoyante appelée l'île de Bainbridge et les cimes enneigées des monts Olympic venaient rompre la monotonie de cette étendue sans fin. *Puget Sound. Là où les aigles planent.* Les chansons de Jimmy lui revenaient sans cesse à l'esprit, mais elles revêtaient désormais un sens nouveau, hors du temps. Elles étaient la preuve qu'il avait vécu.

Il y eut un chuintement de freins à air comprimé, puis le camion de déménagement vert et jaune commença à remonter l'allée. Cette fois, les dés sont jetés, songea-t-elle.

— Viens, dit Julia en disparaissant dans la maison avec Laurel gazouillant à sa suite. Nous avons du pain sur la planche.

Agrippée des deux mains à son sac, Kathryn se figea et scruta l'imposante demeure qui avait vu grandir son mari, et qui allait voir grandir sa fille. Depuis que Jimmy était mort, elle avait l'impression d'être prise au piège. Car elle n'avait désormais plus de maison. Plus d'époux. Elle n'avait que Laurel. Et Julia. Mais elle devait continuer à vivre malgré tout. Enfin, elle mit un pied devant l'autre et songea : J'y arriverai.


Deux semaines plus tard, la tension entre les deux femmes était à son comble. Kathryn, qui n'avait jamais su gérer les conflits, sentait qu'elle était en train de perdre toute volonté de résistance face à Julia.

Tout avait commencé quand Kathryn avait déballé les cadres contenant les disques d'or de Jimmy. Le simple fait de les avoir sous les yeux lui brisait le cœur, si bien qu'elle les avait remballés et expédiés au grenier. Mais le surlendemain, en rentrant à la maison, elle les avait retrouvés accrochés dans l'entrée, exposés à la vue de quiconque franchissait le seuil. Elle avait fondu en larmes et était allée les cacher sous son lit. Ce soir-là, au dîner, Julia l'avait agressée.

— C'est vous qui avez décroché les disques de Jimmy ?

— Oui.

Sa belle-mère avait passé le repas à fumer cigarette sur cigarette jusqu'à ce que le silence, aussi épais que la fumée, soit devenu intolérable. Kathryn s'était levée.

— C'est l'heure de ton bain, Laurel.

— Elle n'a pas encore pris son dessert, rétorqua Julia en plaçant une coupe de crème glacée devant sa petite-fille.

Kathryn se rassit puis laissa errer son regard jusqu'aux fenêtres encadrées de lourdes draperies de brocart sous lesquelles retombaient de fins rideaux blancs. Elle se sentait aussi invisible que ces voilages.

— La famille de Johnny Ace a fait don de ses disques à un musée, dit Julia.

— Les disques de Jimmy devraient revenir à Laurel un jour.

— En les voyant accrochés dans l'entrée, Laurel comprendra qu'ils sont importants, dit sèchement Julia. Quand je pense que j'ai ôté exprès un Picasso et le Matisse !

Plus tard, ce soir-là, Kathryn était allée raccrocher les disques dans l'entrée avant de retourner s'enfermer dans sa chambre. Le cœur lourd, elle décida que dorénavant elle passerait par la cuisine pour entrer dans la maison.

Lorsqu'elles avaient décidé que Kathryn quitterait son appartement du centre-ville pour venir vivre avec elle, Julia avait fait refaire la chambre de Jimmy pour la donner à Laurel. Mais la salle de jeux attenante était demeurée intouchée. Quelques jours plus tard, Kathryn y était entrée, pour trouver Laurel assise sur les genoux de sa grand-mère, occupée à lui montrer de vieilles diapositives.

— Venez vous asseoir avec nous, Kathryn. Je ne crois pas que vous ayez vu ces photos, lui dit Julia.

— Viens, maman. Regarde. Papa avait un tricycle rouge exactement comme le mien quand il était petit.

Laurel commençait déjà à imiter le ton autoritaire de sa grand-mère. *Viens ici. Viens là. Fais ceci, fais cela.*

À mesure que les photos défilaient sous ses yeux, Kathryn sentait ses forces l'abandonner. Elle n'en dit rien à Evie lorsqu'elles se téléphonèrent ce soir-là, de peur que sa sœur ne cherche à faire pression sur elle. Mais elle emporta discrètement la page des petites annonces dans sa chambre pour jeter un coup d'œil aux offres de locations.

La semaine suivante, sans rien dire à personne, elle alla visiter une maison avec jardin et vue sur le détroit, et elle revint plus tard que prévu. Sitôt rentrée, elle fila à la cuisine préparer le déjeuner de Laurel, mais croisa sa belle-mère en chemin.

— J'ai préparé un sandwich au beurre de cacahuète et à la confiture pour Laurel, lui dit-elle en tentant de s'esquiver.

Mais Julia lui coupa l'herbe sous le pied :

— C'est inutile, elle a déjà mangé un sandwich au jambon avec des crudités.

— Laurel n'aime pas le jambon.

— Bien sûr que si, voyons. Jimmy adorait ça.

Prenant l'assiette que Kathryn tenait à la main, sa belle-mère la posa sur un guéridon et dit :

— Venez, je voudrais vous montrer quelque chose.

Elle la fit sortir sur l'arrière de la maison, dépassa les agrès tout neufs, puis la mena jusqu'à une haie de cèdres qui bordait la pelouse.

— Regardez, Kathryn.

Entre les arbres, elle aperçut une petite bâtisse, copie en miniature de la maison principale.

— Tenez, lui dit Julia en lui tendant une clé. Entrez.

Ce que Kathryn avait pris tout d'abord pour une salle de jeux destinée à Laurel était en fait une vaste pièce aux murs couverts de rayonnages, dotée d'un grand évier en pierre, flanqué d'une paillasse carrelée courant tout le long d'une large baie vitrée.

Julia s'adossa au plan de travail.

— D'ici vous pourrez surveiller Laurel quand elle jouera dans le jardin. Et d'ici également, dit-elle en désignant une deuxième fenêtre. J'ai pensé que nous pourrions vous installer un atelier dans cette pièce. Le four de potier se trouve dans une pièce séparée. La température devrait être supportable. Et il y a ici une armoire réfrigérée pour entreposer l'argile.

— Je ne sais que dire, balbutia Kathryn, émue. C'est merveilleux.

— Parfait, dit Julia.

Elle gratta une allumette, l'approcha de la cigarette qui pendait de ses lèvres, puis rejeta la tête en arrière et recracha la fumée.

— Je sais que ça n'a pas été facile pour vous de venir vivre ici. Je tenais à ce que vous sachiez que je suis heureuse que vous soyez là.

L'espace d'un instant, Kathryn crut voir dans ses yeux l'expression affolée d'un animal traqué.

— Cette maison est à vous, dit Julia avant de tourner les talons.

Lumineux, chaleureux et propre comme un sou neuf : Kathryn n'aurait pas pu rêver atelier plus parfait, si ce n'est que ses murs blancs étaient totalement dépourvus de vie. Soudain, elle sentit son passé s'effacer tandis que son avenir lui apparaissait vide.

51

Elle repensa à l'expression de terreur qu'elle avait lue dans les yeux de sa belle-mère quelques instants plus tôt, la même que celle qu'elle avait vue ce matin en se regardant dans la glace.

Au cours des jours suivants, Kathryn cessa de consulter les petites annonces et Julia cessa de lui dire ce qu'elle devait faire ou penser. Kathryn venait de sortir de la douche et était en train de s'habiller quand elle entendit Laurel sauter et chanter dans la pièce voisine. Soupçonnant sa fille d'être en train de faire du trampoline sur le lit de sa grand-mère, elle sortit dans le couloir en criant :

— Laurel !

Elle entra dans la chambre de Julia et trouva Laurel sautant comme un cabri sur la courtepointe en soie en chantonnant gaiement :

— J'aime le café j'aime le thé...

— Arrête immédiatement !

— C'est sans importance, lui dit Julia en sortant de la salle de bains, le visage luisant de crème de beauté. Je lui ai donné la permission.

Elle portait un peignoir ivoire assorti à la couleur des murs. Ici tout était blanc — y compris la coiffeuse et la chaîne stéréo — et cossu, depuis la moquette jusqu'au linge de lit, sans oublier les tentures de brocart qui ornaient les fenêtres à meneaux ouvrant sur l'océan. Entre les deux hautes croisées s'étalait une gigantesque toile aux couleurs audacieuses, de style contemporain, comme presque toutes les œuvres que possédait Julia. Kathryn sentit ses jambes se dérober sous elle.

— Impressionnant, n'est-ce pas ? dit Julia en s'essuyant le visage avec un mouchoir en papier. Il y en a une autre au-dessus du lit.

Kathryn se tourna vers le lit sur lequel Laurel continuait de sauter.

— Ce sont des Espinosa. J'en ai fait l'acquisition il y a déjà un certain temps. J'imagine qu'ils auront pris de la valeur depuis, même s'ils n'étaient déjà pas donnés à l'époque. La galerie m'a appelée il y a une semaine. L'artiste est décédée il y a peu et sa famille cherche à récupérer toutes ses œuvres. Mais je trouve qu'elles vont très bien ici et je n'ai pas envie de les vendre. J'ai fait toute la décoration de cette chambre en fonction de ces tableaux.

— Vous savez qui est cette femme ? demanda Kathryn lorsqu'elle eut retrouvé la force de parler.

— Rachel Espinosa. Une artiste espagnole.

— C'était la femme de Rudy Banning.

— Banning ? dit Julia en se laissant tomber sur une chaise. Banning ? répéta-t-elle d'une voix caverneuse.

Elle tourna vers Kathryn un visage couleur de cendre.

— C'est lui qui a tué Jimmy. Rudy Banning a tué mon fils.

— Rachel Espinosa Banning a trouvé la mort elle aussi dans l'accident. Elle avait un vernissage ce soir-là. Vous n'avez pas lu les journaux ?

— Non. Je n'ai pas ouvert le journal. Je ne me sentais pas le courage de lire la presse.

— Son mari et elle s'étaient disputés quand ils ont quitté la galerie. Et il a perdu le contrôle de son véhicule.

— Oh, mon Dieu.

Julia se leva, puis entra dans la salle de bains en refermant la porte derrière elle.

Restée seule, Kathryn se mit à scruter les toiles l'une après l'autre et à recommencer, encore et encore, jusqu'à ne plus voir qu'un amas de couleurs informe.

Plus tard cette nuit-là, elle fit un cauchemar et se réveilla en sursaut. De la pièce voisine lui parvenait la musique de Jimmy jouée à plein volume.

— Maman, je peux pas dormir, dit Laurel en entrant dans sa chambre. Il faut arrêter la musique.

Kathryn la prit avec elle dans son lit.

— Reste ici. Je vais demander à grand-mère de l'éteindre.

Quelle mouche avait donc piqué Julia ? Elle alla frapper à sa porte.

— Julia ?

Lorsqu'elle entra, son sang se glaça. Debout sur le lit, un couteau à la main, sa belle-mère contemplait la toile éventrée de part en part.

— Julia !

Calmement, elle recommença à l'entailler, en sens inverse cette fois, puis se tourna vers Kathryn et descendit du lit.

— Je ne veux plus les voir dans ma chambre. Ni dans cette maison, dit-elle en s approchant de la seconde toile.

— Attendez ! Non.

— Si, il le faut. Ces gens ont détruit ma vie. Ils ont tué mon fils.

— Mais vous avez dit que la famille voulait les racheter.

— C'est exact.

Julia lui apparut soudain comme une minuscule créature, perdue et confuse, le contraire même de la belle-mère sûre d'elle qui la faisait grincer des dents.

54

— Dans ce cas, il ne faut pas les détruire. La meilleure façon de vous venger est de refuser de les leur vendre.

C'étaient là des paroles indignes, mais d'autant plus savoureuses à prononcer.

— Ne les vendez jamais.

Le regard de Julia allait et venait entre le couteau qu'elle tenait à la main et la toile accrochée au mur. Elle inspira profondément, puis essuya ses larmes et tendit le couteau à Kathryn.

— Allons, tout va bien, lui dit sa belle-fille en la prenant par les épaules.

— Non, jamais plus rien n'ira bien, dit Julia en éclatant en sanglots.

Le roc avait tremblé sur ses fondations, il était devenu frêle et cassant comme du verre.

— Venez, lui dit Kathryn. Vous devriez dormir dans une autre chambre. Demain, je ferai ôter les toiles.

— Je ne les vendrai jamais. Vous avez raison. Jamais nous ne les leur vendrons.

# Deuxième partie

## 1970

«Nous faisons souvent payer chèrement aux autres
ce que nous croyons leur donner.»

Marie Joséphine DE SUIN DE BEAUSAC

# 5

*Newport, Californie*

Dans cet État prospère, la terre était riche, sombre et grasse comme l'or noir qu'on extrayait de ses entrailles. Sitôt plantées, les roses bourgeonnaient puis fleurissaient en l'espace de quelques semaines, et chaque printemps, dans des propriétés où le mètre carré se négociait autour de dix mille dollars, les haies de lantaniers foisonnaient jusqu'à tripler de volume. Les racines des poivriers déterraient les clôtures, et les eucalyptus, tels des haricots magiques, partaient à l'assaut du ciel, si rapidement que leur écorce se fendillait et se répandait en poudre sur le sol. La terre était si fertile que celui qui s'agenouillait pour y plonger les mains se sentait grandi lorsqu'il se relevait.

Les panneaux publicitaires vendaient du rêve, et les collines se couvraient de maisons convoitées par tous ceux à qui une vue sur l'océan procurait l'illusion de la sérénité. Newport avait cessé d'être un petit port enclavé. De nouveaux restaurants s'accrochaient au front de mer, occupant tous les espaces vacants : anciennes conserveries, tours de verre et d'acier, coques de navires. Des maisons cossues se dressaient un peu partout sur des terrains devenus trop petits pour être mesurés en arpents. L'accès aux lotissements était fermé par des barrières blanches actionnées par des gardiens en uniforme postés dans des guérites évoquant les postes-frontières de la guerre froide. Mais ces gardiens n'étaient là que pour l'apparat. Ils n'arrêtaient jamais personne.

C'est ici que les frères Banning avaient grandi et étaient devenus des hommes, grands, athlétiques, et dorés comme tout ce qui pousse sous le chaud soleil de Californie. Les treize années qui s'étaient écoulées les avaient métamorphosés. Les deux frères s'étaient séparés, chacun aspirant à devenir quelqu'un, à réussir. Tous deux avaient tout ce qu'ils auraient pu désirer, sauf une chose : l'affection de leur grand-père.

Dès que l'occasion s'était présentée, Victor Banning avait racheté les maisons de ses voisins et les avait fait raser pour agrandir sa propriété de Lido Isle, qui occupait à présent toute la pointe de l'île et possédait trois pontons, un terrain de basket ainsi qu'un garage pouvant accueillir sept véhicules.

La compagnie Banning Oil, rebaptisée BanCo, avait désormais un pied dans tous les domaines de l'industrie pétrolière : produits dérivés, exploitation, production et prospection. Chaque année, son classement au palmarès de *Fortune 500* attirait les jeunes loups de la finance désireux de faire leurs preuves.

Ce n'était toutefois pas l'ambition qui avait poussé Jud Banning à rejoindre la compagnie de son grand-père, fin mai, au sortir de la Stanford Business School, où il avait brillamment passé son diplôme de conseil en acquisition des sociétés, finance et marketing. Pour Victor, la continuité s'inscrivait dans l'ordre naturel des choses.

Chaque été, à partir du lycée, Jud et son frère avaient travaillé pour la société. Mais, contrairement à ce que ses camarades de promotion s'imaginaient, faire carrière au sein de la compagnie de son grand-père n'avait rien d'une sinécure. Car, si l'empire Banning avait évolué et diversifié ses activités, Victor, en revanche, était resté égal à lui-même. Difficile et exigeant, il ne faisait pas de favoritisme.

On était au début du printemps, époque où la brume matinale se dissipe rapidement, laissant place au soleil qui joue sur les flots et les baies vitrées des villas qui donnent sur la mer. Il commençait à faire chaud dans la salle à manger et Jud était en train de somnoler à la table du déjeuner.

Il s'éveilla en sursaut quand Maria s'approcha pour lui apporter son café.

— Quelle heure est-il? demanda-t-il en jetant un coup d'œil affolé autour de lui.

— Tôt, répondit la vieille domestique mexicaine, pour qui la journée se divisait en deux périodes: tôt et tard.

Pour Maria, les jours, les semaines et les mois n'étaient dignes d'être mentionnés que s'ils revêtaient une signification religieuse – mercredi des Cendres, vendredi saint, Assomption. Elle était entrée au service des Banning en qualité de cuisinière, femme de chambre et gouvernante deux jours après l'arrivée de Jud et Cale chez leur grand-père, et treize ans plus tard elle était toujours la seule femme dans la maison. Elle posa bruyamment la cafetière et la tasse sur la table.

— Tu t'endors chaque soir dans la salle à manger, Jud, au milieu de tous tes papiers.

— Je sais, je sais.

— C'est aujourd'hui que Monsieur Victor rentre à la maison. Tu ne veux tout de même pas qu'il te trouve endormi?

61

— Ça ne risque pas d'arriver. Le conseil d'administration se réunit ce matin.

— Les lits sont faits pour dormir. Les bureaux pour travailler. Les tables pour manger.

— Je n'ai jamais mangé une table, dit-il, pince-sans-rire.

Elle le foudroya du regard. Il changea de sujet.

— Je ne serai pas ici la semaine prochaine. Cale et moi allons dans l'île demain.

— Ah, celui-là, dit-elle, indignée. Il ne rentre jamais à la maison.

— Il est trop occupé par ses études.

— Il est trop occupé par les filles, dit Maria en retournant à la cuisine.

Depuis l'office lui parvenait la voix de Barbara Walters, la présentatrice du show télévisé *Today*, preuve qu'il n'était pas en retard. Il remua les monceaux de paperasse étalés sur la table pour repêcher sa montre. Sept heures et quart. Il la glissa à son poignet puis passa ses deux mains dans ses cheveux hirsutes. Il les avait laissés pousser exprès pour contrarier Victor. Contrairement à Cale, Jud avait une façon subtile de se révolter.

Autour de lui s'étalaient des dizaines de tableaux, diagrammes et comptes rendus, fruits de semaines de travail acharné, mais les dossiers de présentation renfermant les propositions qu'il allait soumettre à l'approbation du conseil d'administration étaient posés sur une chaise à l'écart de tout ce fatras. Aujourd'hui, comme tous les premiers vendredis du mois, le conseil devait se réunir à dix heures précises. Dès qu'il avait ouvert les négociations avec ce nouveau fournisseur, il avait flairé la bonne affaire. Ce contrat, portant sur l'achat d'une flotte de camions-citernes, allait leur permettre de réaliser une économie de plus de deux millions de dollars, chiffre qui ne manquerait pas d'impressionner ses pairs.

Une heure plus tard, il sifflotait gaiement en descendant l'escalier. Après avoir noué sa cravate, il enfila son veston puis s'arrêta devant le miroir pour une rapide inspection.

— Mon vieux, dit-il en s'adressant à son reflet dans la glace, je t'ai négocié un contrat de derrière les fagots.

Au même moment, Maria parut dans le vestibule avec une liasse de journaux.

— Tiens, tu apporteras ça à Monsieur Victor, lui dit-elle en lui ouvrant la porte. Et n'oublie pas, c'est vendredi saint. Il faut aller à l'église.

— Bien sûr.

Il n'avait pas mis les pieds à l'église depuis le mariage de son colocataire à l'université.

Les pétarades assourdissantes d'un compresseur à air lui parvinrent depuis le garage, qui était également doté d'un atelier de réparation et d'entretien. Harlan avait la tête sous le capot de la Bentley gris métallisé de Victor. À sa gauche, trois petites voitures de sport étaient garées dans les emplacements délimités par des marquages au sol. Un coupé Porsche 1600D modèle 1959, une Corvette décapotable 1963 et une Jaguar XKE. Toutes appartenaient à Cale. Toutes étaient rouge vif. Mais aucune n'avait sa préférence. Son frère conduisait indifféremment l'une ou l'autre. Car, si chères et prestigieuses que soient les voitures de Cale, aucune ne remplacerait jamais la vieille MG de leur père.

Garée dans le quatrième emplacement, celle-ci brillait comme un astre. Harlan vouait un culte aux voitures. Chaque moteur était réglé au quart de tour afin de pouvoir donner le maximum de sa puissance, chaque voiture des

Banning était d'une propreté irréprochable, ses chromes et ses enjoliveurs parfaitement astiqués.

Jud ouvrit la portière, déposa son attaché-case sur le siège passager, puis jeta pêle-mêle les journaux dans la boîte à gants : le *Los Angeles Times*, l'*Examiner*, le *New York Times*, le *Wall Street Journal*, le *Register*, le *Daily Pilot* et le *San Diego Tribune*. Bon sang, mais pourquoi son grand-père perdait-il son temps à lire tout ça alors que les journaux disaient tous la même chose ?

Harlan releva la tête pour jeter un coup d'œil à la vieille pendule accrochée au mur. Apercevant Jud, il fronça les sourcils, puis éteignit le compresseur.

— Tu pars de bonne heure, dit-il en tirant un chiffon de la poche de sa salopette. L'avion de ton grand-père n'arrive qu'à neuf heures trente.

— Je sais, mais je veux être en avance.

Harlan se remit au travail sans rien ajouter. Comme tous les employés de la maison Banning, il savait qu'aucune réunion ne commençait sans Victor.

Jud mit le contact et laissa tourner le moteur pendant quelques minutes avant d'enclencher la marche arrière. Il pianota impatiemment sur le volant en attendant l'ouverture du portail électronique, puis klaxonna deux fois et démarra en trombe.

Le siège de BanCo, à Santa Ana, occupait les sept derniers étages du Grove Building, une tour de verre et d'acier qui tenait son nom de l'ancienne orangeraie sur laquelle elle avait été édifiée. Dans la 5e et Main Street, les tours vitrées se renvoyaient leurs reflets à l'infini dans un décor qui n'avait plus rien de champêtre. Aux heures de pointe, quand l'activité humaine battait son plein, le va-et-vient incessant des voitures faisait vibrer l'air d'un bourdonnement fébrile.

Mais aucun bruit de trafic ne pénétrait dans la salle de réunion du quinzième étage où Victor Banning, un dossier posé devant lui, écoutait la présentation de Jud.

— Jusqu'ici, Banning n'avait encore jamais traité avec Marvetti Industries, dit Jud. Mais je les ai rencontrés, et j'ai découvert qu'ils fabriquaient ce qui se fait de mieux en matière de citernes.

À peine avait-il prononcé le nom de Marvetti que Victor se leva et annonça :

— La séance est close.

Un silence absolu se fit dans la salle, puis les membres du conseil s'empressèrent de remballer leurs dossiers et de déguerpir.

Jud, cramoisi, se tourna vers son grand-père.

— Peut-on savoir ce qui se passe ?

— Nous en parlerons en privé, lui répondit Victor. Suis-moi.

Une fois dans son bureau, Victor prit place derrière l'imposante table rectangulaire qui lui permettait de garder ses interlocuteurs à distance et dit :

— J'attends tes explications.

— Quelles explications ? C'est toi qui as levé la séance sans même me laisser finir mon exposé.

— Je l'ai fait pour t'empêcher de te couvrir de ridicule.

Jud se raidit d'un seul coup, ulcéré. Victor avait parfois tendance à oublier qu'il n'avait que vingt-cinq ans. Quand il avait son âge, Victor connaissait déjà la vie. Il était intraitable en affaires et son entreprise passait avant tout. Marié et père de famille, il travaillait dix-huit heures par jour avec une détermination sans faille.

— Tu t'imagines que je ne sais pas faire un exposé ? dit Jud en passant une main dans sa tignasse blonde. Et merde…

— Justement, tu t'y es mis jusqu'au cou en passant un marché avec Marvetti.

— Marvetti est prêt à nous livrer le matériel rubis sur l'ongle. Nous n'avons pas besoin d'attendre que Fisk ait fini de retaper ses citernes. Pas besoin non plus d'acheter les tracteurs séparément. Marvetti nous fait une offre globale. Et tout ça pour un tiers du coût initialement prévu.

Victor le dévisagea sans rien dire. Ce gosse ne s'était pas informé comme il l'aurait dû.

— Ce contrat – mon contrat – va nous permettre de réaliser une économie de deux millions de dollars, dit Jud. *Deux millions*.

— Je n'arrive pas à croire qu'un être de ma chair et de mon sang soit aussi stupide. Parfois je me demande ce que tu as appris durant les six années que tu as passées à l'université.

— J'ai appris comment négocier un marché avec un fournisseur de stature internationale.

Victor lui rit au nez.

— BanCo n'avait encore jamais travaillé avec Marvetti, dit Jud en se frappant fièrement la poitrine. Mais grâce à moi la donne a changé.

— Parce que tu t'imagines que je ne peux pas choisir mes partenaires commerciaux ?

Son petit-fils ne trouva rien à répondre. Il n'était pas idiot, loin de là, mais il manquait d'expérience. Baissant le ton, Jud reprit :

— J'ai consulté les archives. Je n'ai pas trouvé trace du moindre marché passé avec eux.

— T'es-tu seulement demandé pourquoi ?

— Parce que nous n'avions jamais réussi à les approcher.

— Qui t'a dit une chose pareille ?

— Joe Syverson m'a expliqué qu'une rumeur courait selon laquelle Marvetti ne pouvait pas te voir en peinture.

— Je n'ai jamais voulu traiter avec lui quand j'ai débuté dans le métier, et ce n'est pas maintenant que je vais m'y mettre. C'est à moi que tu aurais dû poser la question, pas à Syverson.

— La dernière fois que je t'ai posé une question, tu m'as envoyé promener en déclarant que tu n'allais pas faire mon boulot à ma place. Tu m'as dit que je devais apprendre à penser tout seul.

— Apprendre à penser, c'est exactement cela, Jud.

— Va te faire voir.

— Pour l'amour du ciel, cesse de monter sur tes ergots et explique-moi comment toute cette histoire a commencé.

— J'ai croisé Richard Denton au club, il y a quelques mois. Il m'a invité à boire un verre avec des amis à lui. L'un d'eux se trouvait être le directeur commercial de Marvetti.

— Et ces messieurs t'ont roulé dans la farine.

— Non, s'insurgea Jud. Ça ne s'est pas passé comme tu le crois. J'ai dû faire des pieds et des mains pour décrocher ce contrat. Et je ne lui ai pas léché le cul, si c'est ce que tu insinues.

Ce gamin était décidément d'une naïveté crasse.

— Fitzpatrick était avec eux ?

— Oui.

Victor le fixa du regard.

— Tu penses vraiment que des types comme Denton et Fitzpatrick vont t'introduire dans leur cercle d'affaires juste comme ça ? Parce que tu es allé à Stanford ou parce que tu as une belle petite gueule, que tu conduis une MG et que tu peux faire trois en dessous du par sur les neuf derniers trous ? L'idée t'a-t-elle seulement effleuré qu'ils s'intéressaient à toi parce que tu es mon petit-fils ?

Victor se pencha en avant et posa les deux mains à plat sur son bureau.

— Non, bien sûr, parce que tu n'es qu'un petit morveux qui s'imagine qu'il n'a de leçon à recevoir de personne.

Jud rejeta la tête en arrière comme si son grand-père l'avait frappé en plein visage.

Victor prit une profonde inspiration et se cala dans son fauteuil.

— Première règle en affaires : examiner soigneusement toute offre. Quand les gens cherchent à te faire croire qu'ils te font une faveur, c'est qu'ils y trouvent leur intérêt.

— Leur intérêt, c'est un contrat portant sur plusieurs millions de dollars avec BanCo, rétorqua Jud.

Ce gosse marchait à l'amour-propre, et on ne sait jusqu'où l'orgueil peut mener un homme. Jud avait encore beaucoup à faire pour développer son instinct.

— Quand un homme d'affaires aguerri ne parvient pas à obtenir ce qu'il veut, il cherche les points faibles de son adversaire, reprit-il. Et dans ce cas précis, mon point faible, c'est toi.

Jud serra les mâchoires.

— Peux-tu m'expliquer ce que tu attends de moi ?

— Que tu fasses ton travail. Ne te lance jamais dans une négociation sans avoir pris tous tes renseignements. Commence par te demander quelles sont les motivations de ton partenaire. Aucun détail ne doit être laissé au hasard, la taille de ses souliers, le nom de ses gamins, son groupe sanguin. Ce qu'il a déclaré au fisc l'année précédente. Bref, tout ce que tu pourras.

— Et peut-on savoir ce qui cloche avec Marvetti ? Pourquoi refuses-tu de traiter avec eux ?

— Ce n'est pas à moi de faire ton travail. Je veux que tu te serves de ta tête, nom d'un chien !

— Tu veux que je sois parfait !

— Je ne crois pas aux miracles.

À cet instant, Victor aurait parié que Jud avait envie de le frapper. Il reprit calmement :

— Ce que je veux, c'est que tu apprennes à travailler comme moi. Que tu apprennes à penser comme moi.

— Ah, ouais ? Et si je n'ai pas envie de te ressembler ?

Victor se leva.

— Tu n'es qu'un jeune coq prétentieux et stupide. Tu n'as pas idée du nombre d'erreurs que tu vas commettre dans ta vie.

— Bien sûr que si. Et la plus grosse de toutes, c'est de m'être imaginé que je pouvais faire partie de cette compagnie. En tout cas, ne compte pas sur moi pour marcher dans tes traces !

— Serais-tu plus stupide que je ne le pensais, Jud ? Si tu veux faire ce métier, regarde-moi et apprends !

— Je n ai pas envie de me faire descendre en flammes chaque fois que je prends une initiative !

Jud s'était penché au-dessus du bureau jusqu'à ce que leurs nez se touchent presque. Victor recula puis reprit sur un ton plus calme :

— Tu n'es qu'un chien fou, incapable de reconnaître ses torts.

— Avec toi, j'ai toujours tort.

— Non. Mais tu t'imagines que tu sais tout.

— Exactement, comme toi.

Victor se demanda encore combien d'erreurs comme celle-là Jud allait devoir commettre avant d'avoir du plomb dans la cervelle. Il songea à Rudy. Rudy aurait mené l'entreprise à sa perte s'il l'avait laissé faire, mais Jud avait l'esprit agile, il savait prendre des risques et, des deux garçons, il était le plus fort. Contrairement à Cale, qui passait son temps à séduire les filles, Jud n'était pas du genre à se laisser mener par sa libido.

— Tu me trouves intraitable et tu as raison.

Victor se renversa dans son fauteuil sans quitter son petit-fils des yeux.

— J'ai bâti cet empire de mes mains et il est hors de question que je laisse un blanc-bec réduire à néant tous mes efforts.

— Et moi, que vais-je dire à Marvetti ? Que mon grand-père n'est pas d'accord. J'entends d'ici les commentaires : «Jud Banning n'est qu'une lavette. Un pantin.»

— Tu attends de moi que je te donne toutes les réponses. Mais moi, j'ai dû me débrouiller tout seul, sans personne pour me dire ce que je devais faire. Débrouille-toi. Montre-leur de quoi tu es capable.

— Ainsi, selon toi, celui qui veut se faire un nom dans le monde des affaires doit manquer à sa parole ? Après cela, jamais plus personne ne me prendra au sérieux.

Victor croisa les bras et le regarda sans rien dire.

— Nom d'un chien, Victor ! C'était mon contrat. Faut-il que je perde ma dignité et mon intégrité sous prétexte que tu n'aimes pas Marvetti ?

— Ta dignité, tu l'as perdue dès l'instant où tu t'es laissé entraîner dans cette histoire par les hommes de Marvetti. Quand tu auras compris pourquoi, reviens me voir et nous verrons si tu es toujours aussi fier.

Les traits de Jud se crispèrent. Il était furieux et humilié.

— Je veux qu'on me laisse une chance de faire mes preuves… à ma façon.

— Et tu as tort.

Jud avait beau être têtu comme une mule, Victor savait qu'il n'oserait jamais franchir certaines limites – et risquer de se faire renvoyer. Le silence qui s'installa entre eux était plus éloquent que toutes les paroles.

— À présent, va-t'en, dit Victor en détournant les yeux.

Il fit mine de se plonger dans la lecture d'un dossier, mais quand Jud fut presque à la porte, il lui lança :

— Inutile de te représenter devant moi tant que tu ne seras pas revenu à de meilleures intentions.

Jud ouvrit la porte d'un geste brusque.

— Tu veux dire tant que je ne serai pas décidé à t'obéir au doigt et à l'œil.

— C'est cela. Exactement.


*Université Loyola Marymount,*
*Del Rey Hills, Californie*


Il n'y avait jamais eu de médecin dans la famille Banning, aucun éminent parent dans les traces duquel Cale eût pu marcher. Mais s'il avait brisé la règle de Victor sur l'ordre naturel, ce n'était pas par défi. Depuis son plus jeune âge, et alors que ses camarades hésitaient entre devenir pompier ou cow-boy, lui voulait s'employer à sauver des vies. Chaque fois qu'un  mouette venait se cogner contre les baies vitrées presque invisibles de la maison de Lido Isle, Cale volait au secours de l'oiseau. Il l'enveloppait dans une serviette chaude, puis la déposait à l'intérieur d'une caisse en attendant qu'elle soit suffisamment rétablie pour pouvoir prendre son envol.

Le soir venu, il dormait comme une souche, et le lendemain matin, en trouvant son lit parfaitement bordé, Maria aurait juré qu'il avait dormi par terre ou avec Jud. Ce en quoi elle se trompait, car il y avait bien longtemps qu'il ne cherchait plus à se faufiler dans la chambre de son grand frère. Victor avait réussi à ériger entre lui et Jud un mur invisible contre lequel Cale s'était jeté tête baissée plusieurs fois avant d'apprendre à l'éviter.

Plus tard, quand il était entré à l'université, c'est dans les bras du sexe opposé qu'il avait cherché le réconfort. Les premières années passées loin de la maison de son grand-père lui avaient procuré un formidable sentiment de liberté. Tous les étudiants vivaient dans des résidences universitaires, et il était justement en train de regagner la sienne, une enveloppe de l'université de Washington à la main.

Perché sur un promontoire à l'ouest de la baie de L.A., le campus était balayé par une brise marine qui repoussait le smog vers l'intérieur des terres. Des rosiers aux fleurs grosses comme le poing embaumaient l'air, et les étudiants avaient envahi les bancs et les pelouses. Comme presque tous les après-midi, des prêtres et des religieuses disputaient une partie de croquet dans un lieu appelé le Jardin englouti, tandis qu'une poignée d'étudiants jouait au frisbee de l'autre côté du boulingrin. Entre deux immenses magnolias s'étirait une bannière sur laquelle on voyait un bouledogue derrière des barreaux avec la légende *À bas les Zag!* Ce soir – le dernier avant les vacances de printemps –, les universités Loyola et Gonzague allaient disputer la première place dans leur division.

Pourtant, le match était loin des préoccupations de Cale lorsqu'il sortit du pavillon Saint Robert pour regagner la résidence en stuc et en bois dans laquelle il logeait. Chaque appartement était occupé par quatre étudiants, mais le sien était désert. Après avoir jeté ses livres d'étude sur la table en formica, il alla prendre une bière bien fraîche dans le réfrigérateur puis regagna sa chambre, qui sentait les chaussettes sales, le linge humide et la pizza. Il se laissa tomber sur le lit et contempla l'enveloppe blanche pendant un long moment avant de se décider à l'ouvrir.

*24 mars 1970*

*Cher Monsieur Banning,*
*Nous sommes au regret de vous informer que vous ne remplissez pas les conditions nécessaires à l'admission à la faculté de médecine de l'université de Washington.*

Blablabla... C'était chaque fois la même chose. Harvard, Stanford, Johns Hopkins... Encore et toujours des lettres de refus.

La porte s'ouvrit à la volée, et son compagnon de chambrée et partenaire de jeu entra en chantonnant l'hymne de leur équipe : « Willie et les grands garçons vont danser sur le terrain ce soir... »

De son grand-père, qui dirigeait un big band, William Dorsey n'avait pas hérité l'oreille musicale, même s'il avait des talents certains de comédien. Will n'adorait rien tant que de se faire acclamer par la foule, fût-ce au cours d'un match de basket ou après, dans le dortoir des garçons. De tous, il était le seul à pouvoir descendre un pack de Colt 45 en moins de trois minutes sans vomir. C'était une star du basket. Deux mètres et des poussières, une démarche de félin, il était si souple qu'on aurait dit qu'il avait des bras et des jambes en caoutchouc quand il driblait sur le terrain. Ses rebonds étaient fabuleux. En deux minutes chrono, il était capable de marquer plus de points

73

que n'importe quel autre joueur de sa division. De sorte que personne ne s'était étonné de son élection à l'unanimité au rang de capitaine.

Après avoir refermé la porte d'un coup de pied, Will s'immobilisa pour envoyer un baiser à la photo en couleurs de Jeannine Byer, une superbe blonde qui suivait des études d'infirmière à Mount Saint Mary, puis jaugea brièvement Cale du regard et demanda :

— Qui est mort ?

— Moi, dit Cale en brandissant la lettre chiffonnée.

— Encore ! Qui est-ce, cette fois ?

— Washington.

— Bah, ne regrette rien. Il n'arrête pas de pleuvoir là-bas.

Will posa ses bouquins à terre, s'empara de la corbeille à papiers et la maintint en équilibre sur sa tête.

— Vas-y, dit-il en désignant le panier du doigt. Jette. C'est tout ce qu'ils méritent, ces enfoirés. Et ne rate pas ton coup. Vas-y, vieux. Go !

Cale lança la lettre. Celle-ci fendit l'air avant de retomber au beau milieu de la corbeille.

Saisissant la canette vide de Cale, Will l'approcha de ses lèvres et souffla dedans comme s'il testait un micro, avant de se lancer dans une imitation d'un célèbre présentateur sportif :

— Et voilà Cale Banning qui marque, en-*cooore* un point ce soir. Il est bien parti pour battre le *recooord*… du plus grand nombre de lettres de refus. Mais il y a de l'espoir ! *Ouuui*, car notre érudit trouduc formé à Loyola n'a pas encore épuisé *tooooutes* ses options. Canada ? Mexique ? Tiers-monde ? Et si là encore il échoue, M. Cale Banning aura la possibilité de s'enrôler chez l'oncle Sam, qui se fera un plaisir de l'expédier dans la très illustre université de *Da Nang* !

—Très drôle, dit Cale en lui jetant une serviette mouillée au visage. L'université de Da Nang, mon cul !

—En tout cas, si c'était moi qui devais envoyer des types dans la jungle, je ne choisirais pas des recalés de ton espèce.

Will balaya une dizaine de cassettes qui traînaient sur le lit, puis se jeta sur le matelas. Il portait des sandales mexicaines qu'il avait achetées pour un dollar lors d'une virée à Tijuana.

—Moi, si je m'enrôle un jour, ce sera à la NBA, pas dans l'armée.

Il croisa les mains derrière sa tête puis demanda :

—Tes notes sont trop justes ?

—Les facs de médecine sont pleines à craquer. Personne ne veut aller à Da Nang.

—Trop de cadavres au journal télévisé. Tu as postulé dans d'autres facs ?

—Oui, j'attends encore les réponses de l'université de San Diego et de celle du Texas.

—Et si c'est *niet*, tu vas faire quoi ?

Cale baissa la tête, posa ses coudes sur ses genoux et se frotta les yeux.

—Pas la moindre idée.

—Je n'arrive pas à croire que tu aies sabordé tes études pour une paire de nichons. Tu n'as vraiment suivi aucun cours, l'année dernière ?

—Si, quelques-uns.

—Elle en valait la peine, au moins ?

Cale eut un rire amer.

—Non.

—Tu devrais en parler à ton grand-père.

— Oh, mais naturellement. Tu n'as pas idée comme j'ai hâte d'avoir cette conversation.

Will prit un ballon de basket et commença à le faire passer d'une main à l'autre.

— Victor Banning. Le grand manitou. Je ne l'ai croisé qu'une seule fois. Mais ce jour-là j'ai regretté de ne pas avoir emporté un crucifix pour pouvoir me protéger.

— Il fait souvent cet effet-là.

— Il a le bras long, il doit pouvoir t'aider.

Cessant de jouer avec le ballon, Will demanda :

— Quelle serait sa réaction si tu lui disais carrément ce que tu as sur le cœur ?

— J'ai essayé pendant des années de parler avec mon grand-père. Mais personne ne parle avec Victor. C'est lui qui détient la parole. Chaque fois que je rentre à la maison, je l'entends me seriner que je suis en train de gâcher mon avenir. Bon sang, Will. Je n'arrive pas à comprendre comment j'ai pu foirer à ce point.

— On dit échouer, le reprit Will en lui jetant le ballon.

Instinctivement, Cale le rattrapa puis éclata de rire.

— Cause toujours, espèce d'intello de mes deux.

Le téléphone sonna. Will décrocha.

— Timothy Leary, de la Maison du Hasch. Vous les fumez, on les roule.

Son regard se tourna vers Cale.

— Oui, il est là… quelque part. Je vais essayer de voir si je le trouve. Ah, attendez, il me semble apercevoir son pied, là-bas, dans un coin ! Il est enterré sous… Ma parole ! Il va me falloir une pelleteuse pour le sortir de là !

Il marqua une pause théâtrale, puis secoua la tête.

— Oh, oh. Pas de veine. J'ai l'impression qu'il a disparu. Veuillez noter en guise d'épitaphe : Ci-gît Cale Banning, mort étouffé le 3 avril 1970 sous la plus grosse pile de lettres de refus de toute l'histoire du monde moderne.

Will lui tendit le téléphone en murmurant:

— C'est Jud. Sacré veinard.

— Eh, salut, grand frère.

— Salut, fit Jud.

Il avait la même voix grave que leur père. Il fallait toujours un temps à Cale pour se rappeler qui il avait à l'autre bout du fil.

— Will Dorsey est complètement ravagé, dit Jud.

— Ouais, dit Cale en regardant Will. Partager une chambre avec lui, c'est comme être pris au piège dans un poème de Ferlinghetti.

Will lui fit un signe de la main puis se dirigea vers la salle de bains. Deux secondes plus tard, Cale entendit couler l'eau de la douche, puis les notes distantes d'une chanson de Jimi Hendrix qui passait à la radio.

— Qu'y a-t-il? demanda Cale à son frère.

— Je t'appelle depuis le port. J'attends le bateau. J'ai décidé d'avancer mon départ dans l'île.

Mince… il avait oublié. Ce week-end, Jud et lui avaient prévu de se retrouver sur l'île de Catalina.

— Je ne peux pas partir ce soir, Jud. Il y a le match de fin de saison.

— Je sais. Je voulais simplement que tu saches que je partais ce soir. J'ai besoin de prendre l'air.

— Qu'est-ce qui ne va pas?

— Tout.

Jud avait l'air dégoûté.

— Victor?

— Oui. Mais je ne peux pas tout te raconter au téléphone. Nous parlerons demain.

Ils raccrochèrent. Il y avait des mois qu'il n'avait pas vu Jud. Cale avait toujours une bonne excuse pour ne pas rentrer à Newport. Tantôt c'était un devoir à rendre, tantôt un match à disputer. Rien ni personne ne l'attendait là-bas, hormis Victor et ses exigences. Il tira son sac de sport de sous son lit puis alla tambouriner à la porte de la salle de bains. Celle-ci s'ouvrit, laissant échapper un nuage de vapeur.

—Tu en as encore pour longtemps ?

—Jusqu'à ce que j'aie fini.

Cale baissa le volume du transistor.

—Alors ? Que t'a dit ton frère exemplaire ? s'enquit Will.

—Jud n'est pas exemplaire.

—Non, mais presque.

Cale aperçut son reflet dans la glace. Avec son allure débraillée, il était loin d'être parfait. Jud avait été admis du premier coup à Stanford et en était ressorti avec les honneurs. Il ne devait même pas savoir à quoi ressemblait une lettre de refus. Les problèmes qui semblaient insur-montables à Cale étaient de la petite bière pour Jud, qui réussissait tout ce qu'il entreprenait. Cale n'avait jamais oublié le jour où Jud avait été admis à l'université. Cet été-là, Victor lui avait fait cadeau de la MG.

Une fois Jud parti pour Stanford, il s'était retrouvé seul avec Victor dans une maison silencieuse où son grand frère ne rentrait qu'au moment des vacances. Jud avait placé la barre trop haut pour Cale, qui avait le sentiment que, du jour où ils étaient arrivés chez leur grand-père dans la limousine noire, leurs vies avaient été tracées selon le bon vouloir de Victor.

Cale referma la fermeture éclair de sa trousse de rasage.

— Mon frère et moi devons nous retrouver à Catalina demain. Puisque tu n'as pas l'air décidé à sortir de cette salle de bains, je vais aller me doucher au gymnase.

L'enveloppe déchirée reposait sur le lit. « Parle à Victor », lui avait conseillé Will. Mais Cale savait déjà ce que son grand-père allait lui dire : « Tu n'es qu'un jeune crétin. Tu as sacrifié tes rêves pour une fille. Tu aurais dû te concentrer sur tes études, au lieu de faire les yeux doux à une gamine. » Victor avait le don de vous toucher en plein là où ça faisait mal et de retourner ensuite le couteau dans la plaie.

Cale jeta l'enveloppe dans la corbeille. Plus question de retourner à Newport. Will n'avait pas tort de dire que Victor jouait les grands manitous. Mais en attendant, Cale n'avait nulle part où aller.

# 6

Après des années passées sous le même toit que Julia, Kathryn Peyton avait perdu son âme. Encore relativement jeune quand Jimmy était mort – elle n'avait que cinquante-cinq ans, et Kathryn vingt-trois –, sa belle-mère n'était pas d'une robuste constitution. Ses os saillants étaient la première chose qu'on remarquait chez elle. Ils lui conféraient un air sévère qui allait de pair avec sa nature autoritaire. La présence de Laurel avait permis à Julia de conserver toute sa vivacité d'esprit, mais il n'en allait hélas pas de même pour son corps. En l'espace de douze ans, sa frêle carcasse avait fondu, et malgré toute sa farouche détermination Julia n'avait pas réussi à retarder l'heure de sa mort.

Au fil du temps, Kathryn s'était peu à peu recroque-villée sur elle-même jusqu'à en devenir inexistante. Elle était la mère de Laurel et la belle-fille de Julia, une artiste invisible que les gens ne connaissaient que par le biais de ses œuvres. Avec la mort de Jimmy, sa vie s'était scindée en deux – avant et après. L'avant n'était plus qu'un rêve et l'après un territoire inconnu.

Ce n'était que tout récemment qu'elle avait commencé à ouvrir les yeux et pris conscience que sa vie n'avait été qu'un enchaînement d'obligations. Laurel avait besoin d'elle. Julia avait besoin d'elle. Son travail : une façon d'échapper à elle-même. Et lorsque sa belle-mère était morte et qu'elle s'était retrouvée sans personne pour lui dicter ce qu'elle devait faire, elle s'était sentie happée par le vide de sa propre existence. Jusqu'au jour où Evie lui annonça qu'elle allait se marier et partir vivre à Chicago. C'était le moment ou jamais de racheter sa maison de Catalina. Plus rien désormais ne la retenait à Seattle.

— Après tout, Kay, tu vas avoir trente-six ans.

Ceci acheva de convaincre Kathryn d'aller s'installer à Santa Catalina, une petite île située au large des côtes de la Californie. Là-bas, tout était différent. Le soir venu, la lune semblait surgir des flots, et les palmiers immenses se balançaient nonchalamment dans la brise marine. La vie y était paisible ; seuls une régate, un vapeur ou un hydravion venus du continent apportaient quelquefois un peu d'animation. C'était une île où croisaient des bateaux à fond de verre dans des criques au nom de pierres précieuses, le refuge des étoiles de mer, des ormeaux et des golfeurs.

Lors d'un tournage, Esther Williams s'était jetée à cheval du haut d'une falaise, contribuant ainsi à étoffer la légende locale. Une autre fois, les studios d'Hollywood avaient fait venir un troupeau de buffles du continent pour tourner un western. Abandonnés ensuite sur place, les bestiaux faisaient désormais partie du paysage au même titre que les sangliers et les chèvres. Catalina était une île magique, une émeraude jetée dans un océan de saphirs, un lieu où même les poissons avaient des ailes.

Ici, la pluie ne se déversait jamais en trombes d'eau qui bouchaient la vue. Le soleil au contraire enveloppait toute chose de lumière, faisant ressortir les pleins et les déliés de la vie. Ici, quand on se regardait dans un miroir, on se voyait tel qu'on était, et non pas tel qu'on avait été.

Sous un soleil aussi radieux, s'inventer des excuses n'était pas chose facile, surtout quand on vivait dans une maison aussi colorée que celle de sa sœur.

Ce soir-là, Kathryn avait bu des margaritas en grignotant des nachos en compagnie d'un certain Stephen Randall, rencontré une semaine auparavant à la chambre de commerce. Dès qu'elle était entrée dans le petit restaurant mexicain, elle s'était sentie mal à l'aise. Après des années passées à cacher ses sentiments, elle avait oublié comment se comporter en présence d'un homme.

Juste un verre en tout bien tout honneur, lui avait-il dit. Mais il était arrivé avec un énorme bouquet de jonquilles. La soirée s'était prolongée, et lorsqu'il était reparti, plusieurs heures plus tard, c'était avec son numéro de téléphone en poche. Curieusement, elle ne regrettait pas de le lui avoir donné. À présent, elle était occupée à disposer les jonquilles dans un vase sur la table de verre. Les fleurs étaient du même jaune doré que les murs de sa chambre. Evie avait dit vouloir des «couleurs gaies» quand elle avait repeint la maison, des couleurs gaies pour les femmes seules qui venaient s'établir dans les petites îles situées au large de la Californie.


*Wilmington Pier, Los Angeles*


Debout sur le quai, Laurel Peyton regarda s'éloigner le bus qui l'avait ramenée du centre-ville. Saisissant sa grosse sacoche brune, elle se hâta vers le ferry qui l'emmenait presque tous les vendredis à la maison en deux heures.

Le *Catalina*, un steamer blanc de trois cents pieds de long, était amarré au bout du môle avec pour toile de fond l'immensité bleue des flots qui séparait le port des îles.

Santa Catalina était presque toujours visible depuis la côte. D'ici, l'île ressemblait à un gros chameau endormi, parfois enveloppé de brume marine et parfois si net qu'on distinguait parfaitement la ligne dentelée de ses crêtes verdoyantes.

Un chaud soleil de fin d'après-midi dardait ses rayons à hauteur des yeux. Laurel se joignit à la longue file qui attendait d'embarquer. Autour d'elle, les gens maudissaient la chaleur en ôtant pulls et vestes. Les gamins pleurnichaient ou chahutaient tandis que leurs mères s'éventaient avec des dépliants touristiques.

Laurel avait beau n'être établie que depuis peu en Californie, elle repérait les touristes au premier coup d'œil. Les hommes en chemise sombre et canotier portaient leurs sandales avec des chaussettes. Les femmes arboraient des robes à fleurs et des bas nylon, alors que les Californiennes avaient les jambes nues, leur peau bronzée lustrée d'huile solaire.

Une voix grave provenant d'une cabine téléphonique sur la gauche obligea Laurel à tourner la tête. Elle aperçut un jeune homme de dos, appuyé contre le mur. Grand, avec des cheveux châtains et une silhouette élancée de star de cinéma, il portait un short kaki avec un polo jaune citron qui faisait ressortir son hâle et des sandales – sans chaussettes.

Un soupir de soulagement quasi unanime s'échappa de la file lorsque deux hommes d'équipage abaissèrent la passerelle et défirent la chaîne qui en barrait l'accès. Le jeune homme jeta un coup d'œil par-dessus son épaule et elle retint son souffle. C'était Paul Newman et Ryan

O'Neal, deux en un. Mais trop vieux pour elle ; il devait avoir vingt-cinq ans bien sonnés. Il lui décocha un clin d'œil quand il la croisa.

Elle compta lentement jusqu'à dix avant de se retourner. Trop tard. Il avait disparu. Derrière les tourniquets, une file large de quatre ou cinq personnes s'était formée et les cars de touristes continuaient de déverser leurs passagers dans l'aire de stationnement. Elle se mit à scruter la foule dans l'espoir de le repérer.

— Mademoiselle, vous empêchez la queue d'avancer, lui dit un homme en lui tapotant l'épaule.

Le feu aux joues, elle s'excusa, puis se hâta de combler le vide qui s'était formé entre elle et la passerelle.

L'un des hommes d'équipage la reconnut et la salua :

— De retour à la maison ?

— Oui. Quelle foule, dites donc !

— Vacances de printemps. Avec tous ces jeunes qui se rendent sur l'île, les deux week-ends à venir promettent d'être joyeux. L'année dernière, il y avait tellement d'ambiance qu'on se serait cru à Palm Springs. C'est notre dernière traversée à peu près tranquille avant longtemps.

Elle lui décocha un sourire entendu mais feint, car, sa mère et elle n'habitant sur l'île que depuis l'été, elle n'avait pas la moindre idée de ce à quoi pouvaient ressembler les vacances de printemps à Catalina. À mi-chemin de la passerelle, elle jeta un coup d'œil en arrière pour scruter à nouveau la foule, mais ne vit qu'un amas confus de têtes et de chapeaux. Une fois à bord, elle continua de chercher pendant un moment encore un beau visage et une chemise jaune parmi la foule, puis renonça et partit en quête d'un siège.

Une heure et demie plus tard, le soleil luisait dans le ciel d'un rose vibrant. Les passagers s'étaient rassemblés à la proue pour admirer le coucher du soleil. Elle entra dans le bar quasi désert et jeta un coup d'œil au menu rédigé à la craie sur un tableau noir. Lorsqu'elle se retourna, elle aperçut Paul O'Neal qui faisait la queue derrière elle. Il lui sourit. Elle fit de même.

— Vous avez choisi ? lui demanda le serveur, un sourire factice aux lèvres.

Jetant un coup d'œil à l'ardoise, elle bredouilla le nom de la première boisson qui figurait sur la liste :

— Un verre de vin blanc.

Il s'ensuivit un silence embarrassé qui lui donna envie de disparaître entre les interstices du plancher.

— Puis-je voir vos papiers ?

Elle fit mine de chercher sa carte d'identité dans son sac à main.

— Ils sont ici, quelque part dans ce fouillis. J'en suis certaine, dit-elle en plongeant le nez dans sa besace. Une seconde, je vous prie.

Les joues en feu, elle glissa discrètement son portefeuille tout au fond de son sac puis releva la tête.

— Désolée, je ne les trouve pas.

— Je ne peux pas vous servir d'alcool si vous n'avez pas vos papiers, mais désirez-vous autre chose ? lui demanda le garçon d'une voix forte comme s'il beuglait dans un haut-parleur.

Elle regarda l'ardoise, puis son sac.

— J'ai oublié mon portefeuille, mentit-elle, puis elle se dirigea vers la sortie sans un regard en arrière.

Elle poussa la porte battante et sentit aussitôt la fraîcheur de l'air marin sur son visage cramoisi.

À l'arrière du bateau, les sièges étaient abrités du vent et des embruns. Elle alla s'asseoir à l'extrémité d'un banc, là où elle pouvait se faire oublier, et appuya sa tête contre le bastingage. Un vol de mouettes fendait les airs au côté du navire et le continent n'était plus qu'une frange lointaine de collines nimbées de crépuscule où s'allumaient çà et là de minuscules points lumineux. Il ne faisait pas tout à fait nuit et, quand les lumières du bateau s'allumèrent, elle sortit le livre qu'elle avait commencé à lire dans le bus.

Une silhouette déboucha au détour de la coursive et s'arrêta – une chemise jaune. Elle rapprocha son livre de son visage, si près qu'elle n'arrivait pas à lire. Il se laissa choir à côté d'elle.

*Comment puis-je lui faire oublier que je suis une idiote qui vient de se couvrir de ridicule ?*

Il déposa un gobelet de vin entre eux sur le banc et commença à siroter une bière.

Était-elle censée le prendre ? S'il ne lui était pas destiné… elle mourrait de honte, voilà tout… une fois de plus. Elle remua nerveusement sur son siège puis baissa les yeux sur la timbale.

— Vous allez laisser la glace fondre dans ce vin ?

Elle abaissa son livre.

— Comment ?

Il lui tendit le gobelet.

— C'est pour vous.

— Oh ! Merci.

Bon sang, que ce type était beau ! Il avait des yeux bleus comme la glace.

— Délicieux. Merci.

— C'est un sacré bouquin que vous lisez là. Vous étudiez l'économie ?

— Non.

Il rit.

— Ne me dites pas que vous lisez *La Richesse des nations* juste pour le plaisir ?

Elle ferma le livre, étudia un instant la jaquette sans rien dire, puis leva les yeux et dit :

— Vous ne me croirez pas, mais je n'avais rien d'autre à lire. J'ai laissé *Le Journal de Barbie* à la maison.

— Avec votre portefeuille ?

— Exactement.

Elle rit.

— Je suis désolé si je vous ai vexée, j'ai été maladroit.

— Mais non.

— En fait, je voulais vous impressionner.

— Vraiment ? Ai-je l'air d'une fille qui a besoin d'être impressionnée ?

Il la dévisagea longuement.

— Je crois que j'ai encore fait une gaffe.

— Pour m'impressionner, il vous suffisait de m'offrir un verre. C'est très gentil de votre part.

— Vous aviez l'air d'avoir soif.

Elle rit doucement.

— Au fait, j'étais dans mes petits souliers.

— Ça ne m'avait pas échappé.

Il se remit à siroter sa bière en regardant la mer.

Gênée, elle fixa des yeux le gobelet qu'elle tenait à la main.

— Et vous, qu'aimez-vous lire ?

— Après ce que je viens de vous dire, je m'étonne que vous ne me demandiez pas si je sais lire…

— Je ne vous cache pas que l'idée m'a effleurée qu'en matière de lecture vos préférences allaient à des magazines masculins en papier glacé avec une photo en double page au centre.

Il éclata de rire.

—Bien joué.

—Vous l'avez cherché.

—Vous avez beaucoup d'humour.

—Ça vous étonne ?

—Cette fois je ne répondrai pas. Je n'ai pas envie d'aggraver mon cas.

Il se leva.

—J'aimerais bien reprendre une bière avant que le bar ferme. Vous voulez autre chose ?

—Non, merci.

Elle se sentit sourire – un sourire niais, probablement, et qui dévoilait à la terre entière la joie qu'elle éprouvait intérieurement. Il allait revenir. Elle s'accouda au bastingage pour siroter son verre en regardant clignoter au loin les lumières d'Avalon. Sa mère était venue s'installer ici après qu'elle eut passé son diplôme de fin d'études secondaires. Quitter la maison dans laquelle elle avait grandi et tous ses amis d'enfance n'avait pas été facile. Dans cette nouvelle ville, Laurel se sentait comme une étrangère.

—Nous sommes presque arrivés.

Il s'approcha, une canette de bière toute fraîche à la main.

—Je n'ai pas vu le temps passer.

—Pas besoin de faire la queue, cette fois.

Laurel se sentait différente quand il la regardait. Elle cessait d'être une jeune fille solitaire. Elle aurait voulu l'impressionner, lui dire quelque chose d'intelligent et de mémorable.

—Et maintenant, dit-il, le moment est venu d'avouer la vérité. Vous n'avez pas laissé votre portefeuille à la maison.

—Non.

— Dans ce cas, je me suis rendu coupable d'incitation de mineure à la débauche.

Il y avait de la douceur dans sa voix et dans ses yeux. Il ne cherchait pas à jouer les censeurs ou les rabat-joie.

— Ce n'est pas tout à fait faux.

— Mineure de combien ?

Laurel songea un instant à tricher sur son âge. Dans les vêtements adéquats, on lui aurait facilement donné vingt ans. Mais à quoi bon mentir ? Elle avoua :

— Dix-sept ans.

— Dix-sept ! C'est une blague ?

— Non, je vais bientôt fêter mes dix-huit ans.

Il la fixa du regard en jurant à voix basse – sans doute regrettait-il qu'elle n'ait pas cinq ans de plus. Puis il baissa les yeux sur le gobelet qu'elle tenait à la main et, sans un mot, le jeta par-dessus bord.

Elle se recula du bastingage et croisa les bras, renfrognée.

Il eut l'air surpris par son geste, mais nullement contrit.

— Vous l'avez payée, cette bière, lui dit-elle. Vous avez le droit de la jeter.

Il leva une main et lui frôla la joue. Il était redevenu fréquentable, presque repentant, et se tenait suffisamment près pour qu'elle sente le parfum de son after-shave.

— Vous êtes au lycée ?

— Non, je vais à l'université.

— À dix-sept ans ?

— J'ai sauté une classe. Je venais d'avoir dix-sept ans quand j'ai passé mon diplôme de fin d'études secondaires.

Il la regarda avec une expression qui semblait dire : « Pas touche à cette fille. »

Il y eut un grésillement dans les haut-parleurs, puis une voix annonça :

— Mesdames et messieurs les voyageurs, nous arrivons au port d'Avalon, sur l'île de Catalina. Assurez-vous de n'avoir rien oublié à bord. Tous les passagers sont priés de se rassembler à tribord pour débarquer. Par mesure de sécurité, vous êtes priés de tenir les jeunes enfants par la main.

Elle le regarda dans les yeux et dit :

— Vous voulez me tenir par la main pour débarquer ?

Cette fois, il ne rit pas.

— Auriez-vous perdu votre sens de l'humour ?

L'espace d'un instant, elle crut qu'il allait dire quelque chose. Mais un groupe de gamins qui s'était accoudé au bastingage s'égailla subitement en poussant des cris de joie.

— On est arrivés ! On est arrivés !

— On est arrivés, dit-elle en haussant la voix pour se faire entendre.

Autour d'eux, les enfants couraient et chahutaient gaiement. Elle baissa les yeux, et quand elle le regarda à nouveau, elle vit qu'il hochait la tête.

— Je suis désolé, dit-il.

Puis il s'éloigna sans jeter un regard en arrière. Elle se figea, abasourdie, piquée au vif. Peut-être à cause de lui. Peut-être par sa propre faute. Elle ramassa son livre avec un geste mécanique, en ôta la jaquette sombre, austère et impersonnelle, révélant la vraie couverture dont le titre s'étalait en lettres rose fluo : *Les Aventuriers*, de Harold Robbins. Elle jeta la jaquette dans la première poubelle qu'elle trouva, puis, son livre sous le bras, prit la direction de la passerelle.

Derrière les collines, le coucher du soleil embrasait le ciel. Une rumeur bruyante montait de la foule. À terre, les réverbères illuminaient le quai jusqu'à la passerelle.

Crescent Street, le cœur de la ville, ne se trouvait qu'à quelques centaines de mètres du débarcadère. Des jeunes gens y vendaient le journal à la criée et, pour cinquante cents acheminaient les bagages dans des carrioles rouges jusqu'aux hôtels et pensions de famille des rues adjacentes. La foule des passagers s'était scindée en deux pour pouvoir contourner des jeunes filles en short et sandales qui distribuaient des prospectus et des coupons de dégustation de spécialités locales : hamburger d'ormeaux ou homard grillé avec deux bières pour le prix d'une.

Laurel avait beau scruter la cohue, elle ne revit pas la haute silhouette du jeune homme à la chemise jaune. Il avait disparu comme s'il n'avait jamais existé. Et d'ailleurs, il n'existait pas vraiment. Car elle ne connaissait même pas son nom.


Victor jeta un coup d'œil à la pendulette sur son bureau, puis se leva et posa le pied sur la sonnette de plancher qui lui servait à appeler sa secrétaire. L'interview était terminée. Les questions du journaliste avaient pris un tour qui ne lui convenait pas.

— J'ai un autre rendez-vous, dit-il.

— Mais je n'ai pas encore fini, monsieur Banning… Victor. Il n'est que cinq heures et demie. Vous savez qu'il s'agit de notre enquête spéciale.

Victor lui éclata de rire au nez.

— Je ne vous aurais jamais accordé d'interview pour autre chose qu'une enquête spéciale.

La porte du bureau s'ouvrit et la secrétaire déclama :

— La voiture est prête, monsieur Banning. Vous êtes en retard.

Le journaliste ne bougea pas d'un cil. Son magnétophone posé sur le bras du fauteuil, il attendait, un élégant stylo plume à la main. Barbu, il portait un costume à cinq cents dollars, et une queue-de-cheval frisée qui lui descendait jusqu'au milieu du dos.

Victor contourna son bureau.

— Je vois que je vous ai réduit à quia. C'est aussi bien, du reste. Car nous ne parlons pas le même langage, mon garçon.

Ignorant le ton suppliant du jeune homme, il le laissa en plan avec son bloc-notes et son magnétophone, et longea le couloir en direction de son ascenseur privé.

Cet article allait à coup sûr le présenter sous les traits d'un patron infâme. Mais Victor était un dur à cuire, un magnat du pétrole qui avait fait fortune à une époque où il fallait réussir ou périr, autrement dit le contraire d'un écrivaillon qui stigmatisait le monde des affaires et dont les prises de position radicales n'étaient dues qu'à un effet de mode.

Il savait que, sous ses dehors policés, le journaliste lui vouait un mépris typiquement berkeleysien. Ces individus diplômés d'universités prestigieuses s'évertuaient à convaincre les tribunaux de suspendre la construction d'autoroutes, quitte à mettre des centaines d'ouvriers au chômage et à freiner le progrès, sous prétexte de sauver les grenouilles. S'ils avaient réellement eu à cœur de sauver les grenouilles, Victor les aurait peut-être respectés, mais cet homme et ses semblables se réclamaient d'une avant-garde de pacotille – le luxe ultime pour ceux qui avaient déjà tout –, alors que Victor et ses pairs œuvraient au bien-être général en construisant des stations-service munies de portiques de lavage automatique et des caniveaux permettant d'évacuer les eaux usées ; ils payaient des impôts, créant des richesses qui servaient à financer les écoles et les autoroutes.

Plus tard, en rentrant chez lui, il se doucha longuement, pour essayer de se débarrasser de la boue d'une interview qui laissait entendre que tout ce qu'il avait accompli dans sa vie était mauvais. Mais la contrariété était tenace, et elle continuait de le tarauder tandis qu'il filait sur l'autoroute 405 avec Harlan au volant de la Bentley.

Au loin, enveloppées d'un voile de brume, on voyait se profiler les collines de San Pedro et de Palos Verdes. Victor se souvenait du temps où il n'y avait là-bas que des fleurs pourpres et des pieds de moutarde, et, perdue au milieu des champs, une vieille hacienda en ruine avec ses dépendances. À présent, des avenues bordées de luxueuses villas sillonnaient les flancs de ces collines, signes d'une économie prospère.

Les temps changeaient. Et c'était tant mieux. Peu lui importait au fond qu'on écrive des articles sur les hommes comme lui – une génération de gagnants avides de succès et de pouvoir qui avaient déplacé des montagnes et bâti des empires là où il n'y avait rien, contrairement à d'autres qui faisaient beaucoup de bruit pour rien afin de pouvoir vendre du papier.

Ces derniers temps, il avait fait l'objet d'un trop grand nombre d'articles à son goût. Quiconque cherchait à fouiller dans sa vie privée se voyait éconduire de manière encore plus expéditive que le journaliste de cet après-midi. L'interview parue dans *Look*, six semaines plus tôt, avait été la goutte d'eau. Les journaux lui envoyaient des femmes journalistes qui, après s'être documentées sur son histoire familiale, cherchaient à le présenter sous les dehors d'un homme solitaire, naïf et romantique – alors qu'il était tout le contraire.

Victor avait eu deux épouses et n'avait aimé qu'une seule femme. Il avait travaillé dur toute sa vie, en particulier après la naissance de son petit garçon. Quand Anna était morte de façon inattendue, il ne se souvenait pas avoir versé une seule larme pour cette femme inaccessible qu'il avait dû conquérir de haute lutte. Âgé de trois ans à peine, son fils était pour lui un parfait étranger. Hormis le sang qui coulait dans ses veines et son patronyme, Rudy n'avait rien en commun avec lui. Son fils se mettait à pleurer chaque fois qu'il rentrait à la maison – un seul regard de son père et il filait se cacher dans quelque sombre recoin de la monstrueuse maison de Pasadena qui appartenait à la famille de son épouse.

La propension de son fils à s'enfermer des heures durant au fond d'un placard lui apparaissait comme le symbole d'une triste filiation : le cagibi dans lequel le père avait été enfermé de force était devenu un refuge pour le fils. Il avait fallu longtemps à Rudy avant de pouvoir s'accoutumer à la présence de Victor et plus encore pour accepter le fait qu'il était celui qui lui avait donné la vie.

Victor avait passé son enfance à lutter pour se faire accepter. Il n'était pas question qu'il recommence, même pour son propre fils. Il ne tarda pas à retrouver chez Rudy la même expression de défaite que celle qu'il lisait sur les traits de son propre père. Rudy et son grand-père étaient condamnés dès le départ. La malédiction des Banning avait sauté une génération : son fils était un jeune homme sans volonté et sans avenir. Une seule fois, il avait fait preuve de courage : quand il lui avait claqué la porte au nez pour ne plus jamais revenir.

Sa deuxième épouse lui avait elle aussi claqué la porte au nez, mais il ne l'avait pas regrettée. Elle n'avait été qu'une commodité dans sa vie – et d'ailleurs c'était elle qui lui avait fait la cour. Mais il était loin, le temps des épouses, et même celui des maîtresses, et désormais seuls comptaient pour lui ses descendants, Jud et Cale.

Le téléphone de la voiture sonna : c'était l'avocat de Victor.

— Le fils Jameson est d'accord pour vendre la toile.

— Combien ?

— Un demi-million.

— Acceptez, répondit Victor d'une voix faussement calme.

Une soudaine excitation se déversait comme une drogue dans ses veines chaque fois qu'il remportait une victoire.

— Vous avez du nouveau concernant les autres tableaux ?

— La galerie de Seattle prétend avoir perdu la trace de son client.

— Dans ce cas, c'est à nous de le retrouver.

— Ils refusent de dévoiler son nom. Vous rendez-vous compte que cela va faire treize ans que j'essaie en vain de leur soutirer ce nom, Victor ?

— Offrez-leur deux cent mille dollars de plus. En ajoutant une commission de dix pour cent. Cela devrait aider les langues à se délier.

Après avoir réglé les détails de la livraison, il raccrocha puis se renversa sur la banquette tandis qu'Harlan s'engageait dans le parking de l'université de Loyola. Soudain, l'espace d'un instant très bref mais si intense qu'il ne comprit jamais comment une telle chose avait pu se produire, Victor huma une bouffée d'Arpège. Il se redressa brusquement, et vit son fils et sa belle-fille assis face à lui la main dans la main. Tel un écho surgi du passé, c'était une vision trop nette pour n'être qu'un simple souvenir. Rachel était enceinte et Rudy n'avait pas l'air d'un perdant.

—Le match a commencé, dit Harlan en ouvrant la portière.

Les visions de Victor se dissipèrent à la lumière crue des réverbères, mais elles l'avaient rendu pensif et il n'arrivait pas à se débarrasser d'une irritation lancinante. Ils entrèrent dans le gymnase et s'installèrent sur les gradins parmi les autres spectateurs. À neuf heures, voyant que Loyola était en train de perdre, Victor ordonna à Harlan d'aller chercher la voiture, puis alla se poster près de la sortie.

C'est alors que Cale s'empara du ballon. Zigzaguant entre les joueurs sur ses longues jambes agiles, il attaqua le cercle en dribble et marqua trois points avec une aisance déconcertante. L'atmosphère de la salle changea d'un seul coup. L'orchestre entama l'hymne de l'équipe tandis que les supporters se levaient comme un seul homme en chantant et en frappant dans leurs mains.

Rudy s'était essayé au basket, lui aussi, mais sans grand succès, et passait la plupart des matches sur le banc. Victor aurait pu n'en voir aucun qu'il n'aurait pas perdu grand-chose.

Mais ce match-ci était d'un autre niveau. En moins de cinq minutes, la situation s'était renversée. Rapide comme l'éclair, Dorsey subtilisa le ballon à son adversaire, le dépassa, puis, un grand sourire aux lèvres, fit une passe à Cale, qui laissa voler la balle. Celle-ci fendit l'air jusqu'au cercle avant de rebondir avec un bruit sourd.

Plus rien ne bougeait dans la salle, hormis le ballon qui retomba dans le cercle en tourbillonnant. Les joueurs, au bord de la défaite ou de la victoire, sautaient en tendant les bras pour essayer de l'attraper. Le ballon tomba dans le panier. Les chiffres blancs du tableau de marque tournèrent, affichant : *89-87 Loyola.*

Les pompons volèrent dans les airs tandis que les pompom girls envahissaient la piste. La foule applaudissait en tapant si fort des pieds qu'on entendit à peine le coup de sifflet annonçant la fin du jeu. Joueurs et entraîneurs se tombèrent dans les bras les uns des autres. Un coéquipier de Cale lui arracha son maillot, puis le déchira en deux et se mit à courir en rond en agitant comme un drapeau le lambeau d'étoffe qui portait le numéro vingt-trois. Tous criaient :

— Banning ! Banning ! Banning !

Victor ignorait qu'il était en train de sourire. Jamais Rudy ne lui avait procuré semblable plaisir. Une cinquantaine de mètres le séparaient de Cale. Ils ne s'étaient pas parlé depuis Noël. Il s'avança pour combler la distance entre eux.

— Cale ! s'écria une ravissante blonde en dégringolant les gradins sur ses longues jambes bronzées.

Elle portait un pull à l'effigie de Mount Saint Mary par-dessus sa jupette. Elle se jeta au cou de Cale, qui la prit dans ses bras et la fit tournoyer en riant au-dessus de la piste.

Victor se figea, incapable de faire un pas de plus. Encore une fille pour laquelle Cale allait gâcher son avenir. Il n'avait donc pas tiré les leçons de l'année précédente. Écœuré, le vieil homme tourna les talons et sortit du gymnase sans un regard en arrière. Il n'était plus là quand Cale reposa à terre la petite amie de son camarade de chambre et tira affectueusement sur sa queue-de-cheval. Quand il se retourna pour chercher Victor des yeux, ce dernier était déjà en route pour la maison.

# 7

Situé dans les locaux de l'ancien casino, le cinéma
d'Avalon attirait en fin de semaine de nombreux spectateurs. Laurel était en train de faire la queue tout en passant
en revue les affiches des films à venir lorsqu'un groupe
de filles qui bavardaient avec animation vint se joindre à
la file. Apercevant la jeune fille qui travaillait comme
vendeuse dans la boutique de sa mère, Laurel s'approcha
du groupe et tapota l'épaule de Shannon.

— Coucou.

— Laurel ! Il y a des semaines que je ne t'ai pas vue.

— Je suis venue passer les vacances de Pâques à
Catalina.

— Pendant les vacances de printemps, il y a une
ambiance d'enfer ici, lui dit Shannon après l'avoir présentée à ses amies. Les plages sont noires de monde. Les bars
sont pleins à craquer et tous les hôtels organisent des
soirées. C'est la première fois que tu passes Pâques ici ?

Laurel acquiesça.

— Je ne viens pas souvent, à cause des cours. Je ne
peux me libérer que pendant les week-ends et les vacances.

— Laurel a déjà passé son diplôme de fin d'études,
expliqua Shannon aux autres filles. Elle suit des cours de
popote à L.A. dans une école qui s'appelle comment, déjà ?

— L'Institut culinaire du Pacifique.

C'était l'une des trois seules écoles du pays habilitées à former des cordons-bleus. L'enseignement, de très haut niveau, s'y faisait par petits groupes d'étudiants triés sur le volet. Sur plusieurs centaines de candidats, seule une poignée d'heureux élus était admise. Les responsables pédagogiques auraient grincé des dents en entendant parler de «cours de popote». Peut-être même seraient-ils allés jusqu'à brandir un couteau à dépecer sous le nez de Shannon, en proclamant: «*Institut culinaire.* Les cours de popote, c'est bon pour les gens qui se destinent à la restauration rapide.»

— Tu veux être cantinière? s'étonna l'une des filles en dévisageant Laurel comme si elle était tombée sur la tête.

— Je veux devenir chef cuisinier.

— Comme Raymond Oliver? s'esclaffa une autre.

Shannon foudroya son amie du regard, mais Laurel rit.

— C'est un excellent chef.

— Pourquoi tiens-tu absolument à trimer dans une cuisine surchauffée pour nourrir des inconnus, alors que tu pourrais aussi bien être femme au foyer?

— Ça, c'est vache, Karen! protesta l'une des filles.

— Peut-être, mais n'empêche que faire ça ou la bonniche, ça revient au même.

Shannon donna un coup de coude à Karen.

— Ça te va bien de dire ça. Je croyais que tu voulais devenir infirmière… Personnellement, je préfère éplucher des patates que changer des draps, laver des malades ou vider des pots de chambre.

— En tout cas, ce n'est pas en restant derrière tes fourneaux que tu risques de faire la connaissance d'un toubib beau à tomber.

Karen avait manifestement un plan de vie déjà tout tracé.

Quand ce fut son tour de passer à la caisse, Laurel acheta sa place puis se rangea de côté pour attendre les autres. Mais une fois leurs billets en poche, celles-ci la toisèrent, puis l'une d'elles dit à Shannon :

— Tu fais ce que tu veux, mais nous on va dans la salle.

— Ça vous ennuie que je me joigne à vous ? demanda Laurel en s'adressant à Shannon.

Deux des filles présentes échangèrent un regard contrarié. Karen lança un coup d'œil appuyé à Shannon. Il s'ensuivit un long silence embarrassé durant lequel Laurel s'obligea à sourire malgré sa gêne.

— Mais non, bien sûr, répondit Shannon sans grand enthousiasme. Viens.

Le hall était noir de monde et une activité fébrile régnait autour du kiosque à friandises. La délicieuse odeur de pop-corn et de hot-dogs éveilla d'emblée l'appétit de Laurel. C'est alors qu'une bande de garçons se joignit au groupe des filles et les entraîna vers le comptoir. Laurel commanda un Coca, du pop-corn et des Kit-Kat, mais, lorsqu'elle se retourna, elle vit que les deux groupes avaient fusionné pour former des couples. Cinq garçons. Cinq filles. Et elle. Pendant qu'ils étaient en train de bavarder, elle s'approcha de Shannon et murmura :

— Je suis désolée.

— Il n'y a pas de quoi. Tu ne pouvais pas savoir que nous avions rendez-vous.

— Je vais m'éclipser discrètement. Ça ne me dérange pas d'être seule, mentit-elle.

— Non, attends, dit Shannon en l'attrapant par le bras.

Elle se tourna vers son petit ami et dit :

— Jake ? Je te présente Laurel Peyton. Je travaille pour sa maman.

Jake était un type bien. Il ne lui laissa pas le temps de filer et entreprit au contraire de la présenter à ses camarades. Lorsqu'elle invoqua une mauvaise excuse pour leur fausser compagnie, ils la retinrent.

— Tu ne vas tout de même pas aller t'asseoir toute seule dans ton coin.

Les filles n'avaient pas l'air ravies, mais du moins n'était-elle plus seule. Cependant, quelques minutes plus tard, quand les lourds rideaux rouges s'écartèrent et que les lumières s'éteignirent, elle se dit qu'il eût peut-être mieux valu rester seule que de se retrouver coincée entre deux couples d'amoureux.

Le titre *M.A.S.H.* s'étala soudain en gros sur l'écran. À peine Sally Kellerman avait-elle été rebaptisée Lèvres en Feu que le couple sur sa droite commençait à flirter. En posant son gobelet de Coca, Laurel heurta involontairement le genou de Karen.

— Désolée.

La main d'un garçon s'égara sur sa cuisse. Le petit ami de Karen s'était trompé de fille, apparemment. Elle ôta sa main, mais ils changèrent presque aussitôt de position, en prenant appui sur son bras cette fois. De l'autre côté, Shannon et Jake étaient en train d'échanger un long baiser. Tassée sur son siège, Laurel dévorait son pop-corn en feignant d'ignorer les murmures et les soupirs langoureux qui l'assaillaient de toutes parts.

Soudain, l'image se mit à trembloter sur l'écran, puis le film s'arrêta. Un grognement s'éleva du public plongé dans le noir. La salle se ralluma et le directeur parut, salué par des huées.

— Désolé. Désolé, mais le film s'est cassé, dit-il. Des billets de faveur vous attendent à la caisse. Mais ne partez pas. Nous allons projeter *Love Story*.

Il y eut des lazzis et des applaudissements, puis les lumières s'éteignirent et Ryan O'Neal parut de toute sa hauteur sur l'écran géant. Laurel et sa mère avaient vu tous les épisodes de la série *Peyton Place*, dont Kathryn disait en riant qu'elle faisait honneur à leur nom de famille.

Laurel se cala confortablement dans son fauteuil avec son Coca, son pop-corn et son énorme boîte de Kit-Kat. Faute de pouvoir vivre une histoire d'amour, elle allait en voir une à l'écran et rêver du prince charmant.

La caméra effectua un travelling arrière, révélant Ryan O'Neal assis sur les gradins et disant : « Que peut-on dire d'une fille qui est morte à vingt-cinq ans ? »


Ça ressemblait à un cliché. Un homme assis au bar, qui noyait ses tracas dans l'alcool. Mais toujours est-il que les bars procuraient le cadre idéal à ceux qui voulaient oublier qu'ils s'étaient couverts de ridicule, comme Jud. Assis au comptoir d'un bistrot du bord de mer, il regardait le barman jongler avec les cocktails tandis qu'un juke-box braillait du Three Dog Night depuis le coin le plus enfumé du café. Au fond de la salle, des couples jouaient au billard en trinquant.

En moins d'une heure, l'endroit s'était rempli et le niveau sonore avait grimpé de plusieurs décibels. Jud sirotait sa bière en essayant d'oublier le groupe d'étudiants de l'université de San Diego qui chahutaient à une table voisine. Ils sifflaient des tequilas en beuglant un hymne guerrier dans une tonalité qui n'existait pas, se comportaient comme si le monde leur appartenait. Ce genre de beuverie avait cessé d'amuser Jud dès sa troisième année d'université. Il se sentait subitement vieux. Aujourd'hui, il avait fait la cour à une gamine et réussi à convaincre son grand-père qu'il était complètement idiot. Alors que ce matin encore il s'imaginait que le monde lui appartenait, il avait à présent la désagréable impression que le monde le tenait suspendu par la peau des fesses au-dessus du vide.

Ce matin, en sortant du bureau de Victor, il s'était demandé si la scène dont il avait fait les frais n'avait pas été voulue par son grand-père. Mais maintenant que sa colère était retombée, il voyait bien que non. Si provocateur fût-il, Victor n'était pas du genre à plaisanter quand un contrat était en jeu.

Après leur prise de bec, Jud avait appelé ses contacts pour les convier à déjeuner la semaine suivante. Mais il était dans ses petits souliers, car force lui était de reconnaître que son grand-père avait raison : jamais ces hommes n'auraient levé le petit doigt pour lui. Sauf qu'il était tellement sûr de lui, et fier d'avoir été accueilli par eux à bras ouverts, qu'il n'avait pas vu quelles étaient leurs vraies intentions, de même qu'il n'avait pas vu que la fille du bateau n'était qu'une gamine de dix-sept ans. Un peu plus et il se mettait dans un fameux pétrin.

Après avoir ruminé encore un moment sur le contentieux qui opposait Victor à Marvetti, il décida que cette affaire ne pourrait pas se régler ce soir-là et jeta un coup d'œil autour de lui. Les bars étaient tous pareils, enfumés et malodorants. On avait beau y être noyé dans la foule, on s'y sentait seul, au point que la maison vide de la crique lui semblait plus attrayante que ce bistrot bruyant et plein d'étudiants qui faisaient la bringue. Il vida son verre, paya, puis sortit respirer l'air pur.

Il faisait sombre et frais dans l'embrasure de la porte, et la brise qui soufflait de l'océan tout proche avait un goût de sel. La lumière des néons dessinait des serpents colorés sur la chaussée pavée de briques. Les ombres des palmiers qui bordaient la plage ressemblaient à des bras gigantesques au bout desquels s'agitaient des mains grandes ouvertes. Au-delà, la mer étendait sa masse d'encre noire jusqu'au port dont les fanaux clignotaient dans la nuit comme des lampions. L'odeur de la marée avait un parfum d'été, et d'ailleurs il faisait chaud pour un mois d'avril.

Il n'y avait pas une voiture en vue, et seuls le bourdonnement électrique d'une voiturette de golf ou le cliquetis d'un vélo rompaient par instants le silence. Sur un banc voisin, un couple d'amoureux s'embrassait. Jud alluma une cigarette, puis se souvint qu'il avait décidé d'arrêter. Il prit deux bouffées puis écrasa sa cigarette.

Au bout de l'avenue, les gens commençaient à sortir du cinéma. Une fille s'était détachée du reste de la foule et marchait devant, les mains enfoncées dans les poches de son manteau trois quarts. Elle avait des jambes superbes. Une joyeuse bande qui filait dans des voiturettes de golf la héla en agitant les mains. Elle les salua en retour puis remit ses mains dans ses poches et reprit son chemin en regardant par terre.

Elle passa sous un réverbère, et il distingua nettement ses cheveux châtains mi-longs, et son visage qui lui sembla familier car il ressemblait à s'y méprendre à celui de Jacqueline Bisset. C'était la fille du bateau. Et le moment ou jamais de lui faire des excuses, mais il hésita. Au même instant, la porte du bar s'ouvrit à la volée. Un peu plus et il la recevait en plein visage. La musique du juke-box éclata dans la nuit et les types de San Diego déboulèrent dans la rue. En les voyant s'ébattre comme des singes en riant à gorge déployée, il eut l'impression de revenir des années en arrière, à l'époque où il se comportait comme eux pour s'amuser. Les types se tournèrent et repérèrent illico la fille. Elle continua de marcher, et fit un pas de côté pour les éviter. Voyant qu'ils l'encerclaient, elle regarda droit devant elle, en disant d'une voix un peu trop assurée :

— Excusez-moi.

Mais les gars resserrèrent les rangs.

— Viens un peu par ici, lui dit un type taillé comme une armoire à glace en l'attirant brutalement à lui.

Ses amis sifflèrent et l'acclamèrent.

— Ça suffit ! dit-elle en repoussant le grand malabar qui essayait de l'embrasser.

Jud sortit de l'ombre.

— Laissez-la tranquille.

— Arrêtez. Arrêtez, s'il vous plaît… Non ! cria la fille, paniquée.

Jud avait saisi l'armoire à glace par l'épaule.

— Laisse-la tranquille. Tu m'entends ?

— Oh, mais bien sûr, ducon.

Jud l'attrapa par le bras et le tira pour l'éloigner de la fille, qui recula afin de se mettre hors de portée du malabar, et trébucha.

Jud se retourna… pile au moment où le type levait le poing pour le cueillir à la mâchoire.

— Vas-y, scandaient ses potes. Démolis-le.

Ils avaient formé un cercle autour de Jud, qui se baissa pour éviter un crochet tout en cherchant des yeux la fille. À coups de poing rageurs distribués à la volée, il parvint par deux fois à échapper à ses agresseurs, jusqu'à ce que l'un d'eux réussisse à l'immobiliser en lui ramenant les bras derrière le dos.

— Je l'ai eu ! Je le tiens !

Ils durent s'y mettre à deux pour le maîtriser tandis qu'ils le frappaient. Jud sentit le goût du sang dans sa bouche. Il cligna des yeux pour essayer de la voir, mais l'orée de son champ de vision était floue. Le costaud s'esclaffa, puis fondit sur lui à bras raccourcis et commença à le tabasser.

# 8

Laurel s'agenouilla à côté du jeune homme qui gisait inconscient sur le pavé. Il avait un œil qui commençait à enfler et la joue entaillée. Il saignait par le nez et la bouche.

—Réveillez-vous. S'il vous plaît.

Les rues étaient désertes. Seul résonnait au loin le bruit de pas de ses agresseurs qui s'étaient mis à détaler quand elle avait hurlé.

Elle souleva la tête de l'homme et la posa sur ses genoux.

—Réveillez-vous, je vous en supplie. Vous m'entendez?

N'y avait-il donc personne pour leur porter secours? La porte du bar était fermée. Ils n'avaient probablement même pas entendu la bagarre. Ce silence de mort, après un incident aussi violent, avait quelque chose de terrifiant.

Il gémit, puis grimaça en ouvrant les paupières.

—Oh, non. Je suis désolée. Est-ce que vous pouvez bouger? Vous avez très mal? Que puis-je faire?

Les mots sortaient de sa bouche à toute allure.

Il poussa un grognement, jura, puis roula de côté et se mit à quatre pattes. Haletant, il secoua la tête et essaya de se relever.

—Attendez. Laissez-moi vous aider, dit-elle en le prenant par le bras.

—Non !

Il la repoussa d'un geste sec, puis retomba en titubant.

—S'il vous plaît. Ils vous ont frappé parce que vous vouliez m'aider.

Son visage était enflé et rouge, et donnait l'impression qu'il allait se trouver mal.

—Je vais bien, dit-il.

Il cracha et eut l'air dégoûté en voyant la traînée de sang sur sa main lorsqu'il s'essuya la bouche.

—Il faut aller voir un médecin.

—Comment ?

Il releva la tête et fixa sur elle son œil valide.

—Je vais appeler un médecin.

Il se détourna, l'air embarrassé. Elle tendit la main pour ôter la poussière et les feuilles qui s'étaient collées dans son dos.

—Ça suffit, maintenant, grommela-t-il. Rentre chez toi. Tu ne devrais pas être dans la rue à une heure pareille. Tu vas t'attirer des ennuis.

—Je rentrais chez moi, justement.

Il tâta sa lèvre fendue et commença à s'éloigner.

—Dans ce cas, disparais, ouste !

—Ce n'est pas ma faute. Vous n'avez pas le droit de me parler sur ce ton.

—Va-t'en.

Elle ne bougea pas.

—Rentre chez toi, fillette ! lui cria-t-il. Et fiche-moi la paix !

L'expression courroucée de son visage se brouilla à travers ses larmes. Les joues en feu, Laurel se mit à courir. Elle tourna au coin de la rue qui menait à la placette où se trouvaient l'atelier de sa mère et sa boutique de poterie. Arrivée devant la vitrine obscure avec la pancarte

«Fermé» accrochée à la porte, elle se figea, désorientée. À elle seule, cette pancarte résumait toute sa vie : fermée. Elle s'assit sur la margelle en mosaïque d'une fontaine où l'eau sourdait dans une vasque peu profonde.

Une fois de plus, elle s'était ridiculisée à ses yeux. Elle s'était comportée en gamine amoureuse et insupportable. Il l'avait appelée fillette par dépit, parce qu'elle n'avait que dix-sept ans – comme si elle y pouvait quelque chose. D'ailleurs, s'il y avait quelqu'un qui rêvait d'avoir vingt et un ans pour pouvoir enfin entrer de plain-pied dans l'âge adulte, c'était bien elle. Elle ne se sentait chez elle nulle part : ni sur cette île peuplée de mijaurées, ni à Seattle. Quand elle était au lycée, elle pouvait se confier à ses amies. Mais plus maintenant qu'elles étaient entrées à l'université et s'étaient éparpillées aux quatre coins du pays. Chaque fois qu'elles essayaient de se parler au téléphone, il y avait de longs silences et peu de paroles sincères. Elles n'avaient plus rien à se dire.

Peut-être en aurait-il été autrement si son père avait été là pour la conseiller. Dans des moments comme celui-là, quand la vie se dévoilait à elle dans toute sa cruauté, elle avait l'impression de n'avoir qu'une jambe, alors que tous les autres en avaient deux.

Sa grand-mère Julia, qui prétendait que son papa était une étoile, lui avait fait promettre de ne jamais l'oublier. Cette histoire d'étoile comptait beaucoup pour Julia. Au début, Laurel était trop jeune pour pouvoir faire la différence entre une étoile de la chanson et une étoile dans le ciel. Désorientée, elle avait demandé à sa tante Evie ce qu'étaient les étoiles, un soir qu'elles étaient en train de contempler la Voie lactée. Sa tante lui avait répondu que les étoiles étaient des mondes magiques, si éloignés qu'on avait parfois du mal à imaginer qu'ils existaient vraiment.

Laurel, qui ne devait guère avoir plus de sept ans à l'époque, avait grandi avec l'idée que les pères absents étaient des êtres magiques.

Le sien était un visage sur une photographie défraîchie, un nom sur un disque accroché au mur de sa chambre. C'était une étoile – une chose dont elle avait du mal à croire qu'elle avait existé. Et voilà qu'à présent, assise au bord de la fontaine, elle scrutait le ciel, comme si elle attendait que les étoiles lui donnent par magie les réponses aux questions qui lui tenaient le plus à cœur : Pourquoi les gens mouraient-ils ? Pourquoi les années passaient-elles si lentement ? À quoi ressemblait le grand amour ? Pourquoi se sentait-elle aussi seule ? Elle avait l'impression de se trouver dans une autre dimension, condamnée à observer la vie du dehors.

Au fond de la vasque, on voyait scintiller des pièces de monnaie. Par un effet d'optique, l'eau et la lumière les rendaient plus grosses qu'elles ne l'étaient. Il devait y avoir un millier de vœux reposant au fond de cette fontaine. Quand on ne croit pas à la magie, on ne fait pas de vœu, si bien qu'on n'est jamais déçu. On sait que les choses apparaissent souvent plus grosses qu'elles ne le sont réellement.

Laurel prit deux pièces de monnaie au hasard dans sa poche. Deux pièces d'un cent. Il doit y avoir un message là-dedans, se dit-elle en se plaçant dos à la fontaine. Elle ferma les yeux et jeta les deux piécettes par-dessus son épaule en faisant le vœu d'avoir enfin un amoureux.


Kathryn était allée s'installer avec un livre dans le séjour avec la fenêtre ouverte pour pouvoir profiter du concert nocturne des grenouilles. Il était presque onze heures quand Laurel rentra.

— Coucou, m'man, dit-elle d'une petite voix en accrochant sa veste dans l'entrée.

— Comment était le film ?

Laurel haussa les épaules.

— Tu es belle comme un cœur, lui dit gaiement Kathryn. Tu as dû en faire tourner des têtes ce soir.

Sa fille la regarda comme si elle avait reçu une gifle en plein visage, puis éclata en sanglots et fila s'enfermer dans sa chambre.

— Ai-je dit quelque chose qu'il ne fallait pas ? s'interrogea Kathryn tout haut.

La vie était plus simple quand Laurel n'avait d'autres préoccupations que le déguisement qu'elle allait porter pour Halloween, une fiche de lecture, ou un enchaînement de pas de danse un peu compliqué. Car alors, Kathryn trouvait toujours la bonne réponse.

Elle alla frapper doucement à la porte de sa fille.

— C'est moi.

— Laisse-moi tranquille, maman, s'il te plaît.

À travers la porte blanche, elle entendait les sanglots étouffés de Laurel. Elle posa la main sur la poignée, puis se ravisa en songeant : *Fiche-lui la paix.* Comme toutes les mères d'adolescente, elle savait ce qu'étaient les larmes, le désespoir, l'impuissance, la confusion et la frustration. Elle se laissa tomber dans un fauteuil et laissa errer son regard dans le couloir vide, comme si elle cherchait une réponse, le fil et l'aiguille qui lui auraient permis de raccommoder les lambeaux déchirés de leur relation.

Elle voyait bien que Laurel était malheureuse depuis qu'elles étaient venues s'installer ici, alors qu'elle se plaisait au contraire beaucoup à Avalon. Vieille d'un

113

demi-siècle, la maison d'Evie avec ses hauts plafonds moulurés et ses parquets en bois massif était juste assez grande pour deux. Le mobilier y invitait au repos – fauteuils d'osier, tables en rotin, vieille méridienne à la française –, si différent du mobilier blanc ostentatoire de Julia. Il n'y avait jamais eu beaucoup de couleur dans la vie de Kathryn, hormis le bleu de sa chambre à coucher.

Evie avait peint chaque pièce d'une couleur différente. Tout ici évoquait le printemps et le soleil. C'était une maison de femme. Ici, Kathryn prenait son petit déjeuner dans une grosse tasse à fleurs, au lieu d'une tasse en porcelaine vieille de trois cents ans dans laquelle sa belle-mère lui servait son thé sans même lui demander si elle voulait du citron ou du sucre.

Son installation dans la maison de Catalina l'avait libérée. Mais la liberté coûtait cher, et c'était Laurel qui en payait le prix.

Kathryn attendit que les pleurs s'arrêtent puis entra, sans frapper cette fois. À l'intérieur, une suspension enveloppée d'un foulard et des bougies au bois de santal dispensaient une lumière tamisée. Dans un coin, à même le sol, reposait le matelas de Laurel recouvert d'un couvre-lit et de coussins en tissu indien brodé de miroirs. Evie n'avait pas tort de dire que George Harrison, Ravi Shankar et tous les Krishna qui vous brandissaient leurs œillets sous le nez à l'aéroport se seraient sentis ici chez eux.

Sur le mur doucement illuminé par les bougies étaient accrochés la guitare de Jimmy, ses disques, ses photos, ses récompenses, et les fac-similés encadrés de ses compositions manuscrites. Au pied de ce sanctuaire dédié à son père, Laurel était lovée sur le lit, tournée face au mur.

Kathryn se laissa tomber à côté d'elle.

—Peux-tu me dire ce qui ne va pas ?

—Non.

Laurel lâcha un rire strident, caustique.

*Comment est-il possible qu'elle soit déjà aigrie à son âge ? C'est ma faute.* Elle avait la bouche sèche quand elle demanda :

—Tu préfères que je m'en aille ?

—Non.

Laurel laissa passer un moment avant d'ajouter :

—Pourquoi est-ce que personne ne me trouve belle, merveilleuse, admirable ?

—Moi, je te trouve belle, merveilleuse, admirable.

Sa fille était trop bien élevée pour rétorquer : *Ça me fait une belle jambe*, mais son silence était éloquent.

—Je voudrais tellement que tu sois heureuse…

Laurel tendit le bras et lui effleura la main.

—Écoute, maman. Ce n'est pas ta faute. Mais parfois, comme ce soir, tu dis exactement ce qu'il ne faut pas.

—Qu'ai-je dit pour te mettre dans cet état ?

—C'est une longue histoire déprimante.

—Mais j'ai tout mon temps. Vas-y, je t'écoute.

Elle se renversa parmi les coussins brodés. Il fallut un moment à Laurel pour se décider à parler, mais une fois lancée, elle déballa tout en vrac – le garçon sur le bateau, les couples qui flirtaient au cinéma, la bagarre – sur un ton presque de défi.

Puis elle la regarda et dit :

—J'ai l'impression d'être complètement invisible.

Kathryn était très fière de sa fille, mais aussi très intimidée de la voir grandir. Du jour au lendemain, il n'y avait pas si longtemps, elle avait découvert qu'elle avait cessé d'être une enfant. Au fil des ans, sans même qu'elle s'en rende compte, sa fille était devenue une ravissante jeune femme. Elle brûlait d'envie de lui dire qu'elle n'était pas invisible, mais Laurel ne l'aurait pas crue. Kathryn désigna du doigt une photo en noir et blanc sur laquelle on voyait Jimmy sur scène avec sa guitare. On aurait dit qu'il regardait le public.

— Tu vois cette photo de ton père ? Elle a été prise un soir où il se produisait dans une boîte d'Hollywood dont j'ai oublié le nom. Tu ne devais pas avoir plus de trois ans à l'époque. Il venait de sortir son troisième album, qui avait fait un tabac. Juste au moment où il allait entamer sa dernière chanson, il s'est tourné vers le premier rang, où nous étions assises. Il a posé sa guitare, est venu te chercher, puis il est remonté sur scène avec toi et quand il t'a demandé « Tu veux chanter avec moi, petite fille ? » et que tu as répondu « Oui, papa », la salle a littéralement explosé. Et puis le public s'est tu et il a commencé à jouer, et tu t'es mise à chanter devant tous ces gens sans la moindre appréhension. Tu as chanté aussi naturellement que si tu avais été à la maison. Sans oublier une seule note.

Kathryn lui tendit la photo de son père.

— Tu ne le savais pas, mais ce soir-là tout le monde, y compris ton père, te regardait en pensant que tu étais quelqu'un d'extraordinaire.

— Merci, maman, dit-elle en prenant la photo.

Puis elle se recroquevilla sur le lit, déjà à demi endormie.

Kathryn, en revanche, eut du mal à trouver le sommeil ce soir-là. Hantée par des images de voitures en feu et de tableaux lacérés, elle s'agitait dans son lit et se réveilla sur un oreiller trempé, les draps entortillés autour des jambes, l'image de Jimmy dans la tête. Parfois, Laurel ressemblait tellement à son père que Kathryn en était venue à craindre le pire : que sa fille, comme Jimmy, ne connaisse elle aussi une mort tragique et prématurée. Elle

116

devait lutter contre un besoin impérieux de la surprotéger. Elle ne voulait pas se comporter comme Julia, qui trouvait normal de s'immiscer dans la vie de son enfant.

Cauchemars ou pas, Kathryn devait se rendre à l'évidence. Aucune de ses craintes ne s'était jamais réalisée. Elle passa un peignoir et alla faire du thé. Elle en but une tasse, puis deux, et encore une autre, jusqu'à ce que le ciel se teinte de pourpre et d'or et que les fauvettes et les rouges-gorges jettent leur premier cri. L'aube se levait et elle était encore en train de brasser de sombres pensées devant la fenêtre du séjour. Elle avait beau se dire que Laurel n'était encore qu'une adolescente qui croyait à la beauté du monde et ne portait pas de stigmates, Kathryn ne parvenait pas à calmer l'angoisse qui lui étreignait le cœur. Soudain, le thé lui parut étrangement amer. Elle alla à la cuisine pour y ajouter du citron et du sucre, puis retourna se coucher.

Mais, une fois dans son lit, elle recommença à s'agiter. Pour finir, excédée, elle s'ordonna de cesser de se comporter comme une idiote. Le destin avait mieux à faire que de pourchasser les Peyton pour semer la destruction dans leur vie.

## 9

Il était deux heures de l'après-midi quand Cale entra dans la maison de Catalina.

— Hou ! hou ! Jud ? C'est moi ! dit-il en lâchant son sac de voyage.

Il alla à la cuisine, jeta les journaux sur la table, puis ouvrit le réfrigérateur et but d'un trait la moitié d'un carton de lait. Jud avait fait les courses : des œufs, du pain, du jambon, du fromage, des steaks, des pommes de terre, de quoi préparer de la salade, des fruits et même du jus d'orange. Mais avait-il pensé aux céréales ? Cale ouvrit le placard : Cheerios, All-Bran, corn-flakes, farine pour pancakes, sirop d'érable, café, sucre et lait concentré. De quoi faire trois solides collations par jour. Même à la cuisine, son frère était parfait.

Avisant une casserole pleine de spaghettis, il saisit une fourchette et commença à piocher dans les pâtes froides, en se dirigeant vers la baie coulissante qui donnait sur la terrasse. La plage n'était qu'à une centaine de mètres, et au-delà on apercevait les eaux limpides d'une crique endormie. Au bout de la terrasse, deux grands pieds osseux dépassaient d'une chaise longue.

Jud dormait au soleil, un bras replié devant son visage. Il ronflait. Cale lui secoua les pieds.

— Réveille-toi, gros flemmard, et dis bonjour à ton petit frère.

Jud émit un grognement, puis marmonna derrière son bras :

— Petit, mon œil. Tu me dépasses de cinq centimètres.

— Et en plus, je suis deux fois plus beau.

— En temps normal, je contesterais, mais pas aujourd'hui.

Jud ôta son bras de son visage. Il était couvert d'ecchymoses, méconnaissable.

— J'espère que l'autre s'en est pris une bonne, lui aussi.

— Il s'en est sorti avec juste une coupure.

Jud essaya de se relever, grimaça.

— Aïe ! Ça fait mal.

— Sans blague ? Mais comment est-ce arrivé ?

Jud posa ses coudes sur ses genoux et le regarda – du moins Cale le supposa-t-il, car on ne voyait qu'une fente entre ses paupières tuméfiées.

— J'ai essayé de jouer les chevaliers sans peur et sans reproche pour les beaux yeux d'une gamine qui se faisait harceler par une bande d'ivrognes.

Cale enjamba une chaise longue et s'assit.

— Tu as eu droit à une récompense ? On dirait que tu as le nez cassé…

— Juste enflé et très sensible.

— Elle t'a donné son numéro de téléphone, au moins ?

— Non. Je ne connais même pas son nom.

Jud secoua la tête, grimaça.

— La prochaine fois, fais-moi penser à ne plus recommencer.

— Recommencer quoi ? Tenter ta chance ? Provoquer une bagarre ? Ou secouer ta tête ?

— Ah, ah, très drôle.

— Autrement dit, tu t'es fait tabasser et démolir le portrait pour des prunes.

— Il faut croire que je n'étais pas à mon avantage quand je me suis effondré sur le trottoir et que j'ai commencé à me vider de mon sang. Arrête de rire, espèce de crétin.

— Je ne ris pas.

— Si, je l'entends à ta voix.

— Très bien. Je ris.

— Je n'ai pas réussi à lui décocher un seul uppercut.

— Apparemment.

— Va te faire voir.

— J'aimerais bien, mais je ne peux pas rentrer à la maison. Victor y est.

Cale leva la casserole de spaghettis comme pour trinquer, puis dit, la bouche pleine :

— Fameux.

— Je les ai faits hier soir.

— Avant ou après ta rencontre avec Joe Frazier ?

— Avant.

— Tiens, attrape, dit Cale en lui lançant sa serviette en papier. Tu as le nez qui saigne.

— Encore ?

Jud se tamponna le nez et essaya de se lever.

— Reste là. Je vais chercher ce qu'il faut.

Cale revint avec deux steaks congelés.

— Tiens, mets-toi ça sur la figure.

Jud protesta.

— Ils sont congelés.

— Il n'y a rien de tel que le steak pour soigner un œil au beurre noir et de la glace pour résorber un œdème. D'une pierre deux coups.

— Du steak congelé, c'est tout ce que peut m'offrir le futur Dr Banning ?

—Tais-toi et fais ce que je te dis. Quand ils auront décongelé, on les fera cuire au barbecue.

—Et moi qui croyais qu'il fallait être un as pour faire médecine…

C'était un coup bas. Mais Cale ne releva pas. Il avait potassé comme un malade cinq soirs de suite pour obtenir un B moins à son examen d'anatomie. Il ouvrit un magazine et brandit la photo d'une pin-up en double page.

—Tiens, le voilà, ton remède. Regarde ça.

Jud ôta les steaks de ses yeux et releva la tête.

—Pas mal.

—Pas mal? Cette fille est une bombe. Je rêve d'en rencontrer une comme ça.

—C'est déjà fait. Souviens-toi, l'année dernière, quand tes notes ont fait le plongeon.

Voilà qu'il lui renvoyait en pleine figure ses erreurs de l'année passée. Son frère était peut-être amoché avec deux steaks sur le visage, mais Cale avait l'impression d'avoir été passé à tabac.

Jud croisa les pieds et demanda :

—Au fait, ça marche comment à la fac?

—Couci-couça.

—Tu ne fais pas le con, au moins?

—Bon sang, Jud… On dirait Victor. C'est déjà assez pénible de se faire descendre en flammes par le vieux sans que tu aies besoin d'en rajouter.

Voyant que Jud ne disait rien, Cale ajouta avec humeur :

—Tu n'as pas le droit de me juger.

—Je ne te juge pas, dit Jud en ôtant à nouveau les steaks de ses yeux. Qu'est-ce qui te chiffonne?

—Rien.

—Si, il y a quelque chose qui te travaille. Tu n'es pas à prendre avec des pincettes. Vas-y, dis-moi.

Cale jeta le magazine à terre.

—Il y a qu'aucune fac de médecine ne veut de moi. J'ai pourtant passé brillamment les examens d'admission.

—Je croyais que Dorsey plaisantait hier, au téléphone.

—Non, cette fois il était sérieux.

—Il n'y en a vraiment aucune qui veuille de toi? s'étonna Jud, pour qui se voir refuser une admission à la fac était aussi improbable qu'un débarquement de Martiens.

En voyant sa réaction, Cale eut envie de le frapper.

—Il y en a trois qui ne m'ont pas encore donné leur réponse.

—Je suis désolé, vieux.

Curieusement, la commisération de son frère était encore plus difficile à encaisser que ses remontrances.

—Je ne sais pas ce que je vais faire si je ne suis pris nulle part.

—Bah, il y en aura forcément une qui finira par t'accepter, dit Jud en se renversant à nouveau sur sa chaise longue. Ne t'inquiète pas, ça va s'arranger.

Pour son frère, à qui tout souriait, la vie était facile. Cal sentit les spaghettis qui faisaient des remous dans son estomac. Il s'allongea sur son transat, les yeux tournés vers la mer pour ne pas avoir à regarder son frère.

Il n'y avait pas un souffle d'air et une légère brume voilait le ciel. Hormis le cri des mouettes et le clapotis des vagues, tout était parfaitement silencieux, comme dans les moments précédant un tremblement de terre.

Au loin, on apercevait la côte. Un incendie s'était déclaré au-dessus de Malibu et un nuage de fumée rougeoyante flottait au-dessus des collines, cachant Santa Monica à la vue. Il suivit des yeux la courbe du littoral, les minuscules points argentés scintillant dans le ciel au-dessus de l'aéroport de L.A., les stations balnéaires et leurs maisons blanches accrochées à flanc de coteau ou agglutinées autour des marinas.

Jud s'était endormi et ronflait comme un sonneur.

— Tout va bien pour toi, mon vieux, murmura Cale.

Il avait l'impression que son ventre allait exploser. Il avait mangé trop de spaghettis. Il ferma les yeux et réalisa alors que le poids qui l'oppressait était dû non pas à la platée de pâtes froides qu'il avait engloutie, mais à une blessure d'amour-propre.


L'après-midi touchait à sa fin quand Jud se réveilla avec deux steaks décongelés sur le visage. Il entendit un ballon rebondir devant la maison. Cale était en train de faire des paniers. Il alla mettre les steaks au réfrigérateur, puis sortit rejoindre son frère.

— Eh, petite tête, laisse-moi te montrer comment on joue à ce truc !

Cale s'immobilisa, le ballon à la main.

— Ah ouais. Alors, on a fini son gros dodo ?

Il exécuta un tir en crochet. Le ballon vola très haut au-dessus de sa tête pour aller se loger pile au centre du panier sans même toucher le rebord métallique. Avec un cri de joie, Cale récupéra la balle et vint se poster devant son frère en dribblant.

— Non, mais regardez-moi ce petit frimeur, dit Jud en riant.

— Ah ouais ? Tu veux une pâtée ? Je t'accorde six points d'avance. Deux pour ton grand âge et quatre pour ta tête au carré. Au fait, à l'occasion, fais-moi penser à te montrer comment esquiver un coup et placer un direct.

— Tes points, tu peux te les mettre où je pense, crétin. Passe-moi le ballon et regarde l'artiste.

Un sourire narquois aux lèvres, Cale lui jeta le ballon en pleine figure. Mais Jud fut plus rapide. Un pivot bas et il se faufila ni vu ni connu sous les bras de son frère jusqu'au panier pour marquer.

— Tu vois ! Tu peux les garder, tes points.

Au bout d'une heure de jeu en plein soleil, rouges, échevelés et en sueur, ils décidèrent de marquer une pause. Haletants et courbés en avant, ils s'observaient, les yeux dans les yeux, comme deux chiens prêts à se sauter à la gorge. Le visage et les yeux en feu, Jud tenait le ballon.

— De l'eau, dit-il d'une voix râpeuse.

Leurs regards se posèrent en même temps sur le tuyau d'arrosage. C'était à qui arriverait le premier pour boire et profiter de ces quelques secondes pour reprendre haleine. Cale étira la jambe de côté pour lui faire un croche-pied, mais Jud l'esquiva d'un saut, puis, pivotant sur lui-même, s'élança à fond de train vers l'arrivée d'eau. Il but à longs traits avides pendant que Cale, pantelant, attendait son tour.

Lorsqu'il eut fini, il leva le tuyau pour s'asperger la tête jusqu'à ce que ses tempes arrêtent de battre. Puis il s'ébroua comme un épagneul et tendit le tuyau à Cale.

— Tu renonces ? lui lança-t-il après avoir récupéré le ballon.

— Moi ? demanda Cale en s'essuyant la bouche. Tu veux rire ? Je commence seulement à m'échauffer.

— Parfait, mentit Jud en lui lançant le ballon en plein estomac.

La bouche de Cale se tordit comme s'il allait vomir, mais il se ressaisit et la partie repartit de plus belle. Trente minutes d'un jeu féroce où tous les coups étaient permis.

Sous couvert de jouer au basket, les deux frères étaient en train de régler sauvagement leurs comptes.

— Eh, l'étudiant, on dirait que tu commences à fléchir !

— Va te faire foutre ! dit Cale en lui rentrant dedans avec toute la masse de son corps. Alors, qui est-ce qui commence à fléchir ?

Ils étaient partout à la fois, leurs bras et leurs jambes s'agitant en tous sens, échangeant des coups, jusqu'à ce que Cale assène une tape sur la tête de son frère, lui chipe le ballon et recommence à dribbler sous son nez.

On n'entendait que le martèlement régulier du ballon sur l'asphalte et leur respiration saccadée. Jud guettait l'ouverture. Cale ne vit rien venir quand il intercepta le ballon. Jud éclata de rire malgré ses côtes qui le faisaient souffrir.

— Et maintenant, viens le chercher ! lança-t-il en brandissant le ballon bien haut pour le narguer.

Cale fonça tête baissée. D'un croche-patte, Jud le catapulta sur le bitume. Cale avait les genoux en sang, et Jud l'impression que sa tête allait exploser. Mais il était hors de question qu'il perde cette partie. Il scruta le visage cramoisi de son frère, ses traits déformés par la colère et la concentration. Comme toujours, il était trop impatient. Ses mouvements étaient désordonnés, saccadés, désespérés.

À bout de souffle et de forces, ils se laissèrent choir sur l'asphalte. Les derniers rayons du soleil avaient disparu derrière les collines et la voûte céleste s'étirait à présent limpide et brillante au-dessus d'eux. Un air de musique éclata au loin : guitares électriques et percussions. On devait donner un concert de rock quelque part en ville. Quand Jud rompit le silence, il ne dit que trois mots :

— Tu as perdu.

Cale se releva et lança rageusement le ballon dans sa direction.

Jud l'esquiva. Il poussa un grognement et s'assit les jambes pliées, ses bras en appui sur ses genoux.

— Tu n'aurais pas perdu si tu avais été moins impulsif. Ton jeu est cousu de fil blanc.

— Ce n'est pas toi qui vas m'apprendre à jouer au basket, dit Cale en détournant les yeux.

— Je vais allumer le barbecue pour faire griller les steaks, proposa Jud pour faire la paix.

Après tout, ce n'était qu'une dispute amicale.

Cale se dirigeait vers la maison en boitillant. Une fois sur le seuil, il se retourna et lança d'un ton plein d'amertume :

— Pas pour moi, je ne dînerai pas à la maison.

Puis il entra en faisant claquer la porte derrière lui.

Lentement, Jud se remit sur ses jambes et s'approcha en titubant du tuyau d'arrosage pour s'asperger la tête. La pression de l'eau baissa d'un coup et il entendit couler la douche dans la salle de bains du rez-de-chaussée. Il songea un instant à présenter des excuses à Cale puis se ravisa. Après tout, il n'avait pas à demander pardon à son petit frère pour lui avoir fait la leçon ou parce qu'il avait gagné la partie. Ce soir, il n'avait pas prévu de sortir. Il avait rendez-vous avec la poche à glace. Et tant pis pour Cale, il allait engloutir tout seul les deux steaks.

# 10

Laurel ne pouvait s'empêcher de croire que quelque part sur cette terre il y avait un garçon qui lui était destiné. Simplement, l'homme de sa vie se trouvait probablement en France, alors qu'elle était coincée ici, sur la côte ouest du continent américain. Seule parmi la foule, elle longeait la promenade du front de mer. Ce soir, on donnait un concert en plein air, et des bribes de musique lui parvenaient depuis le port. Un appétissant fumet d'ormeaux grillés et de pop-corn caramélisé embaumait l'air. Elle acheta des bonbons puis alla s'asseoir sur un banc sous une guirlande de lampions multicolores. Autour d'elle, ce n'étaient que rires, bavardages et musique ; la vie était partout, même si ce n'était pas la sienne.

Sa mère était à la maison, sans doute en train de lire un roman ou de regarder une série télévisée dont les personnages menaient des vies beaucoup plus exaltantes que la leur. Après avoir vécu en recluse à Seattle, sa mère était venue s'enterrer ici.

Laurel avait parfois l'impression d'avoir été déracinée et replantée loin de chez elle. Le cœur gros, elle contemplait le spectacle de la plage. Elle enviait tous ces jeunes qui s'amusaient en couples ou en bandes sur le sable. Un peu plus loin sur la grève, un vieil homme marchait lentement, comme une âme en peine. Elle se demanda ce qui pouvait bien se passer dans sa tête et dans son cœur.

Elle avisa un autre promeneur solitaire qui se tenait debout face à la mer, les mains passées dans les poches arrière de son jean. Les épaules larges et la taille svelte, il était l'image même de la virilité. Sa haute silhouette et ses cheveux blond cendré ne lui étaient pas inconnus. Il était tel qu'il lui était apparu la veille, sur le bateau, avant qu'elle ne lui avoue qu'elle avait dix-sept ans.

C'était l'occasion ou jamais de tout mettre au clair. Elle le saluerait puis, sans se laisser intimider, dirait : « Je n'avais encore jamais vu personne aller aussi vite au tapis depuis que Cassius Clay a mis Sonny Liston K-O. »

Elle lui montrerait qu'elle était capable de faire de l'esprit. Il portait un polo bleu turquoise facilement repérable dans la foule. Elle décida de le suivre, mais il avançait à grandes enjambées et elle dut se mettre à courir pour pouvoir le rattraper. Le saisissant par le bras, elle s'écria :

— Coucou !

Il fit volte-face et la toisa du regard.

Ce n'était pas lui ! Confuse, elle resta un instant bouche bée, puis se répandit en excuses.

— Je suis désolée. Je vous ai pris pour quelqu'un d'autre.

— Le veinard !

— Je n'en suis pas si sûre, dit-elle en tournant les talons pour faire demi-tour.

— Attendez, dit-il en levant les mains, paumes ouvertes. Je veux bien être qui vous voudrez. Et avec un peu de chance, c'est moi que vous choisirez. Il y a pire comme prise, vous savez ? Au fait, mon nom est Cale Banning.

— Cale ? bredouilla-t-elle, troublée.

130

Elle devait avoir l'air d'une parfaite idiote. Pas étonnant que personne ne l'invite jamais à sortir.

— Je m'appelle Laurel… Laurel Peyton.

— Eh bien, Laurel Peyton, dit-il en la prenant par la main, est-ce mon jour de chance ?

Elle se sentit fondre. Il s'ensuivit un long silence embarrassé. Voyant qu'il la regardait avec insistance, elle se dit qu'elle devait avoir l'air d'une cruche.

— Qui ne dit mot consent, n'est-ce pas ?

Il se remit à marcher en la prenant par le bras.

— Où m'emmenez-vous ?

— Là-bas, dit-il en désignant un endroit qu'elle ne pouvait voir à cause de la foule.

— Attendez. S'il vous plaît.

Il s'arrêta.

— Vous n'avez pas changé d'avis, au moins ? Si vous dites non, vous allez gâcher ma soirée.

— Je n'ai pas vu où était « là-bas ».

— Vous ne me faites pas confiance ? dit-il, taquin.

— Je ne vous connais pas. Et je ne vous fais pas confiance.

— Sage attitude.

Il lui décocha un grand sourire et, aussitôt, sa méfiance s'envola.

— Fermez les yeux, Laurel Peyton, et suivez-moi pendant encore dix pas. Nous sommes sur la plage, en compagnie de quelques centaines d'autres personnes, et vous n'avez rien à craindre. Juste dix pas. Donnez-moi vos mains.

— Je n'arrive pas à croire que je fais une chose pareille.

Elle ferma les yeux et lorsqu'il prit ses mains entre ses doigts calleux, elle se sentit aussi légère qu'un de ces ballons qu'il fallait attacher pour qu'ils ne s'envolent pas.

Il l'entraîna doucement à travers la foule.

— Vous trichez, vilaine fille. Fermez les yeux.

— Je ne triche pas.

— Je voulais juste m'en assurer. Bien, nous y sommes presque. Un, deux, trois…

Il accéléra le pas. Quatre, six, huit, dix.

— Une minute ! dit-elle en riant et en se figeant. Cette fois, c'est vous qui trichez.

— Je ne triche pas, je compte. Fermez les yeux.

Elle croisa les bras.

— Deux, quatre, six, huit, vous appelez ça compter ? Quelle école avez-vous fréquentée ?

— Aucune.

— Ah, je vois, tout s'explique.

À chaque nouvelle repartie, elle riait un peu plus fort.

— Je suis étudiant à Loyola.

— Et c'est comme ça qu'on vous apprend à compter à l'université ? Si j'étais vous, j'exigerais qu'on me rembourse mes frais de scolarité.

— Non, pas à l'université, sur le terrain de basket. On compte par deux et trois points.

— Le basket. Mais bien sûr. Avec votre taille, j'aurais dû m'en douter.

Il rit.

— Parce que, d'après vous, tous les grands devraient jouer au basket ? C'est de la discrimination.

— Loyola, dites-vous ? Je parie que vous voulez devenir avocat.

— Non.

— En tout cas, vous n'êtes pas doué pour les maths.

— Attendez, je recommence. Deux reins. Deux poumons. Deux cent six os. Je suis en prépa de médecine. Nous sommes arrivés. Vous pouvez ouvrir les yeux.

La première chose qu'elle vit fut son visage. Elle en ressentit un étrange frisson, comme si sa sensualité était exacerbée.

Posant les mains sur ses épaules, il la fit pivoter sur elle-même, puis dit, sans la relâcher :

— C'est ici que je voulais vous emmener.

Elle tourna la tête pour le regarder.

— Moi et mes deux cent six os ?

— Vous et vos deux cent six os.

Ils se tenaient au bout du quai, sur lequel des couples enlacés dansaient au son de l'orchestre. Il n'avait pas ôté ses mains de ses épaules, et il lui semblait parfaitement naturel qu'ils se tiennent ainsi tout près l'un de l'autre. Un instant elle se sentait seule au monde, et l'instant d'après un étranger entrait dans sa vie et la bouleversait. C'était drôle de voir comme tout pouvait changer en l'espace d'un battement de cœur. Elle ferma les yeux et se mit à se balancer doucement en rythme. Puis elle se souvint qu'elle avait éprouvé exactement la même chose la veille, sur le bateau.

— J'ai dix-sept ans, lâcha-t-elle brusquement.

Il ne dit rien.

— J'ai pensé qu'il valait mieux que vous le sachiez. Je vais bientôt en avoir dix-huit.

Elle se tourna vers lui. Il ôta ses mains de ses épaules et elle se sentit nue.

L'expression de son regard était indéchiffrable.

— Mais en attendant tu en as dix-sept.

Elle s'attendait à ce qu'il lui dise : « Ravi d'avoir fait ta connaissance, fillette. »

Mais il se mit à fredonner une vieille chanson :

— « Et tu étais là devant moi… »

133

Elle éclata de rire, soulagée. Il chantonna deux autres couplets en prenant une voix de crooner, puis l'orchestre entama un nouvel air.

—Bonne musique, dirent-ils en même temps, et comprirent qu'ils étaient en train de vivre un de ces rares moments où le destin semble avoir pris les choses en main.

—Laurel, dit-il, sans rien ajouter.

Il enlaça ses doigts avec les siens puis l'attira sur la piste de danse. Ils étaient si près l'un de l'autre que leurs corps se frôlaient. Il sentait la savonnette et l'after-shave. Elle posa une main sur sa poitrine. L'étoffe de sa chemise était chaude et douce, comme le cœur qui battait dessous.

Elle sentit sa main qui descendait doucement dans son dos pour se poser sur ses reins, en un geste possessif.

—Danse avec moi.

Derrière lui, il y avait tant d'étoiles dans le ciel qu'elles auraient pu illuminer l'île tout entière, comme un feu d'artifice.

Ils dansaient lentement. Il lui prit la main et la posa sur sa nuque. Par-dessus son épaule, elle apercevait le disque étincelant de la lune.

—Ce soir, j'ai envie de danser sur la plage avec toi, Laurel, sous les yeux du monde entier.

—Pourquoi le monde nous regarderait-il ?

—Parce que tu es la plus jolie fille de Catalina.

L'expression de son visage lui disait qu'il était sincère. Et elle ne demandait qu'à le croire.

Quand Cale était avec une fille, le temps suspendait son vol. Oubliées les lettres de refus des facs de médecine, les perpétuelles remontrances de Victor, les leçons de son irréprochable frère. À la fin du concert, impatients de tout connaître l'un de l'autre, Laurel et lui étaient allés s'asseoir sur un banc pour bavarder. D'autres couples s'étaient éparpillés sur le sable, sur les marches de la jetée, ou devant les bars qui bordaient la plage. Tous voulaient retenir la nuit, et Cale n'était pas en reste tandis qu'il regardait Laurel fouiller dans son sac à main posé à ses pieds. Ses cheveux d'un brun brillant retombaient devant son visage et le cachaient à la vue.

Cale n'avait pas tardé à remarquer que l'expression de son visage reflétait ses émotions : sa moue ironique quand elle le taquinait, le rire qui plissait le coin de ses yeux lorsque lui la taquinait, son regard plein de commisération lorsqu'il lui avait dit qu'il avait perdu ses parents, et le regret qui avait figé ses traits lorsqu'elle lui avait expliqué qu'elle avait dû quitter Seattle à contrecœur. Enfin, l'expression de tristesse presque hostile qui avait fait pâlir ses joues quand elle lui avait avoué qu'elle n'avait pour ainsi dire jamais connu son père.

Elle était aussi sensible que lui, à qui la vie avait laissé de profondes meurtrissures qui mettraient des années à guérir, si tant est qu'elles puissent jamais se refermer un jour. Mais à sa grande joie, lorsqu'elle se redressa, il vit qu'elle tenait un sachet de bonbons à la main. Elle posa sur lui un sourire malicieux qui semblait dire « Eurêka » et il se demanda lequel des deux avaient le plus de chance.

Plus il la regardait et plus il avait envie de l'embrasser, de l'enlacer, de plaquer ses hanches contre les siennes, d'explorer cette exquise créature dans ses recoins les plus secrets et de s'y perdre. Il tendit la main – pour remettre une mèche de cheveux à sa place – puis l'ôta d'un geste brusque, comme s'il avait craint de se brûler. Il savait que s'il commençait il ne pourrait plus s'arrêter. Cette rencontre avec Laurel avait quelque chose de nouveau, de fragile, et il ne voulait pas risquer de dire ou de faire quoi que ce soit qui puisse la mettre en fuite.

— Tu veux un bonbon ? demanda-t-elle.

— Bien sûr. Le cheeseburger, les frites, la bière et la crème glacée ne m'ont pas suffi.

— Je n'ai mangé qu'un hot-dog.

— Un demi-hot-dog.

— C'était suffisant. Les saucisses qu'on met dans les hot-dogs sont faites avec les pieds et les groins du cochon.

— Et même les intestins, ajouta-t-il pour faire bonne mesure.

Ils parlaient en rythme, tels deux musiciens virtuoses qui dialoguent avec leurs instruments.

Elle défit le papier d'un bonbon.

— Ce sont tous les mêmes, fit-il remarquer.

— Ils sont à la cannelle. Il n'y avait qu'un parfum.

— Pas de banane, de chocolat ou de réglisse ?

Un petit silence gêné s'installa entre eux. Il n'avait pas été complètement honnête lorsqu'il lui avait dit qu'il était en prépa de médecine. Il avait préféré faire le pitre et se réfugier derrière les plaisanteries plutôt que de lui avouer qu'il était à deux doigts de voir s'envoler son rêve le plus cher. Il voulait qu'elle l'admire et il s'était mis à parler de basket jusqu'à n'avoir plus rien à dire.

Elle jeta un coup d'œil à sa montre.

— Il faut que je rentre.

— Je vais te raccompagner, dit-il sans lui laisser le choix.

Il se demandait ce qu'elle pensait de lui. Il ne voulait pas passer pour un imbécile qui ne savait parler de rien d'autre que de sport. Avant qu'elle ait pu s'échapper, il lui prit la main. Il vit qu'elle souriait lorsqu'ils passèrent sous un réverbère, et fut soulagé.

Trop vite, elle s'arrêta au coin de Descanso Street.

— C'est ma maison, dit-elle en désignant une petite villa grise.

Une lampe posée sur une table brillait derrière la fenêtre du salon. Les stores étaient à demi baissés et une nuée de moustiques et de papillons voletaient autour de la lumière qui éclairait le porche.

Tandis qu'ils continuaient d'avancer, il tenta sa chance.

— Ça te dirait qu'on se retrouve à la plage, demain ?

— Bien sûr.

— Tu as un numéro de téléphone ?

Elle le lui débita si vite qu'il l'oublia instantanément.

— Comment fais-tu pour retenir les noms de tous les os du corps humain ? demanda-t-elle.

— Je triche.

Elle inscrivit son numéro dans le creux de sa main, puis fit de même sur chacun de ses doigts.

— Des antisèches, dit-elle en éclatant de ce rire qui l'avait charmé tout au long de la soirée.

Lorsqu'elle le regarda à nouveau, elle avait des étoiles dans les yeux, et il se sentit plus grand et plus intelligent. Il était tellement heureux qu'il avait envie de faire des cabrioles. Était-il possible qu'une fille comme elle puisse l'aimer tel qu'il était vraiment ?

Il la prit par le menton et se pencha pour l'embrasser.

— La lumière, dit-elle, embarrassée. Ma mère n'est pas couchée, elle attend que je rentre.

— Et alors ?

— C'est gênant.

Étirant le bras, il dévissa l'ampoule électrique.

— Parfois, ça a du bon d'être grand.

Il lui fallut un moment pour s'habituer à l'obscurité. Ils se tenaient face à face, si proches l'un de l'autre que leurs haleines se mêlaient et que leurs lèvres se touchaient presque. Cale huma une odeur de cannelle, et quand il l'embrassa, ce fut comme s'ils avaient été touchés par la foudre. Le désir qui l'étreignit fut si violent qu'il la relâcha et s'obligea à reculer. Par chance, la lumière était éteinte. Elle ne pouvait pas voir la rougeur de ses joues, même si l'obscurité ne suffisait pas à cacher la violence de ses sensations.

— Je t'appellerai demain, lui dit-il lorsqu'elle entra dans la maison sans rien dire.

Il commença à s'éloigner puis s'arrêta sous un réverbère, poussé par un besoin impérieux de regarder une dernière fois en arrière. Pareille à toutes les autres maisons de la rue, la sienne n'était qu'une petite villa ordinaire. Il aperçut sa silhouette derrière la fenêtre, penchée au-dessus de la lampe. L'espace d'un court instant, à peine plus long qu'un battement de cœur, elle regarda dans sa direction et posa sa main sur la vitre. Il leva lui aussi la main et resta ainsi jusqu'à ce qu'elle ait éteint la lumière et qu'il ne puisse plus la voir.

Le cœur léger, il rentra chez lui en sifflotant une chanson des Beatles. Il flottait dans l'air un parfum de printemps, quand la nuit s'habille de pourpre, que les bonbons ont un goût d'amour naissant et que la vie s'éclaire d'un seul coup.

# 11

La voiture de Kathryn était sur le continent, dans un garage de San Pedro – disposer d'un véhicule étant indispensable pour se déplacer à L.A. À Avalon, elle parcourait à pied les petites rues qui serpentaient en zigzag depuis le front de mer jusqu'au sommet de la colline, où des maisons carrelées d'azulejos nichaient parmi des arbres-perroquets centenaires. Les balcons et les massifs fleuris de géraniums rouges et roses ajoutaient à l'ensemble une touche de couleur. Les auberges aux enseignes peintes à la main proposaient des spécialités dont le fumet suffisait à attirer les chalands sans qu'il soit besoin d'afficher le menu. Mais c'étaient surtout le cri incessant des mouettes et l'absence de voitures qui conféraient à l'île son charme si particulier.

À neuf heures et demie du matin, le soleil réchauffait déjà les pavés des ruelles. Kathryn s'arrêta dans une épicerie pour acheter du thé et du sucre. Les petits commerces comme celui-ci étaient devenus des curiosités. L'époque était révolue où le pain et le lait frais étaient livrés à domicile. À l'intérieur, les étagères de boulanger décorées de ballons avaient disparu, de même que l'énorme pot de cornichons trônant sur le comptoir ou les bocaux à friandises. Seul persistait le parfum piquant du café frais moulu. Mais la boutique n'en demeurait pas moins chaleureuse et authentique, contrairement aux supermarchés qui proposaient des articles dont personne n'avait besoin. C'était d'ailleurs là tout le problème. Il fallait passer son temps à choisir. Prendre des décisions. La vie était devenue un gigantesque supermarché.

Devant la caisse, les mères de famille faisaient la queue en échangeant des potins sur leurs enfants, la messe de Pâques, le droit de prêt en bibliothèque. Kathryn jeta un coup d'œil distrait au présentoir à journaux. Le magazine *Look* titrait : « Croissance et pouvoir : ces Américains qui ont réussi ». Mais ce fut son nom, imprimé en lettres blanches sur fond noir, qui attira son regard. Étalée sur cinq rangées, la photo de Victor Banning la regardait droit dans les yeux. Elle saisit un magazine pendant que la cliente qui la précédait posait ses emplettes sur le comptoir. Banning Oil, rebaptisé BanCo, était désormais dirigé par le fils et le père de l'homme qui avait tué Jimmy.

— Ils ont une maison ici, vous savez, lui dit la femme qui se trouvait derrière elle.

Kathryn se retourna.

— Les Banning, reprit la femme. Ils ont une maison dans la baie d'Hamilton. Ils ne viennent plus aussi souvent qu'avant, mais Victor Banning, l'homme sur la couverture, possède un yacht de trente mètres, le *Catalan*. On ne risque pas de le rater quand il vient.

— Pour vous, c'est le thé et le sucre ? lui demanda la caissière. Vous prendrez également le magazine ?

— Non, dit Kathryn en reposant la revue sur le présentoir.

Elle paya et sortit aussitôt. Quand elle atteignit son atelier, elle n'avait aucun souvenir du trajet du retour, ni d'avoir fait tourner la clé dans la serrure. Elle avait serré si fort le sac en papier qui contenait ses emplettes qu'il était fripé quand elle le déposa sur le plan de travail.

Banning Oil. Il suffisait de ces deux mots pour que sa vision se trouble. Les stations-service Banning, avec leurs grandes enseignes bleu et blanc plantées à tous les coins de rue, n'étaient pour elle que des fantômes qui défilaient à la périphérie de sa vision lorsqu'elle empruntait les avenues commerçantes du centre-ville de L.A.

Mais il avait suffi d'une simple phrase – «ils ont une maison ici, vous savez ?» – pour réduire à néant le monde merveilleux dans lequel elle avait trouvé refuge. Elle alla dans la salle de bains et se passa de l'eau sur le visage, sans toutefois parvenir à calmer l'exaspération qu'elle sentait bouillir en elle. Les mains agrippées au rebord du lavabo, elle se regarda dans le miroir. Voilà qu'elle revenait à la case départ.

Il est temps de jeter un voile sur cette affaire, songea-t-elle. Tu n'es pas Julia. Elle alla à la cuisine se préparer une tasse de thé, mais sa colère et son irritation décuplèrent quand elle vit que le citron qu'elle avait laissé sur le comptoir était couvert de moisissure. Une nouvelle colère chassant l'autre, elle dut attendre un bon moment avant de retrouver le calme nécessaire pour s'asseoir derrière son tour de potier.

Ici, dans la solitude de son atelier, elle se sentait en sécurité. Elle pouvait s'échapper, même si rester cachée n'était pas chose facile quand un soleil radieux brillait au-dehors.

Peu après cinq heures, le téléphone sonna : Stephen Randall voulait l'inviter à sortir le samedi suivant. Kathryn accepta, puis s'empressa de raccrocher avant de changer d'avis. Elle éprouvait une légère appréhension à l'idée de le revoir. Evie n'était pas chez elle quand elle chercha à la joindre. Elle décida d'aller faire un tour dans la penderie pour voir ce qu'elle pourrait mettre le samedi.

Quand Laurel rentra de la plage, elle trouva Kathryn assise sur son lit parmi un déballage de vêtements vieillots : tailleurs sombres dont la jupe descendait sous le genou et cardigans stricts qui avaient reçu l'approbation de Julia. Elle leva les yeux vers sa fille et dit :

— J'ai trente-six paires de chaussures et rien à me mettre.

— Tu appelles ça des chaussures ? dit Laurel en soulevant un trotteur à boucle dorée avec son petit doigt. Ce sont des souliers de curé.

— Je sens que je vais devoir aller faire les magasins sur le continent. Ça te dirait de m'aider à faire mon entrée dans les années soixante-dix après-demain ?

Le visage de Laurel s'allongea.

— Que se passe-t-il ?

— Il y a que j'avais des projets. Je suis en vacances, maman.

Laurel semblait affolée, comme si elle avait craint que Kathryn ne cherche à lui voler quelque chose.

— Ce n'est pas grave. Je peux y aller seule.

Son cabas de plage à l'épaule, Laurel portait une tunique en dentelle par-dessus son bikini rayé. Elle avait pris un coup de soleil sur le nez et ses jambes bronzées étaient luisantes de beurre de cacao. Elle était rose, gorgée de soleil et rayonnante d'un bonheur sauvage. Rien à voir avec la jeune fille qui pleurait sur son oreiller la veille.

— Tu dînes à la maison ?

Laurel fit non de la tête.

— J'ai prévu de sortir. Je file prendre une douche.

Restée seule avec sa pile de vieilles nippes, Kathryn songea que la roue de la vie tournait très vite. Deux jours plus tôt, elle s'était sentie tellement coupable d'être venue s'installer ici qu'elle n'avait pu fermer l'œil de la nuit. *Femme égoïste, mauvaise mère.* Ces deux phrases tournaient comme des mantras dans sa tête. Et voilà que sa fille, qui la veille encore se morfondait d'ennui, l'informait qu'elle était trop occupée pour venir faire les magasins et l'aider à choisir ce qu'elle allait mettre pour rencontrer son prétendant. Car Kathryn Peyton avait un prétendant. Son nouveau mantra ? *Le changement est salutaire. Le changement est excitant. Le changement t'a permis de prendre une nouvelle direction.* C'était du moins ce qu'Evie ne cessait de lui seriner.


Laurel rêvait depuis toujours de connaître l'amour. Car l'amour vous ouvrait au monde ; il vous rassasiait, vous comblait, faisait de vous une femme. Mais si l'amour était aussi joyeux, merveilleux et simple qu'on le disait, quel était alors ce sentiment étrange, cette flamme qu'elle sentait brûler en elle comme une coulée de lave incandescente ? Chaque fois, elle sortait avec l'intention de mettre le holà à ces ardeurs, mais le corps de Cale attirait le sien comme un aimant. Elle l'invitait à la toucher, à explorer les parties de son corps les plus intimes. Ils allaient à la plage, mangeaient des hamburgers et des glaces, s'embrassaient sous les étoiles, se racontaient leurs vies et leurs rêves, mais jamais leurs angoisses. Car il n'était pas question de parler de choses sérieuses.

Il n'empêche qu'entre eux tout était allé très vite. Les quelques baisers volés du début avaient fait place à de longs ébats amoureux et il suffisait que Cale la frôle pour que soudain, avide de caresses, elle s'ouvre comme une fleur sous ses doigts et ses lèvres. Après tout, songeait-elle, ils ne faisaient rien de mal. Ils pouvaient bien se toucher du moment qu'ils n'allaient pas plus loin. Le soir venu, quand elle se mettait au lit, elle était encore tout enveloppée de sensations charnelles, et le lendemain au réveil, les muscles de ses bras étaient endoloris d'être restés agrippés pendant des heures à ses larges épaules. Il lui suffisait de le regarder ou même de penser à lui pour que son corps appelle le sien.

Quatre jours après avoir fait la connaissance de Cale, il passa la prendre dans une voiturette de golf vert et blanc.

— On dirait une voiture de marchand de bonbons, dit-elle en prenant place à bord.

— Tu ne crois pas si bien dire, répondit-il en lui jetant un sachet de berlingots rouges et blancs sur les genoux.

Lorsqu'ils eurent franchi les limites de la ville et gagné les collines, il se mit à conduire comme s'ils avaient fui à travers un champ de mines, en prenant les virages à la corde et en donnant des coups d'accélérateur. Elle riait à gorge déployée en s'agrippant à lui pour ne pas être éjectée. Puis ils atteignirent une pente si raide que la voiture s'essouffla.

Elle lui toucha le bras et dit :

— Il va falloir fouetter les hamsters qui font tourner le moteur.

— Très drôle.

— Tu veux que je descende pour pousser ?

— Non, reste assise et détends-toi. Sinon, je vais être obligé de te faire taire.

— Des promesses, rien que des promesses, dit-elle.

Cale passa un bras autour de ses épaules et l'embrassa jusqu'à ce qu'ils aient atteint le sommet de la colline.

Là-haut, la brise marine faisait doucement osciller la cime des arbres. L'air du large chargé d'embruns picotait les joues et les lèvres. Tout en bas, le port ressemblait à un cornet de glace ; les voiliers blancs filaient toutes voiles dehors sur la mer bleue. Ils s'installèrent au milieu d'un vaste champ de fleurs aussi bleues que le ciel de Californie. Jusqu'ici elle n'avait jamais aimé l'île – qui lui rappelait tout ce qu'elle avait laissé derrière elle – mais, maintenant qu'elle avait rencontré Cale, elle voyait les choses différemment. Elle trouvait délicieux de se prélasser avec lui sous ce chaud soleil de printemps.

Cale l'observa pendant un moment puis s'étendit sur le plaid et contempla la vue qui s'offrait à eux.

— Tu aimes cet endroit ? demanda-t-elle.

— Nous sommes venus ici presque chaque été, après la mort de mes parents. Victor, Jud et moi. Mais c'était différent à l'époque.

— Différent dans quel sens ?

— Mon grand-père ne cherchait pas à nous monter systématiquement l'un contre l'autre, mon frère et moi. Il était occupé à courtiser une femme qu'il a d'ailleurs fini par épouser.

— J'ignorais que tu avais une grand-mère.

— Je n'en ai plus. De toute façon, elle était beaucoup trop jeune pour jouer les grand-mères. Mais du moins a-t-elle tenu Victor occupé à autre chose qu'à nous asticoter pendant un certain temps.

— Ma grand-mère à moi m'emmenait partout avec elle. Elle parlait sans arrêt de mon père. Sa plus grande peur était qu'on puisse l'oublier. Chaque fois qu'une chanson de lui passait à la radio, elle exultait. C'était Jimmy ceci, Jimmy cela. Mais j'aimais bien les histoires qu'elle me racontait. C'est tout ce qu'il me reste de lui.

— Victor ne parlait jamais de mes parents. Il changeait aussitôt de sujet. Mais je me souviens d'eux.

Il se mit à parler de sa mère, un personnage haut en couleur, apparemment. Il parla de son père d'une façon qui fit envie à Laurel. Elle aussi aurait voulu posséder un souvenir qui n'appartienne qu'à elle.

Quand le soleil commença à décliner, ils déballèrent leur pique-nique et mangèrent en buvant de la bière gardée au frais dans une glacière. Après quoi ils tombèrent dans les bras l'un de l'autre. Il avait l'air heureux de se trouver là avec elle et ne semblait rien désirer de plus que de laisser courir son doigt sur la peau nue de son dos, dans l'échancrure de son corsage.

— Je suis content de voir que tu n'es pas parfaite, dit-il. Tu as une verrue ici.

Laurel se retourna pour regarder par-dessus son épaule.

— Où cela ?

Il se rapprocha.

— Ici.

Ses lèvres happèrent les siennes. Ils reposaient à présent face à face sans rien entre eux que l'épaisseur de leurs vêtements et la fougue de leur désir. Elle lui prit la main, la posa sur sa hanche et la retint prisonnière jusqu'à ce qu'il l'ôte avec un grognement lascif. Insatiable, elle l'enlaça de ses bras, et leurs langues se joignirent en un long baiser langoureux. Après quelques minutes, quand ses mains s'immiscèrent entre ses cuisses, elle ne chercha pas à le repousser.

— Cale, murmura-t-elle d'une voix rauque et sensuelle qu'elle ne reconnaissait pas.

Il lui prit la main et la posa entre ses jambes en lui imprimant un lent mouvement de va-et-vient. Puis il recommença à la toucher et ils jouirent en même temps. Palpitants et échauffés, ils restèrent un moment agrippés l'un à l'autre. Puis il recula et dit :

146

— Mon adorable petite fille, tu es ce qui m'est arrivé de mieux.

— Tout est allé si vite, dit-elle, confuse. Je ne suis pas comme ça, tu sais ?

— Je sais.

— Vraiment ?

Elle l'avait vexé. Il semblait hésitant.

— Nous nous connaissons à peine.

— Tu penses que je cherche à coucher avec toi pour te larguer ensuite ?

— L'idée m'a effleurée.

— Écoute. Je veux te voir chaque jour et chaque soir jusqu'à la fin de la semaine. Je veux te voir, Laurel. Je n'ai pas de petite amie planquée à L.A. si c'est ce que tu crains. C'est toi que je veux.

— Jusqu'à la fin de la semaine, répéta-t-elle en le regardant avec défiance.

— Je me suis mal exprimé.

Il avait l'air aussi mal à l'aise qu'elle.

— Non, pas seulement jusqu'à la fin de la semaine. On pourra se voir pendant les week-ends et le soir après les cours. Tu es à Westwood. Loyola n'est pas loin. Vingt minutes.

— Je n'ai pas de voiture.

— Mais moi, j'en ai trois.

Elle rit.

— Trois voitures, tu te paies ma tête ?

— Non, c'est la pure vérité. Trois voitures et une camionnette. Tu en veux une ?

— Non, dit-elle.

Au même instant, elle se remémora ses premières paroles. *Je suis plutôt une bonne prise.*

— Oh, bon sang. Tu veux dire que tu es riche ?

— Je ne suis pas riche.

Il mentait.

— Mon grand-père l'est.

Soudain, la lumière se fit dans son esprit.

— Cale Banning ? Comme les stations-service ? Comme Banning Oil ?

Il acquiesça en silence.

— Ta famille possède toutes les pompes à essence de la côte pacifique ?

— La compagnie s'est spécialisée dans la fabrication et le commerce des dérivés pétroliers et le transport. Il ne nous reste que deux raffineries. Banning Oil n'existe plus. Il y a quelques années, mon grand-père a fusionné les différentes sociétés et fondé BanCo.

— Tu vois ce que je voulais dire ? Je ne sais rien de toi.

Elle baissa la voix.

— Et malgré cela, j'ai envie que tu me touches. Qu'est-ce que tu vas penser de moi ?

— Que tu es ma petite amie.

— Je te jure que je ne l'avais jamais fait avant.

— Je m'en fiche. Ou plutôt, non, ce n'est pas vrai. Je veux être le seul à pouvoir te toucher.

Il ôta la chevalière qu'il portait à l'annulaire, la plaça dans sa main puis referma ses doigts.

— OK ?

Laurel contempla la bague qui reposait au creux de sa main. Et voilà comment tous ses rêves de jeune fille s'achevaient. En se donnant à un homme. La chevalière lui semblait aussi lourde qu'un boulet lorsqu'elle répondit : « OK ». Et elle se demanda pourquoi les rêves étaient aussi différents de la réalité.

Kathryn recula discrètement loin de la fenêtre en voyant un garçon qui tenait sa fille étroitement enlacée étirer le bras pour dévisser l'ampoule de la véranda. Elle se figea. Le moment tant redouté était arrivé. Encore jeune et inexpérimentée, Laurel était assoiffée d'amour et recherchait les plaisirs faciles.

Ce n'était pas tant sa vertu qui lui importait que le fait qu'elle puisse aimer et être aimée. Elle voulait que sa fille puisse s'épanouir sexuellement, qu'elle ait des enfants et une vie heureuse. Mais à dix-sept ans on n'est qu'impulsions. Laurel, qui avait grandi à l'écart de toute présence masculine, n'avait comme repère que les contes merveilleux que lui racontait Kathryn à propos d'elle-même et de Jimmy. Et maintenant qu'elle approchait de l'âge adulte, elle se sentait tellement seule et en manque qu'elle était prête à se jeter dans les bras du premier venu.

Épouvantée par ce qu'elle venait de voir, Kathryn alla se réfugier à la cuisine. Elle était en train de boire un verre de lait quand Laurel entra sans rien dire, ébouriffée, les joues en feu et les lèvres gonflées d'avoir trop flirté. Tout son être dégageait une sensualité sauvage qu'il lui eût été impossible de dissimuler.

— Où étais-tu ce soir ?

— Je suis allée me promener.

Et voilà les mensonges qui commençaient. Kathryn dut prendre sur elle pour ne pas tressaillir.

— Tu as rencontré un garçon ?

Malgré toutes ses bonnes résolutions, la question avait jailli de ses lèvres comme une accusation.

Laurel se raidit.

— Tu nous as épiés ?

—J'étais dans le séjour quand la lumière de la véranda s'est éteinte, dit-elle sèchement.

Elle n'avait pas d'explications à lui donner.

—Je pense que tu devrais me présenter ce garçon.

Laurel ne répondit pas. Kathryn regrettait de ne pas lire dans ses pensées.

—Je suis ta mère, reprit-elle. C'est la moindre des choses.

—C'est quelqu'un de bien, maman. Je t'assure.

Kathryn hocha la tête.

—Tant mieux.

Laurel eut l'air d'hésiter, puis se détendit et laissa échapper un long soupir.

—Je passerai à la boutique avec lui demain.

Tournant les talons, Laurel commença à longer le couloir.

—Bonsoir, m'man, lança-t-elle avant de refermer la porte de sa chambre.

Et maintenant quoi ? songea Kathryn, désorientée. Il fallait qu'elle en parle avec quelqu'un, qu'elle se fasse conseiller. Le lendemain matin, après une nuit d'angoisse et d'insomnie, elle décrocha le téléphone et appela sa sœur.

—Laurel est si jeune, Evie. Elle veut tomber amoureuse à tout prix, mais ce n'est pas une bonne raison. Que puis-je faire pour l'en empêcher ?

—Rien, Kay. Tu ne peux rien faire.

## 12

Telle la coque irisée d'un ormeau, la mer se parait de mille nuances de bleu allant de l'aigue-marine des hauts-fonds qui bordaient les plages de Catalina jusqu'au bleu indigo des eaux profondes de la bande côtière. Aussi immobile que l'air du matin, elle scintillait comme un miroir sous les rayons du soleil. Soudain, la surface des flots se rida d'un frisson, un canot à moteur déboucha au détour d'une pointe rocheuse et mit le cap sur la baie privée où les Banning avaient leur maison.

Jud coupa le moteur à l'approche du ponton d'accostage. En temps normal, il aimait prendre le bateau pour se ressourcer. Quand il voguait sur la solitude bleue du plus vaste océan du monde, il trouvait l'apaisement. Il se sentait aussi insignifiant qu'une fourmi au milieu d'un troupeau d'éléphants, mais du moins sa petitesse l'aidait-elle à mettre les choses en perspective. Ses idées s'éclaircissaient, et les obstacles ne lui paraissaient plus aussi insurmontables. La fourmi avait des options. Elle pouvait se hisser sur le dos d'un éléphant et se faire transporter ailleurs.

Mais aujourd'hui rien de tel ne s'était produit, et un sentiment de doute aussi tenace qu'une migraine l'assaillait lorsqu'il revint au port. Il avait perdu sa confiance en lui. Son grand-père lui avait appris la dure réalité de

151

l'existence : il y avait les gagnants et les perdants. Et rien entre les deux. Selon le chemin qu'on avait choisi, on allait vers la réussite ou vers l'échec.

Jud sauta à quai, hala le cordage, puis arrima solidement l'aussière au taquet d'amarrage. Les planches du ponton chauffées à blanc lui brûlaient les pieds. La sueur ruisselait dans ses yeux et plaquait ses cheveux trop longs sous sa casquette. En avril, le soleil tapait comme en juillet. L'envie le prit soudain de briquer son bateau. Il adorait ce canot, et non pas seulement à cause de ses sièges en cuir, de son pont en teck ou de son moteur huit cylindres qu'il avait retapé à ses frais et à la sueur de son front.

Cale et lui s'étaient cotisés pour l'acheter quelques années auparavant. Mais Cale ne trouvait jamais le temps de s'en occuper. Il vivait au jour le jour. Il avait une peur bleue de passer à côté de la vie. Il avait une vision globale du monde : le monde entier lui échappait, le monde entier était ligué contre lui, le monde entier était à ses pieds. Alors que Jud, au contraire, était un homme de détail. Il était capable de prendre son mal en patience et de guetter son heure. Dans la vie, pour pouvoir arriver à ses fins, il faut avancer à petits pas soigneusement calculés. Si on fonce tête baissée, on est certain d'échouer.

C'était d'ailleurs là ce qui l'avait tant contrarié dans l'affaire Marvetti. Il croyait avoir réuni toutes les conditions nécessaires à la conclusion d'un marché avantageux qui aurait épaté Victor.

Mais, loin d'être impressionné, Victor lui avait au contraire laissé entendre qu'il était un raté. Un coup rude à encaisser et qui l'avait atteint jusque dans sa chair. Il n'arrivait pas à se détendre, même en pleine mer. Il cambra les reins puis s'étira au soleil et prit une bière dans la glacière. Quand il se redressa, il vit Cale qui arrivait dans sa direction.

Allons bon. Son frère, qui jusqu'ici l'avait ignoré – pour le culpabiliser après le savon qu'il lui avait passé –, venait à sa rencontre. Jud sauta à nouveau à bord et commença à astiquer le canot. Quand il releva la tête, Cale se tenait devant lui, une brique de jus d'orange à la main. Jud jeta une grosse éponge dans un seau d'eau.

— Personne n'a téléphoné ?

— Non. Mais je viens de me lever.

Cale fit une pause avant d'ajouter :

— De toute façon, je ne vois pas qui pourrait appeler d'aussi bonne heure.

— D'aussi bonne heure ?

Cale n'avait pas l'air de plaisanter.

— Eh bien, mon vieux, je te souhaite bien du plaisir quand tu seras de garde à l'hôpital.

— C'est justement pour ça que je me repose. Je fais des provisions de sommeil en prévision des années à venir. Tu attends un coup de fil ?

— Du conseil d'administration.

Jud prit une gorgée de bière avant d'ajouter :

— Je leur ai demandé de m'appeler ici.

Cale jeta un coup d'œil autour de lui en clignant des paupières à cause du soleil.

— À quatre heures, j'ai été réveillé par les braillements de Canal Z à la télévision. Je n'ai pas réussi à me rendormir et j'ai décidé d'aller faire un tour en mer.

Son jus d'orange terminé, Cale jeta la brique dans une poubelle, puis mit ses mains dans les poches de son jean.

— Tu bois de la bière à dix heures du matin ?

— C'est mon petit déj.

— De la bière au petit déj pour le roi de la diététique ?

153

La voix de Cale ruisselait de sarcasme.

Imperturbable, Jud continua d'astiquer le pont.

— Il fait chaud et j'avais envie d'une bière.

Son cadet ne dit rien. Peut-être avait-il senti qu'il était allé un peu trop loin, ou qu'il ne pourrait pas l'inciter à se battre. Jud tordit l'éponge qu'il tenait à la main, contrarié de voir que son frère lui en voulait toujours.

— Tu commences à reprendre figure humaine, lui dit Cale. Tu es moins enflé.

— Ouais, et je peux même me raser sans hurler de douleur.

— C'est vrai que je n'ai pas été beaucoup là ces jours-ci.

— Non.

Cale gardait les yeux tournés vers la côte.

— J'ai rencontré une fille, samedi soir.

— Et moi qui croyais que tu faisais la tête à cause de la pâtée que je t'ai mise au basket…

— Ah ! Je t'ai laissé gagner.

Jud allait protester, mais Cale le coupa :

— Si ce n'avait pas été le cas, je t'aurais obligé à disputer la belle.

— Tu m'aurais obligé ? railla Jud.

— Oui, enfin, disons que j'aurais pu te provoquer, dit Cale dans un demi-sourire. Avant, il suffisait que je fasse deux ou trois paniers pour cela. Allons, Jud, sois honnête. Tu n'attendais que ça.

— En tout cas, quand je suis sorti le lendemain, tu ne m'attendais pas devant la maison pour prendre ta revanche.

Cale avait dormi jusqu'à midi ce jour-là, après quoi il s'était douché et avait filé sans dire un mot.

Il sauta dans le canot.

— Donne-moi un chiffon, je vais t'aider.

— Ne te sens pas obligé.

— Si, si.

— Non, répondit Jud haut et fort en s'asseyant sur ses talons.

— Je vais avoir besoin du canot tout à l'heure.

— Dans ce cas, vas-y, frotte.

Jud lui jeta un chiffon.

— J'aimerais emmener Laurel faire un tour en bateau, cet après-midi. C'est une fille super.

— Et roulée comme Barbie Benton, la playmate?

— Non, mais elle a aussi les cheveux bruns. Des jambes superbes et une taille de guêpe. C'est une beauté, mais ce n'est pas ce qui me plaît chez elle.

— Mais non, bien sûr, s'esclaffa Jud.

— D'accord... ça aide. Mais je suis sûr qu'elle te plairait aussi. C'est une fille avec qui on peut parler.

— Moi, j'aime parler avec des gens qui savent s'exprimer autrement que par oui ou par non.

— Tu sais que tu es un crétin?

— Ah, ouais? Alors pourquoi ris-tu?

— Parce que tu es un crétin rigolo.

— Tu ne riais pourtant pas quand je te chambrais sur ton ex.

— Corkie? Quand on s'est couvert de ridicule une fois, on ne peut plus se prendre au sérieux ensuite.

— Bien. J'espère que tu t'en souviendras avec ta nouvelle copine.

— Tu me fais la morale, alors que tu ne l'as jamais vue.

— Je ne te fais pas la morale. Je te conseille simplement de garder la tête sur les épaules.

— Tu es mon frère, Jud. Pas mon père.

— C'est toi qui es venu pleurnicher parce que aucune fac de médecine ne voulait de toi.

155

— Voilà que tu te remets à parler comme Victor.

— Si j'étais Victor, je te traiterais de telle sorte que tu aurais l'impression de n'être qu'une merde. Moi, tout ce que je veux, c'est que tu réussisses. Tu piges ?

— Écoute, je sais que j'ai fait une connerie. Mais est-ce une raison pour m'en rebattre les oreilles jusqu'à la fin de mes jours ?

— Le problème, ce n'est pas juste Corkie. Même si c'était la pire de toutes les filles avec qui tu es sorti. Tu es pris dans un cercle vicieux, Cale. Sans le basket, tu n'aurais sans doute pas été admis à Loyola. Souviens-toi de ton année de terminale. Comment s'appelait la majorette, déjà ?

— Sierra.

— Ah, mais oui, bien sûr. Comment ai-je pu oublier un nom pareil ?

Cale plissa les yeux.

— Et toi, elle est où, ta petite amie ?

— Il n'est pas question de moi, mais de toi. Aujourd'hui, tu es tout prêt à reconnaître tes erreurs passées. Mais qu'adviendra-t-il dans un an, si tu t'aperçois que tu t'es fourvoyé avec cette Lauren ?

— Laurel. Elle est complètement différente.

Jud le regarda sans rien dire.

— Elle fait l'école hôtelière.

— C'est quoi ? Des études d'économie domestique ?

— Elle veut devenir chef cuisinier.

— Et toi, médecin.

— Je sais, je sais.

Cale enfonça ses mains dans ses poches.

— Crois-moi, j'ai fait le bon choix, cette fois.

Le canot était immaculé. Jud se releva et vida le seau par-dessus bord.

— J'aimerais te la présenter. Tu verras, elle est formidable.

Apparemment, Cale tenait à recueillir son approbation. Surpris par son insistance, Jud finit par dire :

— D'accord, invite-la à dîner. Je vais préparer des grillades.

— Ce soir ?

— Oui, ce soir.

Cale eut l'air indécis, puis il dit :

— On va aller faire un tour en bateau. Je voudrais lui montrer la pointe de l'île. On sera de retour avant six heures, promis.

— Tiens, dit Jud en lui tendant les clés du canot. Le réservoir est à demi plein.

Puis il commença à se diriger vers la maison.

— Je t'assure que cette fille est différente, Jud.

Cale lui emboîta le pas, comme quand ils étaient enfants et qu'il le suivait partout comme son ombre. Sa réaction était inattendue. Jud sentit sa colère se dissiper d'un seul coup. Lui-même avait un mal de chien à arracher ne serait-ce qu'une parole d'approbation à Victor. Cale avait besoin d'encouragements ; il avait besoin d'un grand frère, pas d'un Victor.

— Tu as raison, petit frère. C'est peut-être une fille bien.

Cale recommença à marcher à ses côtés.

— Ce soir, tu verras que j'avais raison.

— Très bien. Je vais attendre de la voir pour me faire une opinion. C'est vrai, au fond, même un singe aveugle arrive à trouver une cacahuète de temps à autre.

Kathryn Peyton actionna la pédale de son tour de potier, et la boule d'argile qui tournait sous ses mains commença à prendre une forme conique. Ses gestes, fruits d'une longue expérience, étaient sûrs et réguliers. Elle maîtrisait son art, contrairement au reste de sa vie. La veille au soir, en se mettant au lit, elle avait de nouveau été assaillie par l'angoisse. Elle s'était mise à penser à Laurel, qu'elle avait déracinée pour venir s'installer ici, et qui recherchait désormais l'amour et la compagnie d'un individu du sexe opposé. À quatre heures du matin, incapable de trouver le sommeil, au lieu de compter les moutons, elle s'était mise à compter toutes les pièces de poterie qu'elle avait créées pendant la semaine.

Les étagères qui tapissaient les murs de son atelier supportaient de hauts vases aux formes elliptiques, des bols incurvés, des urnes aux lignes abstraites, de grandes assiettes qui attendaient d'être vernies puis passées au four. Toutes ses pièces avaient pour unique décor une ligne en dents de scie qui les divisait par le milieu. C'était en quelque sorte leur marque de fabrique. À cinq heures du matin, elle avait trouvé le nom qu'elle allait donner à sa collection, « Pensées maternelles », et décidé de jouer sur les contrastes en vernissant chaque côté avec une couleur différente. Chaque pièce correspondrait à un sentiment particulier : Inquiétude. Désordre. Nécessité. Protection. Hésitation.

Sur chaque pièce serait gravé le numéro dix-sept, l'âge de Laurel.

Quand Laurel était entrée dans l'atelier ce matin-là, pour donner un coup de main à sa mère, elle s'était écriée :

— Non, mais regarde-moi toutes ces pièces ! Tu travailles trop, maman.

Laurel était trop jeune pour se souvenir du temps où sa mère remplissait les étagères de pièces abstraites impossibles à vendre, en particulier dans les années cinquante où les gens ne juraient que par les tasses à fleurs et les bols en faïence.

Depuis lors, les pièces aux formes étranges qu'elle avait fabriquées pour évacuer son chagrin étaient devenues des œuvres cotées qui se vendaient souvent plus cher que ses œuvres récentes. Cette collection avait reçu le nom de Jimmy.

À présent, elle se concentrait sur sa toute dernière pièce, une coupe au rebord taillé en biais qui donnait l'impression de s'enrouler sur elle-même puis de se dérouler selon une ligne confuse. Une fois achevée, elle l'ôta du tour et alla la déposer sur une étagère.

— Maman ? dit la voix de Laurel dans l'interphone. Je suis avec Cale.

— Venez me rejoindre dans l'atelier, lui dit Kathryn avant de raccrocher.

Elle était en train de se laver les mains quand Laurel entra, tout sourire, en tirant un jeune homme par le bras. Grand et svelte, il devait avoir vingt et un ou vingt-deux ans.

Kathryn défit son tablier. La joie de sa fille lui faisait chaud au cœur. Il y avait longtemps qu'elle ne l'avait pas entendue rire d'aussi bon cœur. Et tout cela grâce à un beau gosse typiquement californien, blond aux yeux bleus, bronzé et musclé et suffisamment grand pour attirer les regards, même dans un bain de foule. C'était à cause de lui que Laurel rentrait chaque soir avec les lèvres gonflées et un air rêveur qui empêchait sa mère de dormir.

— Maman, je te présente Cale, dit Laurel en posant sur Kathryn un regard inquiet.

Laurel était visiblement éprise. Kathryn passa une mèche de cheveux derrière son oreille, puis sourit et tendit la main.

— Alors, c'est à cause de vous que je ne vois pour ainsi dire plus ma fille ?

— Oui, madame. Je suis venu pour vous en débarrasser. Mais il va falloir me payer très cher, car elle est insupportable.

Kathryn, qui ne s'attendait pas à une plaisanterie, éclata de rire.

— Arrête, murmura Laurel en lui donnant un coup de coude dans les côtes. Ce n'est pas drôle.

Il se plia en deux, en se tenant les côtes comme s'il avait mal.

— Vous voyez ce que je veux dire ?

— J'aurais dû te prévenir, dit Laurel en croisant les bras. Il est complètement idiot, et en plus il va à Loyola.

— Je pense que les Jésuites feraient la tête s'ils t'entendaient, dit-il.

Laurel rit.

— Je ne voulais pas dire qu'il est idiot parce qu'il va à Loyola, bien sûr. Je me suis mal exprimée.

Ce garçon la taquinait avec gentillesse. Pas étonnant qu'elle soit aussi rayonnante. Qu'est-ce qui était pire au fond, se demanda Kathryn, voir sa fille tourner en rond dans la maison en faisant la tête ou la voir tomber amoureuse de ce garçon qui posait les mains sur ses reins et la serrait tout contre lui quand il l'embrassait le soir devant la porte ?

— Cale va entrer à la fac de médecine l'année prochaine.

Laurel lui prit la main et enlaça ses doigts avec les siens. Gênée, Kathryn n'arrivait pas à chasser de son esprit l'image de sa fille et de ce garçon enlacés sur la véranda. Laurel lui jetait des regards apeurés et parlait avec un débit précipité parce qu'elle craignait que Kathryn ne le rejette. Entre eux, la possessivité était déjà tangible.

— La fac de médecine, réussit-elle à dire. C'est un défi. Laquelle ?

— Je ne sais pas encore.

Il jeta un coup d'œil à sa montre, puis à Laurel.

— On va faire un tour en bateau, m'man.

— Je voulais montrer la pointe de l'île à Laurel, madame, puis l'emmener dîner à la maison.

Pas encore, songea Kathryn. Il n'était pas question qu'elle se laisse forcer la main.

— Vous êtes ici avec vos parents ?

— Juste mon frère. Pour les vacances de Pâques. Nous avons un bateau. Je vous assure qu'il n'y a aucun risque.

— Qui d'autre sera avec vous sur le bateau ?

Laurel allait dire quelque chose, puis se ravisa.

— Personne. Il n'y aura que nous deux, répondit Cale en toute franchise.

Sa fille sembla inquiète à l'idée que Kathryn refuse de la laisser partir.

— Maman ?

— C'est un canot, s'empressa de préciser Cale. Il est en parfait état et le moteur est tout neuf. Je fais du bateau depuis l'âge de huit ans, et je connais bien les environs. Nous avons une maison ici et j'ai grandi en partie sur l'île. Je vous promets que je n'emmènerais pas Laurel s'il y avait le moindre danger. Nous serons de retour avant la nuit. Mon frère a prévu de faire un barbecue.

Kathryn regarda sa fille, puis son jeune ami. *Laisse-la, Kathryn. Laisse-la*. Et décida de couper le cordon ombilical.

161

—Très bien, vous deux. Allez-y et amusez-vous bien.

—Oh, merci, maman.

Laurel s'élança vers elle pour l'embrasser, mais manqua sa joue tant elle avait hâte de reprendre la main de son petit ami.

—Salut !

Ils disparurent avant que Kathryn ait eu le temps de reprendre son souffle. Elle resta un moment sans bouger, en proie à des sentiments contradictoires, puis se laissa tomber sur une chaise. Laurel était heureuse, ce qui était une bonne chose. Le garçon était sympathique, bien élevé, et décontracté. Elle avait également apprécié sa franchise. Rien chez lui ne sonnait faux. Les études de médecine étaient prenantes et fatigantes. Il fallait donc qu'il ait de l'ambition et de l'énergie.

Mais Laurel risquait d'avoir le cœur brisé. Il était en prépa à Loyola, ce qui voulait dire qu'il avait vingt et un ans, alors que Laurel n'en avait que dix-sept, bientôt dix-huit. Laurel était en vacances mais Kathryn ne l'avait pas vue plus que si elle avait été en cours. Kathryn avait essayé de lâcher du lest quand sa fille avait quitté le lycée pour préparer l'école hôtelière. Mais, qu'elle le veuille ou non, Laurel était encore très jeune. Et elle semblait déjà très attachée à ce garçon alors qu'ils ne se connaissaient que depuis quelques jours.

*Tu as épousé Jimmy quelques semaines seulement après l'avoir rencontré*, aurait argué Evie. Sa sœur était la voix de la raison. *Laisse-la, Kay*.

Il n'y avait pas ici de bonne ou de mauvaise réponse. Après avoir épousseté ses vêtements pour en ôter la poussière d'argile, Kathryn sortit de l'atelier et parcourut les quelques enjambées qui menaient à sa boutique.

162

À son entrée, Shannon, qui était à la caisse, leva les yeux.

—Coucou, Kathryn. Dites donc, je ne savais pas que Laurel sortait avec Cale Banning.

—Comment?

—Cale Banning. Ils sont pleins aux as. Archipleins, même. Vous savez, Banning Oil? C'est son grand-père.

Kathryn sentit ses joues se vider de leur sang.

—Banning?

Elle se dirigea vers la porte comme un zombie. Une fois dehors, elle traversa le jardin en courant puis remonta la rue à toutes jambes en regardant de tous côtés avant de tourner au coin de Crescent Street. Les paroles de la femme qui faisait la queue chez l'épicier résonnaient dans sa tête : « *Ils ont une maison ici, vous savez.* »

Quelques instants plus tôt, le ferry avait débarqué sa cargaison de touristes et les rues étaient noires de monde. Le pull rose de Laurel ou la tête blonde du garçon n'étaient nulle part visibles. Se frayant tant bien que mal un chemin parmi la foule, elle prit la direction de la jetée en fouillant des yeux chaque devanture. Pour finir, elle traversa l'avenue, grimpa sur un banc et regarda à droite et à gauche.

L'immense coque du ferry bouchait en partie la vue du port. Sautant à terre, elle se mit à longer la plage en courant, espérant apercevoir un canot à moteur, ou sa fille sur l'un des bateaux au mouillage. *Un yacht de trente mètres de long. Une maison dans la baie d'Hamilton.*

Kathryn poursuivit sa course éperdue jusqu'au casino puis refit le même chemin en sens inverse. Mais ils demeuraient introuvables.

# 13

Une femme s'était arrêtée sur le bas-côté de la petite route en lacet qui menait au centre-ville, et elle semblait attendre, mais Jud n'y prêta pas attention. Il n'était pas rare de voir des promeneurs dans les environs. Il déchargea le pack de bières et le reste des courses de la voiturette et entra dans la maison. Hormis son frère et lui, personne ne venait ici et il y avait belle lurette que la villa de la baie d'Hamilton ne recevait plus de visiteurs. C'est pourquoi le coup de sonnette, brutal et strident, le fit sursauter.

La femme qui se tenait sur le seuil lui était inconnue.

— Je cherche ma fille. Et Cale Banning.

Elle avait le teint clair – chose rare au pays de la bronzette –, d'immenses yeux bruns et des cheveux auburn. Les traits de son visage étaient ciselés et parfaitement symétriques. Si la fille ressemblait à la mère, rien d'étonnant à ce que Cale soit à nouveau tombé dans les griffes de l'amour.

— Je suis Jud Banning, le frère de Cale.

— Ils sont ici ?

— Je ne crois pas. Il m'a dit qu'il allait faire un tour en bateau avec une jeune fille dont il venait de faire la connaissance. Je rentre à l'instant de faire les courses mais…

Il s'arrêta. Les joues de la femme avaient viré au gris et elle le regardait comme si elle avait vu la mort en face.

— Vous ne vous sentez pas bien ?

Il la rattrapa de justesse. Un peu plus, et elle s'effondrait à terre.

— Bon sang ! pesta-t-il en refermant la porte d'un coup de pied.

Il la porta jusqu'au canapé, puis alla chercher un verre d'eau. Quand il revint, il hésita. Devait-il le lui jeter au visage ou l'approcher de ses lèvres ?

À son soulagement, elle ouvrit les yeux. Désorientée, elle se releva un peu trop vite, mit une main sur son front.

— Holà, doucement. Tenez, buvez ça.

Il lui tendit le verre puis vint s'asseoir à côté d'elle au cas où elle tournerait encore de l'œil. Elle but lentement, en jetant des regards inquiets autour d'elle, comme si elle avait cherché une issue. Maintenant qu'il la voyait de près, il réalisait combien cette femme était fragile – on aurait dit une statuette de verre qu'une simple chiquenaude eût suffi à briser.

— Ils ne sont pas ici. Le bateau n'est pas au mouillage. Mais nous pouvons leur transmettre un message via le garde-côte.

— Non. Je n'aurais jamais dû venir ici. Il n'y a aucune urgence.

Elle se releva.

— Surtout, ne leur dites rien quand ils rentreront. S'il vous plaît. Je me suis bêtement affolée. Je voulais simplement expliquer quelque chose à ma fille et j'avais pensé pouvoir les rattraper à temps…

Elle commença à s'éloigner, laissant sa phrase inachevée.

166

Elle n'avait pas réussi à le convaincre et il n'était pas certain qu'elle ait réussi à se convaincre elle-même.

— Attendez. Laissez-moi vous raccompagner, dit-il en s'élançant vers la porte.

— Non.

— Je ne peux pas vous laisser repartir seule alors que vous avez eu un malaise.

Essayant de la dérider, il ajouta :

— Mon père se retournerait dans sa tombe.

Elle blêmit et il crut qu'elle allait à nouveau s'évanouir.

— Pas de discussion, je vous ramène chez vous.

Elle hocha la tête et se laissa mener jusqu'à la voiture. Tout en conduisant, il lui jetait de petits coups d'œil pour s'assurer qu'elle allait bien. Elle se tenait immobile, les mains croisées sur ses genoux, mais ses joues avaient repris des couleurs. Une fois au centre-ville, il lui demanda où elle habitait. Il se gara devant la maison de Descanso Street puis coupa le moteur.

— Votre fille ne craint rien, vous savez.

Elle le scruta longuement du regard, comme si elle cherchait à percer un mystère.

— Cale est un brave garçon. Vous n'avez pas de souci à vous faire.

— Je n'aurais pas dû venir. Laurel m'a présenté votre frère. Simplement, je voulais expliquer quelque chose à ma fille…

— Mon frère est toujours celui qui finit avec le cœur brisé, si c'est ce qui vous inquiète.

— Merci d'avoir joué les chauffeurs.

Elle descendit de voiture.

— Je vous remercie. Je ne vais pas tourner de l'œil. La chaleur, lança-t-elle en manière d'excuse avant de s'éloigner.

Jud attendit qu'elle eût refermé la porte derrière elle avant de redémarrer. Cale avait le chic pour rencontrer des nanas à problèmes, songea-t-il en reprenant le chemin de la maison. Qui était donc cette fille ? Bah, il en saurait un peu plus ce soir, au dîner. Il allait en profiter pour l'observer et se faire une idée de ce à quoi pouvait ressembler la progéniture de cette mère pétrie d'angoisse.

De retour à la villa, il gara la voiturette dans l'allée. Au même moment, la sonnerie du téléphone retentit et il fila décrocher.


Ce soir-là, Laurel et Jud allaient faire connaissance. Cale était sur des charbons ardents. Qu'est-ce qui était le plus important ? Que Jud ait une bonne opinion de Laurel ou que Laurel ait une bonne opinion de Jud, de lui, des Banning ? Mais peut-être était-ce tout cela à la fois.

À cinq heures et demie, ils regagnèrent la maison. Laurel entra dans le séjour en jetant des coups d'œil intrigués autour d'elle tandis que Cale ôtait sa veste et la posait sur une chaise. Depuis des années qu'il venait ici, il n'avait jamais songé à regarder cette maison avec les yeux d'un visiteur.

Par la grande baie vitrée, on apercevait le vieux ponton et, au-delà, la mer d'un bleu métallique. Le seul détail attrayant. Pour le reste, c'était un assemblage de meubles dépareillés. Des pieds de lampe en céramique dont les abat-jour blancs se confondaient avec la chaux des murs. Une hideuse pendule Spoutnik et quelques vues en noir et blanc de l'île de Catalina prises cinquante ans plus tôt. La maison était sans âme, sans chaleur, dépourvue de la moindre fantaisie. Celui qui l'avait aménagée devait faire partie de ces gens qui commandent une glace à la vanille alors qu'il y a trente-six autres parfums au menu.

Il n'y avait rien de personnel ici, pas la moindre photo de Jud, de Victor, de lui ou de quiconque, et il en vint à se demander si cela n'était pas en soi un signe de la décadence de la maison Banning. Il se sentit soudain envahi par un sentiment de honte. Il craignait qu'elle ne le voie tel qu'il était vraiment, vide et inutile, et qu'elle ne le rejette.

Elle l'avait emmené chez elle, un peu plus tôt dans la journée, et il avait vu des photos encadrées partout sur les murs et les tables, des portraits d'elle enfant, avec sa mère et sa grand-mère, sa tante, ses amies. Elle l'avait fait asseoir dans un fauteuil confortable avec un Coca-Cola pendant qu'elle allait se changer. Sur le guéridon qui se trouvait à côté de lui, la lampe était un bocal de verre rempli de coquillages. Plus tard, elle lui avait expliqué que sa mère et elle les avaient ramassés sur la plage, raison pour laquelle certains étaient cassés ou ébréchés, contrairement à ceux que l'on trouvait dans les boutiques de souvenirs de toutes les plages de Californie.

Les pièces de poterie fabriquées par sa mère trônaient partout sur les étagères qui tapissaient les murs d'un jaune éclatant. Sur chaque table il y avait des fleurs dans des vases aux formes délirantes, et la maison tout entière sentait le propre et le frais – odeur qu'il associait aux femmes.

Mais quand on entrait ici, à Hamilton, on ne sentait que l'odeur des chaussettes sales et de la bière. Il y avait deux bouteilles vides de Coors sur la table sous laquelle traînait une vieille paire de tennis. Et pourtant, dans le paysage aride et morne de sa vie, il y avait une fille qui portait un pull angora rose et un pantalon jaune moulant, avec un foulard chamarré et du rouge à lèvres rose foncé.

Les deux visions se superposaient l'une à l'autre dans son esprit : celle de sa vie monochrome et celle de Laurel qui se tenait devant lui en Technicolor. Il fut pris d'une soudaine envie de la serrer dans ses bras jusqu'à ce que toutes ces couleurs déteignent sur lui.

— Où est ton frère ?

Il jeta un coup d'œil circulaire.

— Je ne sais pas. Quelque part dans la maison. Jud !

Il alla à la cuisine, puis sortit sur la terrasse. Mais celle-ci était déserte, de même que le ponton. La bâche qui recouvrait le bateau n'avait pas bougé.

— Je ne crois pas qu'il soit ici ! lui cria Laurel.

Sur la porte du réfrigérateur, il y avait un petit mot :

*Le bureau m'a rappelé. Je file.*
*Toutes mes excuses à Laurel.*
*Bon appétit à tous les deux.*
   *J.*

— Ce n'est pas ce soir que tu feras la connaissance de mon frère. Désolé.

— C'est sans importance. Je suis sûre que l'occasion se représentera.

— En fait, quand je disais désolé, c'est parce que Jud devait faire le barbecue. Si c'est moi qui prépare les steaks, tu ne vas pas être déçue du voyage.

— Il me semble que l'un de nous deux fait l'école hôtelière, dit-elle en ouvrant les placards, puis le réfrigérateur à la recherche d'épices et de condiments.

Elle désigna un haut placard à côté de la cuisinière.

— Tu peux m'attraper cette bouteille, s'il te plaît ?

— Celle-ci ?

— Oui, merci.

Penché au-dessus du plan de travail, il la regardait faire.

— Tu me gênes, dit-elle en le chassant.

Il vint se poster derrière elle et laissa errer ses mains sur son corps.

— Je veux me rendre utile.

Lorsqu'elle se retourna, il cueillit un baiser sur ses lèvres. Ils s'embrassèrent longuement, puis elle s'écarta et posa son front sur sa poitrine. Sa respiration était saccadée comme si elle était hors d'haleine.

— J'ai peur, Cale.

— Tu n'as pas de raison d'avoir peur.

— Il ne faut pas me brusquer.

— Je n'ai pas l'intention de t'obliger à quoi que ce soit.

Il voulait la rendre heureuse. Il voulait qu'elle l'aime. Car elle donnait du sens à sa vie, et de la lumière. Il y avait en lui une part d'ombre qui risquait de l'aspirer comme un trou noir au fond duquel reposaient toutes ses erreurs passées. Il posa son menton sur sa tête. Ses cheveux dégageaient un frais parfum de shampooing et de miel sauvage.

Elle resta un moment sans bouger, comme si elle était en train de méditer. Lorsqu'elle se recula, elle souriait, elle avait l'air heureuse. Il ne put réprimer un soupir de soulagement.

— As-tu jamais entendu parler du steak à la Diane ?

— Non.

— Eh bien, prépare-toi, parce que tu vas faire intimement connaissance.

— Tu me mets l'eau à la bouche. J'aime bien te regarder cuisiner.

— Pas question, dit-elle en lui nouant un petit tablier ridicule autour de la taille. Pour faire intimement connaissance, rien de tel que de mettre la main à la pâte.

171

— Mais je vais faire brûler les toasts, Laurel. Et gâcher les steaks.

— Ne t'inquiète pas. J'ai l'extincteur à portée de main.

— Mais c'est toi le cordon-bleu.

— Cesse de geindre et fais exactement ce que je te dis.

Il rit de la voir rire. Il songea que Laurel était une bouffée d'air pur dans une maison qui sentait le renfermé, et que la cuisine n'était pas la seule chose qu'elle allait lui enseigner.

Kathryn était allongée sur son lit, un bras ramené sur son visage, exactement dans la même position que treize ans plus tôt, à cela près qu'aujourd'hui elle tenait une page de journal froissée à la main.

### L'héritier de Banning Oil trouve la mort dans une collision qui tue également le chanteur de rock Peyton

*Rudolph Victor Banning et son épouse, l'artiste Rachel Espinosa Banning, ont trouvé la mort dans un accident de voiture à Los Angeles, vendredi soir. Les témoins ont vu la voiture de Banning, une Ford Fairlaine 1956, brûler un feu rouge et heurter de plein fouet une camionnette Chevrolet au volant de laquelle se trouvait l'imprésario du chanteur et guitariste de variété Jimmy Peyton. L'imprésario et le chanteur ont été tués sur le coup. Les autres passagers étaient tous des membres de l'orchestre de Peyton, les Fireflies – Bobby Healy, Howard Went et John Massey. Souffrant de graves brûlures, ils ont dû être hospitalisés et leur état reste critique.*

*Des témoins ont dit avoir vu la voiture de Banning s'engager à vive allure dans l'intersection et percuter la camionnette au niveau du réservoir à essence qui a aussitôt pris feu. Fils du magnat du pétrole Victor Banning, Rudy Banning et sa femme ont laissé deux jeunes garçons de huit et douze ans. Peyton, musicien qui vivait à Seattle et dont les disques se sont récemment placés en tête du hit-parade, laisse son épouse Kathryn Fleming Peyton et une petite fille de quatre ans.*

Les noms des enfants n'étaient pas cités. À l'époque, les journalistes s'efforçaient de protéger les innocents. Elle savait bien, au fond, que les véritables victimes de cet accident stupide étaient Laurel, Cale et Jud. Révéler à Laurel qui étaient les Banning parce qu'elle estimait que sa fille devait connaître la vérité était une chose, mais le lui dire parce qu'elle voulait l'éloigner de Cale en était une autre. En réalité, elle s'affolait à l'idée que Laurel puisse s'éprendre d'un garçon. Mais était-ce pire parce que c'était un Banning ?

Oui, fut la réponse qui lui vint spontanément. Mais comment aurait-il pu en être autrement ? Sauf à être complètement idiote, comment aurait-elle pu tirer un trait sur cette nuit tragique et tout le malheur qu'elle avait engendré ? Et d'ailleurs, qu'est-ce qui était juste pour sa fille et pour les fils de Rudy Banning ? Kathryn avait du mal à faire la part des choses. Elle voulait protéger Laurel, la tenir hors d'atteinte de Cale Banning. Et quand bien même Jud Banning s'était montré avenant avec elle, elle n'avait aucune raison de se prendre d'affection pour ces deux garçons. Qu'aurait-elle dit à sa fille si elle avait réussi à la rattraper quand elle s'était lancée à sa poursuite ? Aurait-elle arraché Laurel au bras de son petit ami et déclaré tout à trac : «Le père de Cale a tué ton père» ?

La réponse à cette question lui parvint quelques heures plus tard, quand Laurel vint frapper à la porte de sa chambre.

— Maman, tu es réveillée ?

Kathryn courut se réfugier dans la salle de bains, puis referma la porte derrière elle. Son visage était rouge et gonflé d'avoir pleuré. En entendant Laurel entrer dans la chambre, elle fut prise de panique. Elle avait laissé la boîte avec les articles de journaux découpés sur son lit.

— Maman !

— Une seconde !

Kathryn ressortit, le visage enduit d'une épaisse couche de crème blanche et une serviette à la main.

— Qu'y a-t-il ? demanda-t-elle d'une voix calme.

— Rien. Je voulais juste te dire bonsoir.

La chambre était éteinte, mais la lumière du réverbère éclairait comme un projecteur les coupures de journaux éparpillées sur le lit défait. Kathryn traversa la chambre et se mit à rassembler promptement le fouillis. Elle sentait les yeux de Laurel sur elle.

— Non, mais regarde-moi ce capharnaüm ! Je m'étais plongée dans la lecture de vieux articles sur les techniques de vernissage.

Elle fourra le tout dans la boîte, puis dans la penderie.

Laurel sembla hésiter, comme si elle cherchait ses mots, puis dit de but en blanc :

— Comment trouves-tu Cale ? Il est sympa, non ?

*Son père était un ivrogne qui a tué ton père.*

— Je ne le connais pas suffisamment pour pouvoir te donner un avis.

— Ce n'est pas bon signe.

— Disons qu'il est beau garçon, qu'il t'a faire rire et… que veux-tu que je te dise ?…

174

— Ça y est, tu es fâchée.

— Mais non. Simplement, je n'ai pas envie de faire de jugements hâtifs. Ce ne serait juste ni pour toi, ni pour moi, ni pour ce jeune homme.

— Au fond, tu te fiches que je sois heureuse ?

— Heureuse alors que tu viens juste de faire sa connaissance ? Quand l'as-tu rencontré ?

— Samedi.

— Nous sommes mercredi. Tu ne le connais que depuis quatre jours.

— Cinq. Mais nous avons déjà prévu de nous revoir quand nous retournerons sur le continent. Loyola ne se trouve qu'à quelques minutes de mon école et de mon appartement.

Kathryn eut envie de se mettre à hurler : «Fuis ce type !» Mais son instinct lui conseilla de choisir soigneusement ses mots.

— Je ne suis pas en train de te critiquer ou de négliger tes sentiments, mais je ne veux pas que tu aies le cœur brisé.

— Et qu'est-ce qui te fait penser que je vais avoir le cœur brisé ? Pourquoi es-tu certaine qu'il va me plaquer ?

C'étaient là les paroles d'une jeune fille qui manquait d'assurance et pensait n'être pas digne d'être aimée.

— Oh, ma chérie, ce n'était pas du tout ce que je voulais dire. Je suis persuadée au contraire que ce garçon s'estime très heureux de t'avoir rencontrée. Simplement il entre en fac de médecine. Et il est bien connu que les études de médecine sont très prenantes.

— Je n'avais pas pensé que ses études pouvaient être un obstacle, dit Laurel.

Voyant son air songeur, Kathryn se perdit en conjectures, quand soudain Laurel demanda :

— Comment sait-on si on est amoureuse ?

Laurel était-elle déjà amoureuse ? La fièvre dans ses yeux, la rougeur sur ses joues, ses gestes indolents étaient-ils les signes de l'amour ? Kathryn sentit la moutarde lui monter au nez. Que s'était-il passé sur ce maudit bateau ? *Laisse-la, Kay. Laisse-la tranquille. Les enfants ne sont pas responsables des erreurs de leurs parents.* Un drôle de bourdonnement se mit à résonner dans sa tête.

— C'est sans importance, dit Laurel en tournant les talons, les épaules voûtées comme si elle avait reçu un coup.

— Attends !

Laurel se retourna.

— Je pourrais te répondre que tu es trop jeune pour savoir. Ce ne serait pas vrai, pourtant. Je pourrais te répondre que tu ne connais pas Cale depuis assez longtemps. Mais je suis tombée amoureuse de ton père au bout d'une semaine.

Elle n'en dit pas plus.

— C'est tout ?

— Que veux-tu que je te dise d'autre ?

— Tu n'as pas répondu à ma question.

— Il n'y a qu'une réponse.

Passant un bras autour de ses épaules, Kathryn l'accompagna jusqu'à la porte de sa chambre, puis lui dit ce qu'elle croyait être la vérité :

— Quand tu seras amoureuse, tu n'auras pas besoin de me poser la question. Tu le sauras.

## 14

Le soleil d'avril nimbait l'azur d'un voile d'or vibrant et profond. Le lever du jour à Newport ressemblait à une toile de Maxfield Parrish, un spectacle dont Jud savait qu'il ne se lasserait jamais. Il avait appris à aimer cette maison au style minimaliste et à la géométrie parfaite qui s'était agrandie au fil des ans jusqu'à devenir un monolithe de verre dominant l'océan. Tout en lignes droites et en espaces ouverts, elle était l'exact opposé de l'homme complexe qui l'habitait. Victor. C'était lui qui l'avait rappelé en urgence sur le continent. Ils avaient eu une conversation calme et posée au téléphone, et cette fois Jud n'avait pas perdu son sang-froid.

En entendant une porte se refermer au premier étage, Jud consulta sa montre : sept heures. Réglé comme du papier à musique. À l'entrée de Victor, il leva sa tasse et la porta à ses lèvres – pour se donner une contenance –, mais le café froid était aussi amer et dur à avaler qu'une blessure d'orgueil.

— Allons dans mon bureau, lui dit Victor.

Sans attendre sa réponse, le vieil homme poussa la porte de la cuisine et ordonna à Maria de leur apporter le petit déjeuner.

Jud vida son café froid dans un cactus qui se trouvait à portée de main, puis prit le temps de s'en resservir un autre avant d'obtempérer. Pas question de suivre son grand-père comme un petit chien : cela n'aurait fait que creuser l'écart entre eux. Victor avait horreur des lèche-bottes et des carpettes.

— Depuis vendredi, les membres du conseil d'administration ne cessent de me harceler. J'ai reçu sept coups de fil, lui dit Victor dès qu'il entra dans son bureau. Tu les as tous appelés ?

— Tu m'avais dit de me renseigner sur Marvetti. Et comme par hasard, aucun ne m'a rappelé. C'est la loi du silence, apparemment.

Il leva sa tasse d'un air de défi. La présence de son grand-père emplissait tout l'espace. Il y avait des gens qui, à peine entrés dans une pièce, se fondaient dans le décor, d'autres qui étaient invisibles avant même d'avoir franchi la porte, et d'autres qui au contraire prenaient entièrement possession des lieux. Victor était de ceux-là.

— Assieds-toi, lui dit son grand-père en jetant le *Los Angeles Times* sur le bureau. Page deux.

Il lui lança un autre journal.

— Page cinq.

Puis un autre.

— Page trois.

Et encore un autre.

— La une.

Il avait fait mouche. Les investigations menées sur Marvetti Industries révélaient des pratiques de fraude fiscale et d'association avec les milieux du crime. Plus Jud lisait et plus son estomac se nouait, comme s'il avait avalé une pierre. Il reposa les journaux.

— Je suis le dernier des couillons.

— Non, si tu étais le dernier des couillons je ne t'aurais jamais laissé entrer chez BanCo.

Jud ne sut que répondre.

— Quoi qu'il en soit, en faisant appel aux membres du conseil d'administration, tu t'es montré vulnérable. Tu n'as fait qu'accumuler les erreurs.

— Alors qu'il m'aurait suffi de lire tranquillement les journaux ? lança Jud avec un rire amer.

L'échec était d'autant plus difficile à avaler que jusqu'ici il n'avait fait que remporter des succès. Il se sentait l'âme d'un conquérant lorsqu'il avait rejoint l'entreprise familiale au sortir de la fac. Malheureusement, les bonnes vieilles recettes qu'on enseignait sur le campus ne suffisaient pas pour refaire le monde.

— Quelles sont au juste tes attentes, Jud ?

— Diriger cette entreprise.

— Tu n'as pas les épaules pour cela, et je refuse de te pistonner.

— Je ne te demande pas de me pistonner. Personne ne me respecterait si tu le faisais. Et je ne le supporterais pas.

Il voulait prouver qu'il était capable de réussir, mais en utilisant d'autres méthodes que celles de Victor.

Son grand-père l'observait en silence. C'était la journée des surprises. Il s'attendait à voir de la déception dans les yeux du vieil homme, et non cette lueur espiègle qui ressemblait à de la fierté.

— J'ai l'intention de gravir les échelons à la force du poignet. Tout ce que tu me donneras, je l'aurai mérité.

— Les bons vieux principes de l'éthique puritaine ? s'esclaffa Victor. Ça ne marche pas, mon garçon. Les mots comme « mérite » ou « dignité » n'ont pas cours dans le monde des affaires. Quand on veut une chose, il faut savoir la prendre.

Au même moment, Maria entra avec le petit déjeuner et ils se turent. Victor ne lui avait rien dit de plus que ce qu'il voulait qu'il sache.

La sonnerie du téléphone tira Cale du sommeil. Il approcha le combiné de son oreille à demi enfouie dans l'oreiller.

— J'espère que c'est important.

— Lève-toi, fainéant.

C'était Jud.

— Explique-moi comment tu fais pour arriver à l'heure en cours.

— Je n'ai jamais cours le matin, dit Cale dans un bâillement. Je me suis arrangé pour tout caser l'après-midi et le soir.

— Linda était déçue de ne pas me voir, hier soir ?

— Va te faire foutre, grommela Cale en s'asseyant dans le lit. Tu connais son prénom. Étant donné qu'elle ne te connaît pas, je ne vois pas comment Laurel pourrait être déçue. Au fait, les steaks étaient extra.

— Eh bien, Lori et toi, vous allez pouvoir vous partager toutes les provisions. Je reste ici. Victor doit s'absenter en début de semaine prochaine et m'a chargé de veiller au grain.

— Comment va le vieux ?

Jud éclata de rire dans le combiné.

— Il s'est montré étonnamment humain.

— Tiens donc. C'est une facette de lui que je ne connaissais pas.

— Tu apprendrais à le connaître si tu venais plus souvent à la maison.

— Oui, eh bien, je te laisse Victor. C'est toi qui travailles pour lui, pas moi.

— Si aucune fac de médecine ne veut de toi, tu risques fort de te retrouver ici, toi aussi. Alors, un peu d'humilité, s'il te plaît. À ce propos, je t'ai trouvé un job pour cet été.

Cale réprima un grognement en passant une main dans sa tignasse ébouriffée. L'été précédent, il en avait bavé. Trois mois durant, il s'était retrouvé à trimer dans un bureau voisin de celui de son grand-père, qui n'arrêtait pas de le tarabuster et de lui remonter les bretelles.

— Ohé, tu es toujours là ?

— Oui. Je suis là. Quel genre de job ?

— Un job aussi éloigné que possible du QG. Nous avons passé une commande de camions-citernes. Tu seras chargé de l'acheminement. Un boulot pépère, loin des yeux de Victor, avec en prime trois jours de congé par semaine. J'ai pensé que tu allais avoir besoin de temps libre pour pouvoir t'amuser avec Lucy.

Cale laissa échapper un rire de soulagement. Parfois son frangin était un type super.

— Merci, vieux.

— Pas de quoi.

Ils raccrochèrent. Jud avait joué les interfaces entre Victor et lui. Il se dressait toujours entre eux comme le mur de Berlin. Les relations entre Cale et son frère étaient complexes. Ils étaient à la fois très proches – unis de façon quasi mystique par les liens du sang – et très différents. Et pour ne rien arranger, Victor s'évertuait à les éloigner puis à les rapprocher l'un de l'autre avec un art consommé de la manipulation. Cale aimait sincèrement son grand frère, mais souffrait en secret de ne pas lui ressembler.

Un sentiment d'abattement s'empara soudain de lui. Comme les vestiges d'un rêve qui s'évaporent dans la lumière du matin, ses espoirs d'entrer à la fac de médecine s'amenuisaient à vue d'œil. Il n'en avait rien dit à

181

Laurel. Il ne pouvait pas. Pas encore, tout au moins. Car ils n'en étaient qu'au début de leur relation, une relation fragile et qu'il n'était pas certain de pouvoir mener à bien. Il avait l'impression que la terre s'effritait sous ses pieds et il ressentait le besoin de se raccrocher à quelque chose de solide.

Les formules de refus recommencèrent à s'égrener dans sa tête comme une litanie. Incapable de faire face à cette réalité, il retomba sur l'oreiller, rabattit la couverture par-dessus sa tête et s'évada dans le sommeil.

Le vendredi après-midi, Jud se préparait à rencontrer le chef comptable quand Victor le fit appeler. Avant d'entrer dans son bureau, Jud alla trouver sa secrétaire.

— Comment est l'humeur du jour ?

— Claire et ensoleillée, mais il a rendez-vous avec Rosen dans une demi-heure et le temps risque de changer.

— Vous savez ce qu'il me veut ?

Elle secoua la tête.

— Non. Mais son avocat sort à l'instant de son bureau.

Jud entra et Victor poussa une liasse de documents dans sa direction.

— Qu'est-ce que c'est ? demanda Jud.

— C'est écrit ici, noir sur blanc. Je te cède vingt-cinq pour cent de mes titres.

Un millier de questions se mirent à tourbillonner dans la tête de Jud, mais il trouva tout juste la force de bredouiller :

— Pourquoi ?

— Toujours soucieux d'éthique ? Tu ne penses pas l'avoir mérité ?

Victor lui tendit un stylo.

— Signe l'ordre de transfert et la déclaration au fisc, et ne pose pas de questions.

Jud apposa sa signature partout où elle était requise puis tendit les papiers à son grand-père. Mais son cœur battait à se rompre, comme s'il était en train de commettre un délit. L'espace d'une seconde, il revit l'expression consternée de son frère le jour où Jud s'était vu offrir la MG par son grand-père. *Prends-la et tais-toi.*

— Parfait, lui dit Victor. Tu peux disposer.

— Il faut que je te parle de quelque chose, dit Jud sans bouger de sa chaise.

— De quoi s'agit-il ?

— De Cale.

— Eh bien ?

— Aucune fac de médecine ne veut de lui.

— C'est sa faute.

— Tu peux arranger ça. Un coup de fil de toi et il sera admis à l'université de Californie du Sud.

Victor ne répondit pas, il réfléchissait. Pour finir, il dit :

— À ce jour, Cale ne m'a encore pas prouvé qu'il avait l'étoffe d'un médecin.

— Il a fait une erreur. Il ne faut pas espérer le rendre parfait.

— Non, mais j'aimerais qu'il prenne sa vie en main.

— Cale veut devenir médecin. C'est son rêve le plus cher. Depuis toujours.

— Il s'est fourré tout seul dans le pétrin.

— Il en a conscience.

— Peux-tu me donner une bonne raison de l'en tirer ?

— La même que celle qui t'a poussé à me céder une partie de tes titres.

— À savoir ?

— Tu veux que je te sois redevable de quelque chose.

Victor se renversa dans son fauteuil, l'air songeur.

— Toi, je sais que tu ne retomberas pas deux fois dans les mêmes erreurs. Mais Cale met son avenir en péril chaque fois qu'une fille croise son chemin. Il s'en est fallu d'un rien qu'il ne soit pas admis à l'université. Non seulement il n'est pas taillé pour les études, mais il fait systématiquement les mauvais choix.

— C'est vrai que les filles le mènent par le bout du nez. Mais je ne pense pas que nous serions en train de discuter de tout cela si Cale était instamment menacé d'incorporation.

— Je n'en sais rien, rétorqua Victor avec humeur.

Jud savait ce que Victor pensait de la guerre. Pour l'instant, les chances pour Cale de se voir mobiliser étaient faibles, mais Jud était certain que Victor aurait fait jouer ses relations pour que son petit-fils entre en fac de médecine s'il s'était retrouvé parmi les appelés tirés au sort.

— Il a passé brillamment les tests d'admission en première année de médecine, Victor.

Voyant qu'il restait silencieux, Jud ne chercha pas à interrompre ses ruminations. Il avait appris à louvoyer quand il cherchait à obtenir quelque chose.

— Pourquoi ce regain d'intérêt pour ton frère?

Jud prit son temps avant de donner à Victor la réponse qu'il voulait entendre.

— Parce que, s'il n'est pas admis à la fac de médecine, il n'aura d'autre choix que d'entrer chez BanCo.

— Est-ce la concurrence qui t'inquiète?

— Non, mais je n'ai pas envie de l'avoir sur le dos.

Victor l'observa un moment en silence, puis déclara:

— Je vais y réfléchir.

L'amour était ce que Laurel avait en tête lorsqu'elle inspecta son maquillage et sa coiffure dans le miroir. La réponse de sa mère – quand elle lui avait demandé comment on savait qu'on était amoureuse – ne l'avait pas satisfaite. Après toutes ces années, sa mère continuait de pleurer son père. Était-ce là l'amour véritable ? Ou simplement une incapacité à aller de l'avant ? L'amour. Le monde entier en parlait, mais personne n'était capable de dire précisément ce que c'était. Le grand amour allait-il s'abattre brusquement sur elle comme la foudre, ou s'immiscer au contraire subrepticement dans ses veines comme un mystérieux élixir qui allait changer définitivement sa vision du monde ?

Mais peut-être ne tomberait-elle jamais amoureuse. Ou peut-être l'était-elle déjà. Elle renonça, puis éteignit la lumière de la salle de bains et sortit dans le couloir. Elle allait passer devant la porte de la cuisine quand elle entendit sa mère qui parlait au téléphone. Elle s'arrêta et tendit l'oreille pour épier sa conversation.

— Je suis navrée, mais je suis obligée de décommander.

Silence.

— Non, chuchota sa mère d'un ton ferme. Je comprends, mais c'est impossible. Bonne chance, Stephen. Et maintenant, je dois raccrocher.

Puis il y eut le clic du combiné que l'on repose sur son socle. Laurel entra dans la cuisine et trouva sa mère en train de jeter un bouquet de jonquilles à demi fanées dans la poubelle.

— Peut-on savoir qui est Stephen ? demanda-t-elle.

— Personne, répondit sa mère, contrariée. Que veux-tu savoir ?

Laurel ne dit rien.

— Stephen Randall travaille à la chambre de commerce.

Elle sortit dans le jardin avec la poubelle. L'instant d'après, Laurel entendit le couvercle en zinc se soulever puis se refermer bruyamment dans l'allée.

Au même instant, la sonnette retentit et elle sortit retrouver Cale. On était samedi. Demain ils retourneraient sur le continent et lundi la vie reprendrait comme avant, à cela près qu'ils allaient continuer de se voir.

Lorsqu'ils eurent traversé la rue, Laurel jeta un coup d'œil en arrière et aperçut sa mère qui les observait depuis la maison. En voyant son expression impénétrable, l'idée absurde qu'elle était peut-être jalouse l'effleura brièvement. Décidément, quelque chose ne tournait pas rond chez elle.

— Tout va bien ? lui demanda Cale en voyant son air songeur.

Il prit sa main dans la sienne et tout son être se mit à vibrer, en proie à une soudaine excitation.

— Oui, répondit-elle avec un grand sourire.

Il n'y avait désormais plus que Cale et elle. Le temps du bonheur et de l'amour était enfin arrivé. De cela, elle était presque certaine.


Le Golden State Tire Building était désert. En fin d'après-midi, la lumière laiteuse qui filtrait à travers les vitres crasseuses du vieil édifice ne donnait qu'une vague idée de l'heure qu'il pouvait être. Le bruit de la circulation provenant de l'autoroute de Santa Ana toute proche résonnait, amplifié dans la galerie immense et déserte du rez-de-chaussée dont le revêtement en béton réverbérait les sons. Le vieux monte-charge s'immobilisa dans un grincement de ferraille et Victor monta.

186

Au dernier étage, il déverrouilla les portes du grenier d'une main fébrile. Trop d'années dénuées de tendresse s'étaient écoulées. Il pouvait se passer des mois sans qu'il vienne ici. Il ne se rappelait même pas quand il était venu pour la dernière fois. Mais la toile avait été livrée hier.

Il ne vit tout d'abord que les ombres gigantesques des tableaux, puis il y eut un déclic, la lumière trop crue des néons jaillit et les murs se couvrirent soudain d'une explosion de couleurs. Souvent, en entrant dans cette pièce, il s'était attendu à trouver Rachel debout au milieu de ses œuvres en compagnie d'une foule d'admirateurs. Une bouffée d'Arpège semblait encore flotter dans l'air. Peut-être était-ce pour cela qu'il évitait de venir, pour se prouver qu'il en était capable. Il possédait tous ses tableaux, sauf deux. De son vivant, il n'avait jamais réussi à posséder la plus petite parcelle de son être.

Rachel n'était pas tombée amoureuse de lui au premier regard, ce qui la rendait d'autant plus désirable. Cette femme pleine de vie et de feu avait gâché sa vie aux côtés de son raté de fils. Le feu qui l'habitait était trop violent. Mais au lieu de la réduire en cendres, il dévorait les hommes qui lui tournaient autour et qui, tels des papillons de nuit, se brûlaient les ailes aux flammes de la passion.

Il avait été l'un d'eux. Rachel Espinosa s'était immiscée dans sa chair et avait laissé sur son âme des marques indélébiles. Une obsession morbide s'était emparée de lui, dont rien ne pouvait le délivrer, pas même le fait qu'elle ait été l'épouse de son fils.

Rachel était, entre autres choses, tellement imprévisible qu'elle excitait en lui un obscur désir de domination. Cette femme, la seule qu'il eût jamais aimée, lui faisait l'effet d'une drogue. Insaisissable et mystérieuse, elle exerçait sur lui une emprise qu'il n'avait de cesse de briser en la conquérant.

Il ne voulait pas d'une femme hésitante. Pour Victor, conquérir une femme insaisissable, c'était prendre une revanche sur son enfance. Mais pas plus qu'il ne pouvait se passer de ses toiles, il ne pouvait se passer de Rachel. Et s'il s'abstenait de la voir pendant de longues périodes de temps, ce n'était pas parce que la flamme de la passion s'était éteinte, mais parce qu'il avait peur de cet être qui exerçait sur lui une emprise qu'il ne parvenait plus à contrôler.

Elle n'éprouvait le besoin de se confier à personne, et encore moins à lui. C'était une âme obscure, calculatrice et puissamment mystique. Surgie des profondeurs les plus sombres de l'existence, elle ne laissait personne deviner ses pensées délétères.

La vie avait changé quand la vérité avait éclaté : Rudy et elle étaient morts ; les garçons étaient venus vivre avec lui. Il retrouvait un peu de lui en Jud, mais Cale était le portrait craché de Rudy.

La température constante qui régnait dans le dépôt était idéale pour conserver ses toiles. La dernière de ses œuvres venait d'être livrée. Posée contre le mur, elle attendait d'être accrochée avec les autres. Il s'en approcha, puis recula à plusieurs reprises. Mais il eut beau l'inspecter sous tous les angles, il ne parvint pas à y trouver de réponse à la question qui le taraudait. Morte ou vivante, Rachel demeurait tout aussi énigmatique.

Le tourbillon des souvenirs le ramena vers le passé, vers son visage et sa voix. Il la revit devant lui, une expression impénétrable dans les yeux, et se demanda une fois encore pourquoi Rachel avait attendu si longtemps avant de lui dire que l'un de ses deux garçons était le sien.

# 15

*Université de Loyola*

On était fin mai et la canicule qui sévissait depuis trois jours avait fait fuir les citadins vers les plages du Pacifique ou les lacs de l'Angeles Forest. En ce week-end torride, les parents des lauréats – garnements sous Kennedy devenus recrues du contingent sous Nixon – transpiraient à grosses gouttes sur les chaises inconfortables du campus de l'université de Loyola.

Quand Jud entra sur le parking au volant de sa MG, toutes les places étaient déjà prises. Il se gara sur la pelouse et piqua un cent mètres en enfilant son blazer. Le haut-parleur avait déjà commencé à égrener les noms des jeunes diplômés. Près de la chapelle, on avait dressé une estrade au pied de laquelle la cohorte des étudiants coiffés de la traditionnelle galette noire se déployait sur plusieurs rangées tandis que les parents occupaient l'arrière-plan.

— Un peu plus, et tu ratais ton frère, lui dit Victor quand Jud l'eut retrouvé.

— Les embouteillages, mentit Jud.

Une brusque vague d'hilarité secoua le public quand un petit farceur, vêtu de sa seule galette noire et de sa glorieuse nudité, passa en courant devant l'estrade. Il avait le visage et les cheveux peints aux couleurs de l'université. Tous ses camarades se levèrent comme un seul homme pour acclamer l'olibrius, qui exécuta une profonde révérence puis leva les poings comme un champion de boxe, avant de disparaître entre deux bâtiments, les gardes de sécurité à ses trousses.

— Ne me dites pas que c'est Cale, grommela Victor.

— Impossible, s'esclaffa Jud. Il ne court qu'après les filles.

Victor se renversa sur son siège.

— Inutile de changer de place, ma chère. Jud va s'asseoir à côté de vous. Jud, je te présente l'amie de Cale.

Tout aussi ravissante qu'elle l'était sur le bateau, la Petite était assise à côté de Victor. Sa mine renfrognée – elle n'avait pas apprécié sa remarque sur Cale – fit soudain place à la stupeur. Elle exhalait un frais parfum de fleurs, de bonbons et d'innocence. Il se laissa choir lourdement sur sa chaise, puis dit l'air dégagé :

— Laurel, c'est bien ça ?

Elle le regarda sans rien dire – craignant sans doute de provoquer un désastre si elle ouvrait la bouche – tandis que toutes sortes d'émotions se peignaient sur son visage rougissant.

— Vous êtes Jud ?

Elle avait retrouvé l'usage de la parole.

— Oui, c'est moi.

Il allait lui tendre la main, mais s'arrêta net. Il ne pouvait pas la toucher. Victor les observait. Il se dit que son frère était décidément un crétin pour s'afficher ainsi ouvertement devant Victor avec une fille – et mineure par-dessus le marché. La journée s'annonçait houleuse.

— Votre tête me dit quelque chose.

Le ton de sa voix se voulait léger et elle arborait un demi-sourire, mais une petite ride s'était creusée entre ses yeux qui le fixaient avec une sombre intensité.

— Cale et moi nous ressemblons beaucoup, dit Jud en se penchant vers elle, puis il ajouta : Comme tous les Banning.

Il tapota un moment le programme posé sur ses genoux, puis reprit :

— Ainsi, vous êtes Laurel. Cale n'arrête pas de parler de vous.

— Vraiment ? demandèrent Victor et la Petite à l'unisson.

Elle rit, mais pas Victor. Maudit Cale… Frangin de malheur. Au fond, Jud aurait dû s'en moquer. Que son frère tombe amoureux de cette fille-là ou d'une autre, ce n'était pas son problème. Mais il aurait au moins pu s'abstenir de s'afficher avec cette gamine devant Victor.

Laurel. Laurier. Son nom lui allait bien. Jadis, il y avait des siècles, on offrait aux poètes, aux héros et aux athlètes victorieux une couronne de laurier, symbole de la gloire.

— C'est curieux, dit-elle le plus naturellement du monde, mais j'ai l'impression de vous avoir déjà vu quelque part.

— Je ne pense pas. Vous devez me confondre avec Cale.

Elle se tut pendant quelques instants, puis dit :

— Attendez… Mais oui, bien sûr ! Vous ressemblez à un boxeur que j'ai rencontré une fois.

Jud éclata de rire. Il venait de se rappeler ce qui lui avait plu chez cette fille.

— C'est vrai qu'il m'est arrivé de livrer quelques combats.

Un sifflement parcourut les haut-parleurs. Sur l'estrade, on commença à appeler des noms pour tenter de ramener un semblant d'ordre parmi le public. Quand son frère monta sur le podium, Jud l'acclama, puis expliqua :

—Cale m'a dit qu'ils avaient réuni une cagnotte de trois cents dollars pour celui qui oserait montrer ses fesses.

—Heureusement que ce n'était pas ton frère, dit Victor sans plaisanter le moins du monde.

Laurel eut l'air scandalisée.

—Cale n'aurait jamais fait une chose pareille.

De toute évidence, la Petite connaissait son frère mieux que Victor. Mais Jud se demanda si Cale la connaissait vraiment. La vérité, c'est qu'il n'appréciait guère que son frère sorte avec cette fille.

Soudain, Will Dorsey bondit sur l'estrade, comme un joueur de basket entrant sur le terrain, salué par un tonnerre d'applaudissements. Sous sa robe de cérémonie, on apercevait ses jambes nues. Il en est capable, songea Jud. Il va s'exhiber.

Derrière eux, il entendit Mme Dorsey qui disait :

—Oh, non… il faut l'en empêcher.

Will prit son diplôme, descendit les marches, puis défaisant d'un geste preste la fermeture éclair de sa robe de cérémonie, l'ouvrit toute grande en souriant de toutes ses dents. Une salve d'applaudissements éclata. Debout sur la dernière marche de l'estrade, Dorsey portait le short et le tee-shirt de son équipe de basket, avec une pancarte «Division des Champions» accrochée autour du cou.

Le temps semblait s'être figé tandis que le soleil dardait ses rayons sur Jud. Il n'arrivait pas à détacher ses pensées de la fille qui était à côté de lui et qui parlait avec Victor. Elle répondait innocemment à toutes ses questions, sans se douter que chacune de ses paroles allait se retourner contre elle.

La cérémonie de remise des diplômes était enfin terminée. Une nuée noire de couvre-chefs s'éleva dans l'air immobile tandis qu'un vacarme assourdissant faisait trembler la terre. Cale s'approcha en bondissant gaiement. Victor lui serra la main en lui tapotant l'épaule.

— Tu as réussi.

Victor ne semblait pas exagérément surpris.

— Oui, répondit Cale d'une voix morne, avant de se tourner vers son frère. Jud !

Ils s'étreignirent en se tapant dans le dos.

— Félicitations, dit Jud en lui ébouriffant les cheveux tandis que Cale répliquait par une tape. Je suis bien content que ce soit Dorsey qui ait fait cette blague débile et pas toi.

— Oui. J'ai pensé que vous n'apprécieriez pas.

— Et tu as bien fait, dit Victor. Tes camarades de promotion sont ton avenir, de futures relations qui te serviront toute ta vie. Un jour viendra où ils se souviendront de toi comme de quelqu'un de respectable, et non pas comme du pitre de la classe.

Il était on ne peut plus sérieux.

Jud et Cale échangèrent un regard entendu, tandis que Laurel, restée à l'écart, les observait. Ils devaient offrir un étrange spectacle, songea Jud. Drôle de famille que ce trio chapeauté par un homme qui livrait si peu de lui-même alors qu'il possédait tant. Aucun d'eux n'était vraiment joyeux quand ils étaient ensemble. Trop de tensions. Trop de non-dits et de paroles refoulées.

— Eh bien, que pensez-vous de ma petite amie ? dit Cale en passant un bras autour de Laurel.

Victor les regarda sans rien dire. Le silence qui s'ensuivit en aurait désarçonné plus d'une, mais Laurel semblait tenir bon.

— Ton grand-père et moi avons longuement parlé, dit-elle en souriant à Cale.

L'un et l'autre se tenaient par la taille. Jud détourna les yeux.

— Nous avons parlé, en effet, dit Victor sur un ton que Jud connaissait bien.

Mais Cale était tellement heureux d'être là aujourd'hui, en compagnie de cette fille, qu'il n'avait pas l'air de se rendre compte que Victor était plus austère et ténébreux que jamais. Mais il est vrai que Jud avait toujours su mieux que Cale décrypter leur grand-père.

— Une réception est prévue dans la salle des banquets, dit Cale en consultant sa montre. On ferait bien d'y aller. Ensuite, il va y avoir des fêtes un peu partout.

— Quand dois-tu avoir libéré ta chambre ? lui demanda Victor tandis qu'ils se mettaient en route.

— Demain.

Cale et la Petite se tenaient par la main. Cale la dévorait des yeux avec une telle insistance que c'en était gênant. Son frère était amoureux, mais cette fois Jud éprouvait le besoin de protéger la fille.

Ils entrèrent dans la salle de réception et Jud alla faire la queue devant le buffet où l'on servait les boissons. Pour une fois, il aurait aimé quelque chose de plus fort qu'un simple verre de vin. Victor était en train de discuter avec le maître de cérémonie. Cale et Laurel étaient à côté de la porte, parmi un groupe d'étudiants, des membres de l'équipe de basket pour la plupart, et leurs petites amies. Quelques instants plus tard, Jud vint les rejoindre. Tendant un gobelet à Laurel, qui se tenait de dos, il lui murmura :

— J'ai pensé qu'un verre de vin blanc te ferait plaisir.

Cale, qui l'avait aperçu le premier, le remercia, puis il se pencha vers Laurel et lui dit :

— Tu vois ? Je t'avais dit que c'était un type bien. Allons, prends-le. Qu'est-ce que tu attends ?

Elle hésita, puis prit le verre qu'il lui tendait sans se retourner.

Cale éclata de rire.

—Laurel, Laurel. Tout le monde se fiche de ton âge ici.

Le regard qu'elle échangea avec Jud était lourd de sens. Mais son frère n'y vit que du feu. Malgré lui, et bien qu'il sût qu'il n'en avait pas le droit, Jud se sentit gagné par la colère. Cette fille s'était retrouvée avec son frère par accident. Ce n'était qu'une fille parmi des millions. Une gamine.

Malgré cela, il décida de s'attarder et, par quelque jeu pervers, d'accaparer l'attention de Cale par tous les moyens tout en regardant cette fille dont il n'arrivait pas à détacher les yeux. Quand Cale et elle décidèrent d'aller continuer la fête ailleurs, il les suivit jusqu'à la porte et, en sympathique grand frère, les regarda s'éloigner jusqu'à ce qu'ils aient complètement disparu.

Ce soir-là, quand Jud se mit au lit, l'air chaud et immobile semblait envelopper toute chose d'un voile pesant qui rendait le sommeil impossible. Dehors, il faisait nuit noire, et la chambre était plongée dans l'obscurité, mais du moins arrivait-il à rester clairvoyant, contrairement à son frère que l'amour rendait aveugle. Il songea à Laurel, qui l'avait regardé comme une biche aux abois quand il s'était approché. Non pas que sa réaction l'eût troublé le moins du monde, mais il y avait Victor. Il fallait que quelqu'un mette cette fille en garde.

Pas moi, en tout cas, se dit Jud.

Après tout, c'était la petite amie de Cale, c'était à lui de se sortir de ce guêpier.

Cale était amoureux fou. Laurel était entrée dans sa vie à un moment où son avenir semblait compromis par une avalanche de lettres de refus. Quand il avait trouvé le courage de lui avouer qu'aucune fac ne voulait de lui, elle ne l'avait pas pris de haut. Au contraire. Et comme il ne croyait pas en lui-même, il s'accrochait à la fille qui croyait en lui. Une pulsion incontrôlable s'emparait de lui chaque fois qu'il était en sa présence, et ne pas pouvoir la toucher était un véritable supplice. C'était beaucoup plus que de la passion, c'était un besoin vital, comme si Laurel avait laissé sur lui l'empreinte de son corps et sécrété une substance chimique qui la rendait irrésistible. La nuit, quand il fermait les yeux, il voyait son visage aussi clairement que s'il avait regardé une photo. Rien ne semblait pouvoir atténuer l'intensité de l'amour qui avait envahi chaque fibre de son être comme une maladie incurable.

Il était quatre heures du matin quand ils avaient quitté la dernière fête de la soirée après avoir bu force tequilas et pousse-café. À présent, ils se dirigeaient en titubant vers la résidence universitaire.

— Tu as bu presque autant que moi, dit-il.

— Vraiment ?

— Tu es censée me soutenir.

— Mais c'est ce que je fais, dit-elle en trébuchant.

Il la rattrapa de justesse et tous deux éclatèrent de rire. Juste au moment où il l'attirait contre lui, le déclic familier se fit entendre, mais il avait l'esprit embrumé par l'alcool et il resta planté sur place en regardant bêtement autour de lui.

Les jets d'arrosage arrivèrent sur eux de six côtés à la fois. Laurel cria et le tira par la main. Mais il résista. Après tout, il faisait près de trente degrés. Il se laissa tomber dans l'herbe mouillée en l'entraînant avec lui. Elle poussa un cri aigu, puis éclata de rire, et ils s'amusèrent à se pousser l'un l'autre sous les jets d'arrosage en échangeant des baisers maladroits jusqu'à ce que leurs rires s'arrêtent.

Trempé et couvert de boue, Cale reposait sur le dos, bouche ouverte.

Laurel se redressa sur un coude.

— Qu'est-ce que tu fiches ?

Il attendit que les arroseurs s'arrêtent pour recracher l'eau qu'il avait dans la bouche. Un filet d'eau monta au-dessus de sa tête comme le jet d'une fontaine.

— Je joue au jet d'eau.

— Je peux faire mieux, dit-elle.

Il rit.

— Ah ouais ? Tu paries quoi ? On fait un strip-poker ?

Elle se laissa tomber sur le dos, prit une pleine gorgée d'eau qu'elle recracha encore plus haut dans les airs, le battant d'une bonne dizaine de centimètres.

— Tu as perdu, enlève ton pantalon.

Quand il ne leur resta plus que leurs sous-vêtements, elle ramassa ses affaires et se mit à courir.

— Attends ! Tu as perdu !

Il s'élança à sa suite puis se laissa devancer lorsqu'elle gravit les marches du perron.

L'appartement était plongé dans l'obscurité et il y avait des caisses empilées un peu partout. Dès qu'ils commencèrent à se toucher et à s'embrasser, il comprit qu'il ne pourrait plus s'arrêter. Le goût de ses baisers, de sa peau, de son haleine le rendait fou. Elle avait peur d'aller trop loin. Elle l'en empêcherait. Comme elle l'avait toujours fait jusque-là. Mais ce soir-là, elle en fut incapable.

Maintenant que l'année était terminée, Cale, de retour à Newport, allait difficilement parvenir à éviter son grand-père. S'il pouvait rester au lit le matin et manquer le petit déjeuner, il n'était en revanche pas question d'esquiver le dîner. Ce soir-là, Maria avait préparé des feuilles de bananier farcies et un poulet à la mexicaine, ses deux plats favoris, mais non pas ceux de Victor, qui souffrait de troubles digestifs. Dès qu'il franchirait la porte, l'odeur du piment et du cacao suffirait à le mettre d'une humeur de chien.

Contre toute attente, le vieil homme ne faisait pas grise mine quand il entra dans le salon où il trouva Cale en train de siroter une bière. Son frère était sorti, et Cale était dans ses petits souliers, de crainte que le tête-à-tête avec son grand-père ne tourne au vinaigre. Mais pour l'heure Victor et lui ne s'étaient pas encore empoignés. Ils avaient réussi à maintenir le statu quo et c'est avec un certain détachement que Cale observa le vieil homme.

Les cheveux impeccables de Victor avaient encore blanchi depuis Noël et son hâle s'était accentué. Les traits de son visage lui étaient familiers : il les voyait chaque fois qu'il regardait son frère ou qu'il se regardait dans la glace. Il portait un costume gris argenté fait sur mesure, avec une chemise blanche propre et empesée tout droit sortie du pressing. Ses boutons de manchette étaient en lapis-lazuli, assortis à sa cravate de soie bleue. Victor lui tendit une enveloppe.

Dans le coin supérieur gauche figurait l'adresse de l'expéditeur, imprimée en toutes lettres : *Faculté de médecine Keck. Université de Californie du Sud.*

Mince… ils s'étaient emmêlé les crayons et lui avaient envoyé la lettre de refus ici. Cale déplia la lettre, furieux que Victor ait pu l'intercepter avant qu'elle ne lui parvienne, et encore plus furieux à l'idée de ce qu'elle contenait. Son estomac se noua, il avait une boule dans la gorge. À sa grande honte, il allait devoir avouer la vérité à l'homme qui ne laissait jamais rien passer. Son rêve de toujours allait mourir ici et maintenant, et sceller définitivement son avenir incertain.

La guerre faisait rage au Vietnam. Chaque soir à la télévision, des généraux et des instructeurs à l'allure pas commode faisaient état des pertes. Les jeunes manifestaient, se rebellaient ou fuyaient le pays, écœurés par l'injustice du système de recrutement. Légalement, il leur était interdit de boire de la bière, mais pas de mourir pour la patrie. Pire même, il leur était impossible de voter contre l'homme qui voulait les envoyer au massacre. La patrie de la liberté refusait de traiter ses jeunes citoyens en hommes libres.

— Eh bien, tu vas rester longtemps comme ça les bras croisés ?

Les lettres noires sur la page blanche ressortaient avec netteté. Cale eut envie de fermer les yeux. Le supplice était presque insoutenable.

*Cher Monsieur Banning,*
*Nous sommes heureux de vous informer que la faculté de médecine Keck…*

L'université de Californie du Sud l'avait accepté. Le rêve qu'il croyait envolé à jamais redevenait possible. L'émotion s'empara de Cale. Mais non… Pas question de fondre en larmes et de s'exposer ainsi au sarcasme de son grand-père.

— J'ai passé quelques coups de fil.

L'euphorie, l'émotion, le soulagement et la pointe de fierté qu'il avait ressentis quelques instants plus tôt retombèrent d'un seul coup. Victor avait fait jouer ses relations – ou, pire, rédigé un chèque – pour qu'il soit admis. L'envie de déchirer la lettre et de la lui jeter au visage était si forte que sa main se mit à trembler.

— Tu es tiré d'affaire, Cale. Ceci est ton laissez-passer, lui dit Victor en posant sur lui un regard scrutateur comme s'il s'apprêtait à le disséquer.

— Il y a néanmoins une condition.

Cale faillit éclater de rire.

— Forcément.

— Pas de filles.

— J'entre en fac de médecine, pas au séminaire.

— Tu sais très bien de quoi je veux parler. C'est ma condition. C'est à prendre ou à laisser.

— Tu es sérieux ?

— On ne peut plus sérieux.

Comme toujours, Victor avait trouvé le moyen de le brider. Une colère noire s'empara brusquement de Cale.

— Tu veux faire de moi un eunuque, c'est ça ?

— Tu entres en fac de médecine. Je doute que tu aies du temps pour autre chose qu'une coucherie occasionnelle. Quoi qu'il en soit, je ne veux pas entendre parler de petite amie, comme celle que tu m'as présentée l'autre jour.

La colère qui bouillait en Cale était si terrible qu'il préféra se taire.

— Je joue ma réputation dans cette histoire. Il est hors de question que tu échoues. Chaque fois qu'une fille te met le grappin dessus, Cale, ta vie part en vrille.

— Espèce de…

La lettre commençait à se froisser dans sa main.

— Le moment est venu pour toi de prouver que tu es capable de faire ta médecine, dit Victor. Tu n'as pas le choix. Si tu veux réussir, tu devras tirer un trait sur les filles. On ne fiche pas sa vie en l'air sous prétexte de tirer un coup.

Les mots imprimés sur la lettre se mirent à danser sous ses yeux. Il y avait si longtemps qu'il attendait cette lettre, elle était son unique porte de sortie. Il ne pouvait pas se permettre de la refermer, si blessé que fût son amour-propre. Il lissa lentement la feuille et la remit dans son enveloppe. Il remarqua que celle-ci ne portait ni timbre ni cachet.

Impassible, Victor posa sur lui un regard aigu et pénétrant, puis haussa les épaules, comme si Cale avait été le cadet de ses soucis. Comme toujours, il cherchait à le tester.

— Eh bien ? J'attends ta réponse…

— C'est d'accord, mentit Cale.

À cause de Laurel, à cause de la nuit qu'ils avaient passée ensemble, à cause de toutes les failles qu'il portait en lui, il savait qu'il ne pourrait jamais tenir cette promesse.

Laurel poussa la porte de la clinique Santa Monica. À sa grande surprise, le hall était désert. Derrière une large baie vitrée, la réceptionniste était en train de parler au téléphone. Rajustant nerveusement sa besace sur son épaule, Laurel s'approcha du bureau. La secrétaire entrebâilla la vitre de séparation, lui présenta un registre d'émargement, puis reprit sa conversation téléphonique. Après avoir signé, Laurel alla s'asseoir à côté d'une table couverte de magazines féminins.

Il semblait y avoir une règle universelle selon laquelle toutes les salles d'attente devaient se ressembler : mêmes tons fades sur les murs, même moquette mouchetée, mêmes banquettes en skaï et tables en contreplaqué qui conféraient à l'ensemble une allure de décor de cinéma. Pour passer le temps, Laurel se mit à feuilleter des magazines qui dispensaient des conseils sur l'éducation des enfants.

— Madame Peyton, dit la réceptionniste en paraissant sur le seuil.

Déboussolée, Laurel tarda à réagir, pensant que la femme était en train d'appeler sa mère. Puis elle se ressaisit et suivit la secrétaire dans un étroit corridor. Le claquement rapide et sec de ses talons sur le lino semblait réglé sur les battements de son cœur. Au bout du couloir se trouvait une vaste salle d'attente, meublée comme la première de sièges en skaï et éclairée par des néons. Une femme était en train d'allaiter un bébé pendant que trois jeunes enfants jouaient à ses pieds sur un tapis. Un jeune couple à l'air soucieux se tenait blotti dans un coin, et une femme d'une quarantaine d'années avait le nez plongé dans un numéro de *La Bonne Ménagère*.

— Tenez, vous remplirez ceci. Vous avez tout votre temps, nous avons pris du retard sur notre planning, lui dit la secrétaire en lui remettant un bloc-notes à pince et un stylo avant de disparaître aussitôt.

Laurel remplit le formulaire en mêlant vérités et mensonges, écrivit « espèces » dans la case intitulée « règlement », puis posa le bloc-notes sur ses genoux en s'efforçant de cacher au mieux son anxiété. Se faire prescrire la pilule n'était pas chose facile. Elle connaissait des filles qui s'y étaient essayées et à qui on avait répondu : « Non, vous n'avez qu'à vous abstenir. » Ou, pire, leur médecin de famille avait appelé leurs parents. Avec une mère comme la sienne, Laurel n'avait aucune envie de prendre ce genre de risque.

Une heure plus tard, elle s'asseyait sur une table d'examen terminée par deux étriers en acier chromé. La minuscule blouse en papier qu'on lui avait remise cachait à grand-peine sa nudité. La porte s'ouvrit et une petite femme entre deux âges, vêtue d'une blouse blanche et munie d'un stéthoscope, entra avec le dossier de Laurel à la main.

— Bonjour, Laurel. Je suis le Dr Davidson. Que puis-je faire pour vous ?

— J'aimerais prendre la pilule.

Le médecin consulta le dossier, puis releva le nez et demanda :

— Vous avez vingt et un ans ?

— Oui, mentit Laurel.

— Votre mari ?

— Il est au Vietnam, dit-elle avec un sourire forcé. Mais il rentre en permission le mois prochain.

— Les soins sont gratuits pour les familles de soldats, dans les cliniques militaires.

— Je sais, mais je préfère voir une femme médecin.

Après l'avoir auscultée et lui avoir pris son pouls, le Dr Davidson lui dit :

— Nous allons faire un examen pelvien.

Elle appela une infirmière.

Laurel n'avait jamais subi ce genre d'examen. Avec un rictus d'appréhension, elle s'étendit sur le dos puis leva les yeux au plafond en essayant de ne penser à rien. Elle avait hâte d'en finir. Mais l'examen, qui s'avéra douloureux, prit une éternité. Elle s'agrippa des deux mains aux rebords de la table et ferma les yeux.

— Respirez lentement, murmura l'infirmière. Détendez-vous.

C'était tellement absurde que Laurel eut envie de rire. Lorsqu'elle ouvrit les paupières, elle vit que l'infirmière était en train de regarder la pendule d'un air renfrogné comme si des tâches plus urgentes l'attendaient ailleurs. Il ne fallait pas s'attendre à de la compassion de sa part, ou à de la sympathie de la part du médecin qui était en train de l'examiner.

Était-ce une impression ? Laurel crut lire de la réprobation dans ses yeux.

— Bien, vous pouvez vous rhabiller. Tout a l'air en ordre, dit le médecin en s'écartant de la table d'examen.

Elle n'avait pas encore jeté ses gants d'examen dans la poubelle que l'infirmière s'était déjà éclipsée. Le Dr Davidson griffonna quelques notes dans son dossier puis lui tendit deux petits boîtiers roses enveloppés dans un sachet transparent accompagné de brochures.

— Ce sont des boîtiers à pilules et des guides d'information sur les effets secondaires et les maladies vénériennes. Veillez à prendre votre pilule toujours à la même heure, soit le soir, soit le matin, quand vous vous brossez les dents, par exemple. Vous allez prendre un peu de poids et avoir les seins sensibles au début. Il se peut que vous ayez de petites pertes de sang et pas de règles pendant les deux premiers mois. Mais tout cela est parfaitement normal.

Elle rédigea une ordonnance puis la lui tendit.

— Vous avez ici pour dix mois de traitement. N'hésitez pas à m'appeler si vous avez un problème.

Le Dr Davidson disparut, laissant Laurel seule avec sa petite blouse en papier stérile et ses pensées. Elle venait de découvrir le côté douloureux, froidement scientifique de l'amour. Mais toujours est-il qu'elle avait obtenu ce qu'elle était venue chercher. Elle se rhabilla promptement puis régla sa consultation et se dirigea vers la sortie. Elle avait hâte de retrouver le monde chaud et bruyant du dehors.

Elle se sentait mal à l'aise. Sans doute à cause du silence qui régnait dans la clinique. Elle rangea les piluliers en plastique rose et l'ordonnance dans son sac, puis dévala les marches du perron et sortit dans l'avenue inondée de soleil. L'arrêt du bus n'était qu'à une rue de là. Aujourd'hui, elle voyageait gratis. Elle venait d'avoir dix-huit ans.

# 16

En août, la saison touristique battait son plein à Santa Catalina. Les citadins qui menaient des vies trépidantes sur le continent y venaient en masse, attirés par la douce langueur du Pacifique.

Sur l'île, ils pouvaient s'adonner à la pêche ou déguster une bière en regardant un match de base-ball pendant que leurs épouses lézardaient au soleil et que leurs enfants jouaient sur le sable au bord de l'eau cristalline. À cette époque de l'année, l'air embaumait l'huile à bronzer et le beurre de cacao.

En deux jours, Kathryn avait vendu pour plus de cinq mille dollars de poteries. La veille au soir, elle s'était immergée dans le travail, comme chaque fois qu'elle éprouvait le besoin d'évacuer les angoisses qui la taraudaient.

N'ayant pas révélé à Laurel le secret des Banning, elle le portait en elle comme un boulet qui devenait chaque jour plus pesant. Depuis le printemps, Kathryn avait perdu le sommeil. N'arrivant pas à dormir plus de deux heures d'affilée, elle assistait aussi bien au lever qu'au coucher du soleil. Ses œuvres avaient pris les tons fauves et pourpres de l'aurore et du crépuscule, et les formes tourmentées des fantasmes qui hantaient ses insomnies.

Cet après-midi, elle avait sorti quatre pièces du four et les avait entreposées sur les étagères de son atelier. Une galerie l'avait appelée plus tôt dans la semaine, non pas pour lui commander des œuvres, mais parce que quelqu'un souhaitait lui racheter les toiles d'Espinosa acquises des années auparavant par Julia. Kathryn, pour qui ces tableaux étaient des fruits empoisonnés, n'aurait jamais toléré de les voir dans sa petite maison. C'est pourquoi ils avaient été emballés et entreposés tout au fond de la remise, derrière un fatras de matériaux tels que des barils d'argile, des tubes de pigments et de vernis. Ainsi, elle pouvait oublier qu'ils existaient. Mais aujourd'hui, elle n'avait pas résisté à la tentation de soulever le coin de la bâche qui enveloppait l'un d'eux. Celui qui avait été lacéré.

Dans des moments comme celui-là, quand le destin s'acharnait et lui renvoyait la tragédie en pleine figure, Kathryn se disait qu'elle ne parviendrait jamais à venir à bout de son chagrin. Le passé reposait là, prêt à resurgir à chaque instant pour lui rappeler que son bonheur et son avenir s'étaient fossilisés des années auparavant sur l'asphalte d'une rue de Los Angeles.

— Salut, m'man !

Kathryn rabattit la bâche et passa dans l'atelier. Laurel était sur le seuil, vêtue d'un short, d'un collant résille et d'un débardeur en dentelle. Kathryn remarqua qu'elle avait pris des formes et que sa poitrine était aussi généreuse que celle de sa grand-mère. Le changement était d'autant plus visible qu'il y avait des semaines qu'elle n'était pas revenue à la maison.

— L'avion de Cale arrive dans quelques minutes. Nous avons prévu de nous retrouver sur le port.

Elle fit une courte pause puis, détournant les yeux, ajouta :

— Je voulais juste te prévenir que je ne dormirai pas à la maison.

208

— Comment cela, tu ne dormiras pas à la maison ?

Ainsi, ils couchaient ensemble, songea Kathryn.

— Je dors chez Cale, dit Laurel en tournant les talons.

— Non, s'écria Kathryn sans même réfléchir.

Sa fille se retourna et dit, l'air buté :

— Je te rappelle que j'ai dix-huit ans.

— Ce n'est pas ton âge qui me préoccupe.

— Dans ce cas, de quoi as-tu peur ? Tu ne vas pas me garder avec toi toute ta vie. Tu devrais penser un peu à toi, maman.

Était-ce ainsi que Laurel voyait sa mère ? Kathryn dut se mordre la lèvre pour s'empêcher de lui révéler tout ce qu'elle avait sur le cœur.

— Je n'ai pas envie que tu aies le cœur brisé.

— Je sais, tu n'arrêtes pas de me le répéter.

— Songe à ce que tu veux faire de ta vie, Laurel.

— Non, maman. Ce n'est pas de penser mais de vivre que j'ai besoin. À demain.

Incapable de faire un geste ou de prononcer une parole, Kathryn laissa retomber ses bras lourdement le long de son corps et la regarda s'éloigner. Sur le pourtour de la porte où Laurel se tenait quelques instants plus tôt, les bégonias et les impatiens accrochaient joyeusement leurs couleurs. Les roses grimpaient par dizaines sur le treillage, alors qu'elles auraient dû faner. Leurs pétales auraient dû se racornir et tomber.

L'idylle de Laurel avec le fils Banning avait pour elle le goût âcre d'un avenir réduit en cendres. Tout ce dont elle avait toujours rêvé pour sa fille était en train de s'effondrer.

Vus du ciel, les voiliers et les bateaux à moteur ressemblaient à des pions de bataille navale. Les yachts d'un blanc immaculé avaient jeté l'ancre à l'extérieur de l'anse en demi-lune surplombée de villas entourées d'acacias. Éparpillés çà et là sur le sable, les parasols évoquaient des étoiles de mer et les draps de bain formaient un damier chatoyant. Au bord du rivage, l'eau était si transparente qu'on voyait le fond de l'océan. L'ensemble ressemblait à s'y méprendre à un paysage méditerranéen.

Dans un vrombissement de moteurs, l'hydravion se posa sur l'eau puis se mit à glisser en direction du ponton. Il y avait presque une semaine que Cale n'avait pas vu Laurel. Debout sur la jetée, elle agitait les bras. Il saisit son sac de voyage et sauta sur le quai. Elle s'élança vers lui et ils s'embrassèrent.

— Tu n'as pas idée comme tu m'as manqué, ma chérie.

— Mais ça ne fait que quatre jours !

— Cinq. Sans compter que nous avons joué à cache-cache presque tout l'été.

Une semaine avant le début des vacances, Laurel avait commencé un stage dans un restaurant français très chic de Westwood — le genre d'endroit où même les célébrités étaient obligées de réserver plusieurs semaines à l'avance. De son côté, Cale avait bouffé du kilomètre au volant de camions-citernes sur une route quasi déserte avec pour toute compagnie une CB et une radiocassette.

— Je ne pouvais pas prévoir que mon stage allait débuter en juin. Une occasion pareille, ça ne se refuse pas.

Elle semblait sur la défensive.

Cale ne lui en voulait nullement, mais il maudissait son stage.

Il lui enlaça la taille et ils se mirent à marcher.

— Et moi, je reprends les cours dans deux semaines.

— Et tu es ravi.

— Pas du tout, rit-il. Mais je n'ai pas le choix si je veux devenir médecin.

Ils passèrent devant une confiserie. Cale pila net, puis revint sur ses pas en la tirant par la main.

— Qu'est-ce que tu fais ?

— Je t'achète de la guimauve.

— Non, j'ai grossi depuis que j'ai commencé à prendre la pilule.

— Tu es superbe.

— C'est ce que tu crois parce que je triche avec mes vêtements. Je ne suis pas Corkie !

— Holà, du calme ! Pas la peine de te mettre en boule.

Mais après cela ils n'échangèrent plus un mot jusqu'à la maison. Cale était contrarié quand il ouvrit la porte et jeta son sac à terre.

— J'en ai assez de t'entendre critiquer mon ex, lui dit-il. Qu'est-ce qui te prend ?

— Tu cherches la bagarre ?

C'était plutôt lui qui aurait dû lui poser la question. C'était elle qui était d'une humeur de chien, prête à mordre. Il la prit par les épaules et la regarda au fond des yeux.

— Qu'est-ce qui ne va pas ?

— Ma mère n'était pas chaude pour que je reste dormir ici.

— Tu es assez grande pour décider toute seule.

— Mais c'est ma mère. Pour elle je ne serai jamais assez grande. En tout cas, maintenant, elle est au courant. Et d'ailleurs, je m'en moque.

Mais il voyait bien qu'elle ne s'en moquait pas.

— Viens un peu par ici, lui dit-il. Tu es bien assez grande pour moi, en tout cas.

Il posa ses lèvres sur les siennes en murmurant :

— J'ai envie de toi.

Il la désirait si fort ! Il se mit à la toucher. Il voulait la voir fondre sous ses mains et s'abandonner lentement à ses caresses. Il avait beau se dire qu'il la manipulait – qu'elle n'était qu'un jouet entre ses mains –, il aurait fait n'importe quoi pour obtenir ce qu'il voulait.

Il ne fallut pas plus d'une demi-heure à Jud pour se rendre du bateau au marché de Catalina. Arrivé à la maison, il déposa son sac dans l'entrée puis se rendit directement à la cuisine pour ranger les courses. Mais, arrivé sur le seuil, il se figea net. Laurel était assise sur le comptoir, la tête renversée en arrière, ses seins offerts aux lèvres de Cale à demi dévêtu.

En les voyant ainsi enlacés, Jud sentit la terre trembler sous ses pieds. Ses désirs les plus secrets remontèrent d'un seul coup des profondeurs de son âme. L'espace d'un instant, il fit mine de n'avoir rien vu, de ne rien ressentir, mais c'était impossible.

Emportée par la passion, Laurel faisait courir fébrilement ses mains sur le dos de Cale. Soudain, elle détacha ses lèvres des siennes et, poussant un petit grognement, leva les bras pour lui enlever son tee-shirt. C'est alors qu'elle le vit sur le seuil. Il s'ensuivit un instant de silence assourdissant, terrible et menaçant comme le silence qui précède les tremblements de terre.

— Oh, non...

Repoussant brusquement Cale, Laurel tenta de se couvrir les seins.

Cale recula en titubant.

— Qu'est-ce qui te prend ?

Assise au bord du plan de travail, elle s'efforçait de remonter son short.

Cale fit volte-face.

— Jud ! Oh, merde !

Il renfila son jean et referma précipitamment la fermeture éclair.

— Qu'est-ce que tu fiches ici ?

— Je regarde le spectacle.

— Ta gueule, Jud.

Rouge comme une tomate, Laurel était en train de boutonner son corsage.

— Tu as perdu ça, lui dit Jud en lui tendant son soutien-gorge.

Cale s'en empara.

— Sors d'ici.

— Content de t'avoir revue, Laurel.

La voix de Jud était posée, mais ses mains tremblaient violemment. Une rage folle, incandescente, le consumait. Il aurait voulu frapper son frère.

Cale fondit sur lui et l'attrapa par sa chemise.

— Lâche-moi, dit Jud, à deux doigts de perdre son calme.

Debout au milieu de la cuisine, Laurel enfilait ses sandales.

— Je m'en vais.

— Non, attends, lui dit Cale.

— Je rentre, dit-elle en passant devant eux sans les regarder.

— Trésor, attends !

— Laisse-la tranquille, dit Jud sèchement.

Cale le toisa du regard, puis se mit à détaler.

— Espèce de connard !

En deux enjambées, Jud avait rattrapé son frère. Il l'empoigna pour l'obliger à faire volte-face, puis le plaqua contre le mur, un bras passé autour de sa gorge.

— J'ai dit : laisse-la.

— Non! cria Cale en essayant de le repousser.

Jud resserra son étreinte. C'était un jeu d'enfant.

— Lâche-moi, dit Cale d'une voix étranglée.

Il se débattit jusqu'à lui faire lâcher prise, puis le repoussa. Jud exécuta un vol plané et atterrit parmi les chaises de la salle à manger.

— Casse-toi, connard! rugit Cale.

Le temps que Jud se relève, son frère avait déjà franchi la porte.


Laurel courut sans s'arrêter jusque chez elle en empruntant un autre itinéraire pour que Cale ne puisse pas la rattraper. Le soir commençait à tomber, mais il y avait encore trop de lumière pour passer inaperçue. Elle aurait voulu que la terre s'ouvre sous ses pieds et l'engloutisse. Arrivée devant la maison, elle marqua une courte pause pour reprendre contenance avant de gravir les marches. Elle avait les joues en feu et son cœur battait si fort qu'elle n'entendait rien d'autre que ses battements précipités. La lumière de la véranda était éteinte, mais la lampe du salon était allumée. Elle se demanda si sa mère était toujours en colère contre elle. Comment allait-elle l'accueillir quand elle rentrerait?

— Laurel?

C'était Cale. Hors d'haleine, il était tapi dans l'ombre de l'allée mitoyenne.

Elle se détourna.

— Oh, non, Cale, par pitié! Pas maintenant. Va-t'en.

Mais il la saisit par le bras et l'obligea à se retourner.

— Je suis désolé, mon cœur. Jud s'est comporté en goujat. Je ne comprends pas ce qui lui a pris. Ça ne lui ressemble pas.

Elle avait remarqué qu'à chaque fois que son frère et elle se croisaient cela se soldait pour elle par une humiliation et une crise de larmes. Mais elle ne pouvait pas le lui dire. Car Cale ne savait pas que Jud et elle se connaissaient déjà. Il essaya de l'attirer dans ses bras, mais elle secoua la tête.

— Non, s'il te plaît.

— Tu m'en veux ?

— C'est à moi que j'en veux, dit-elle d'un ton plein de dépit.

Il faisait encore chaud, mais elle tremblait si fort qu'elle craignait de se mettre à claquer des dents. Elle inspira profondément pour essayer de se calmer, mais, à sa grande honte, éclata en sanglots.

— Je suis désolé, murmura Cale.

S'agrippant des deux mains à son tee-shirt, elle enfouit la tête dans son épaule et se mit à pleurer sans pouvoir s'arrêter.

— Je ne comprends pas ce qu'il est venu faire ici, dit Cale comme s'il se parlait à lui-même.

— Il savait que tu devais venir ?

— Nous ne nous sommes pas parlé de la semaine. Mais il va déguerpir, dit Cale avec détermination. Je te le garantis. Pas question de le laisser gâcher le peu de temps qu'il nous reste à passer ensemble.

Il lui prit le menton pour l'obliger à le regarder dans les yeux.

C'était la première chose qu'elle avait remarquée chez lui, ses yeux pleins de douceur.

— Je t'aime, Laurel.

— Je sais.

L'entendre prononcer ces mots la rassurait. Elle se dit qu'il y avait au moins quelqu'un qui l'aimait sur cette terre.

— J'ai une idée. On va prendre le bateau demain et aller pique-niquer à la pointe de l'île. Ça te dit ?

Elle hocha la tête.

— Ta mère est devant la fenêtre.

Laurel se retourna, mais elle ne vit que le halo doré de la lampe derrière la vitre.

— Je l'ai aperçue qui reculait vers le fond de la pièce.

Était-il possible que sa mère soit en train de les espionner ? Qu'était-il advenu de la confidente à qui elle pouvait ouvrir son cœur sans craindre d'être jugée ?

— Je ferais mieux de rentrer. Nous nous sommes disputées, elle et moi, cet après-midi.

— Tu te sens mieux ?

— Oui, mentit-elle.

La scène de tout à l'heure l'avait profondément blessée. Elle avait découvert le côté le plus sombre et le moins romantique de l'amour. Cet amour-là ne vous donnait pas des ailes, mais au contraire vous humiliait.

— Je passerai te chercher demain matin. Vers dix heures.

Un rapide baiser, un petit geste de la main et il disparut.

Laurel referma la porte et aperçut sa mère debout dans un recoin sombre du séjour.

— Qu'est-ce qu'il t'a fait ?

— Rien du tout, maman. Il m'aime.

— Tu as pleuré. Je t'ai vue.

— Je sais, mais tout va bien à présent. Et puis je n'ai pas envie d'en parler. S'il te plaît. Je suis rentrée dormir

216

à la maison. C'est ce que tu voulais, non ? Tu devrais être contente.

— Laurel, je t'en prie… Je ne te comprends pas.

— Je suis fatiguée, maman. Bonne nuit.

Laurel entra dans sa chambre et referma la porte sans un mot. Elle ne voulait pas parler. Elle ne voulait pas penser. Elle ne voulait pas pleurer. Elle voulait dormir.

# 17

À l'est de l'isthme, les palmiers-dattiers se dressaient autour de la jetée dont les fondations dataient de la guerre de Sécession. La traversée à bord du canot de Cale avait fini par avoir raison des angoisses de Laurel. Quand on filait à toute allure à travers cette immensité bleue, on oubliait tout le reste.

Ils déjeunèrent somptueusement au bord de l'eau – sandwiches de poulet au curry, œufs farcis au crabe, et brownies au beurre de cacahuètes que Laurel avait préparés le matin même – puis ils se baignèrent jusqu'à ce que Cale aperçoive un énorme requin-marteau et qu'ils jugent plus prudent de retourner se prélasser sur le sable chaud.

Il était presque quatre heures quand, repus de caresses et de soleil, ils prirent le chemin du retour. Une fois arrivé en vue de la maison, Cale se raidit à la barre en jetant des coups d'œil affolés autour de lui, puis baissa le régime du moteur en jurant.

—Que se passe-t-il ?

—Victor est là.

—Ton grand-père ?

Elle regarda du côté de la maison, qui avait l'air silencieuse.

—Tu en es sûr ? Je ne vois personne.

— Oh, mais si. Regarde, dit-il en désignant un yacht blanc au mouillage à l'autre extrémité de la crique.

— Non !

Laurel n'en croyait pas ses yeux.

— Ce truc doit mesurer pas loin de trente mètres de long.

— Trente-trois exactement.

Cale se rapprocha du ponton. Une des luxueuses vedettes bleu et blanc dont les propriétaires de yacht se servent pour se rendre à terre y était amarrée. Cale lâcha un rire amer.

— Victor ne fait jamais rien à moitié, dit-il en coupant le moteur pour accoster tandis que Laurel déroulait les cordages. Je sens que ça va chauffer.

— Tu préfères que je m'en aille ?

Cale hésita, scruta les environs.

— Il est trop tard, de toute façon.

Le toit bas fortement incliné de la maison étirait ses ailes de part et d'autre de la terrasse blanche sur laquelle se détachait la silhouette de son grand-père vêtu de rouge et bleu à la mode nautique. D'un seul coup, l'atmosphère se chargea d'émotions contradictoires. Le monde entier devint hostile.

— Tu crois que nous devrions lui faire bonjour de la main ?

— Tu veux dire un bras d'honneur ?

— Cale, murmura-t-elle sur un ton de reproche. Ce n'est pas gentil.

— La scène à laquelle tu vas assister n'aura rien de gentil, crois-moi.

— Pourquoi ? Vous vous êtes disputés ?

— Pas encore, mais nous allons le faire. Allons, viens, dit-il en la prenant par la main.

Immobile et froid comme une statue de marbre, Victor Banning les laissa venir à lui. C'était à se demander s'il respirait. Cet homme ne laissait jamais rien paraître de ses sentiments.

— Bonjour, monsieur Banning. Ravie de vous revoir, dit-elle en gardant ses distances.

— Laurel, dit-il avec un petit hochement de tête. Je dois parler avec Cale. En privé.

— Non. Je veux qu'elle reste.

— Parce que tu t'imagines que je ne vais pas oser parler en sa présence ?

— Non. Mais je veux qu'elle reste. Cela la concerne, après tout.

Les yeux de Victor s'attardèrent un instant sur Laurel. Son expression se radoucit légèrement lorsqu'il dit :

— Vous n'êtes pas concernée, mon enfant.

— Je préfère vous laisser parler seul à seul.

— Non, dit Cale qui refusait de lui lâcher la main.

Victor s'adressa à Laurel :

— J'ai fait jouer mes relations pour que Cale entre à l'université de Californie du Sud et il m'a promis de se concentrer sur ses études.

— Ce n'est pas vrai, rétorqua Cale, furieux. Il m'a obligé à choisir entre mes études et toi. C'est pour cela qu'il est ici.

Laurel sentit toute énergie l'abandonner d'un seul coup. Il y avait une telle acrimonie entre Cale et son grand-père que l'air en devenait fétide. La main de Cale serrait si fort la sienne que ses phalanges étaient livides. Et malgré le soleil brûlant de l'après-midi, elle se sentait glacée jusqu'aux os.

— Il m'a obligé à choisir deux jours après la remise des diplômes, dit Cale.

Évidemment, songea Laurel. Son grand-père ne pouvait pas savoir qu'ils avaient justement fait l'amour pour la première fois ce jour-là.

— Chaque fois que Cale tombe amoureux, ses notes chutent lamentablement. Il oublie qu'il a des responsabilités. Mais les études de médecine ne vont guère lui laisser de temps pour le badinage. J'en suis navré, Laurel, mais vous êtes préjudiciable à son avenir.

Au même instant, une mouette jeta un cri grinçant comme pour clore la discussion.

— Je ne vais pas la laisser tomber, si c'est ce que tu attends de moi, Victor.

Son grand-père le saisit par le bras.

— Écoute-moi bien. Je t'ai fait entrer à l'université, mais je peux tout aussi bien t'en faire sortir. Choisis. Ou tu rentres avec moi sur-le-champ, ou tu pars avec elle.

Quand les hommes sont en proie à la jalousie ou à la colère, ils voient tout en blanc ou en noir. Et ces deux-là n'avaient pas l'air de comprendre qu'il existait toutes sortes de nuances de gris. Laurel se tourna vers Cale.

— Je ne veux pas que tu rates tes études à cause de moi.

Elle lâcha sa main et recula pour mettre de la distance entre eux.

— Laurel, attends, dit Cale d'une voix tremblante.

Elle ne pouvait pas le regarder et ne voulait pas regarder son grand-père.

— Puisque tu ne veux pas te décider, Cale, je vais le faire à ta place, dit-elle.

Puis elle tourna les talons et commença à s'éloigner sans un regard en arrière, le plus naturellement du monde.

Mais une fois sur la route, quand les graviers se mirent à crisser sous ses pieds, elle sentit les larmes couler sur ses joues.

Cale resta un instant interdit tandis que les paroles de Laurel s'égrenaient dans sa tête comme un rosaire. La colère, l'humiliation et le vide créé par Laurel le laissèrent sans voix et complètement abasourdi.

— Apparemment, elle ne t'a pas laissé le choix, dit son grand-père.

— Il faut que je lui parle.

— Laisse-la tranquille. C'est une fille intelligente. Laisse-lui une chance de trouver un homme digne d'elle.

Cale fit volte-face.

— Je refuse de t'accompagner si tu ne me laisses pas lui parler !

— Tu n'as pas le choix. C'est moi qui décide. Tu es prêt à tout envoyer promener pour cette fille ? Elle n'a pas hésité bien longtemps à te quitter, Cale.

Victor n'avait pas son pareil pour trouver les paroles qui blessent. Il avait touché Cale là où il était le plus sensible.

— Je te donne cinq minutes, après quoi je reprends la vedette. Si tu n'es pas de retour à temps, tu peux dire adieu à la fac de médecine.

Cale partit à fond de train.

— Laurel ! Attends !

Elle se retourna, et tout en marchant à reculons agita les bras pour lui faire signe de partir.

— Cale, non. Va-t'en.

Elle pleurait.

Plus vite il courait, plus fort elle criait :

—Va-t'en! Va-t'en!

Mais il parvint à la rattraper et à la prendre dans ses bras.

—Non! S'il te plaît! l'implora-t-elle en martelant sa poitrine avec ses poings.

—Je t'aime. Je t'aime, murmura-t-il en se penchant vers elle. Ne me quitte pas.

Sentant qu'elle se détendait entre ses bras, il décida de saisir sa chance.

—Écoute. Écoute-moi, trésor. Quand je serai à la fac, Victor n'aura aucun moyen de surveiller mon emploi du temps. Nous pourrons nous voir discrètement, il n'en saura rien.

—Tu as déjà essayé et regarde où ça nous a menés. Pourquoi ne m'as-tu rien dit de cet ultimatum?

—Parce que je t'aime. Je voulais te protéger. Si je fais médecine, ce n'est pas que pour moi, Laurel. C'est pour notre avenir à tous les deux. Promets-moi, Laurel. Promets-moi que nous nous verrons.

—Cale. Songe à ce qui s'est passé depuis deux jours. D'abord ma mère, puis ton frère, et maintenant ton grand-père. Il me semble que le destin cherche à nous dire quelque chose.

—Quoi donc? Que mon frère et mon grand-père sont des emmerdeurs? Je n'arrive pas à croire que tu puisses t'en aller aussi facilement, Laurel. En tout cas, moi, je ne peux pas. Je me battrai jusqu'au bout.

—Jamais je n'aurais imaginé que l'amour pouvait être aussi cruel, dit-elle.

Il s'ensuivit un long silence douloureux, puis il la prit par le menton pour l'obliger à le regarder en face et dit:

—Fais-moi confiance. La fac commence dans deux semaines. Au début, nous ne pourrons pas nous voir, mais je t'appellerai. Nous allons prendre notre mal en patience. Nous allons ruser et déjouer ses pièges. Une fois que j'aurai passé toutes les épreuves de sélection, il ne pourra plus rien faire. La fac ne me virera pas. J'aurai fait mes preuves. Je vais cravacher pour avoir de bonnes notes. Tu ne peux pas me quitter. J'ai trop besoin de toi. Je suis sûr qu'on y arrivera.

— Je ne sais pas quoi faire, Cale.

— Laisse-moi m'occuper de mon grand-père. Il faut que je retourne là-bas, il m'attend. Mais avant de partir, je veux que tu me jures de ne pas me quitter.

Elle le regarda, comme si elle cherchait une réponse dans ses yeux, puis soupira :

— Je ne te quitterai pas.

— Juré ?

— Juré.

— Dans ce cas, fais-moi un sourire, Laurel. Souris-moi et dis-moi que tu m'aimes.

— Je t'aime.

— Moi aussi, je t'aime.

Il desserra son étreinte.

— Souviens-toi. Moi aussi.

Au loin, il entendit le moteur de la vedette qui démarrait. Il se mit à courir à toutes jambes. Comme pour le narguer, Victor était en train de longer lentement le ponton au volant de la vedette. Il prit son élan et atterrit de tout son poids sur le pont du canot qui se mit à tanguer et à rouler. Une gerbe d'eau gicla, éclaboussant Victor de la tête aux pieds. Le canot prit la direction du yacht.

Dès qu'ils furent à bord du *Catalan*, les hommes d'équipage firent tourner les machines. La traversée de deux heures jusqu'à Newport en compagnie de son grand-père s'annonçait houleuse.

Il était en train de boire une bière dans le salon quand Victor entra.

—Tu es un idiot, Cale. Tu t'imaginais pouvoir manigancer dans mon dos ? Tu crois que je ne sais rien de ta vie ?

Il était en train de se demander pourquoi Victor attachait tant d'importance à son avenir et à ce qu'il faisait de sa vie, quand Jud remonta de la cale où se trouvaient les cabines. Il ne fallait pas être bien malin pour comprendre ce qui s'était passé.

—C'est toi. C'est toi qui as cafté au sujet de Laurel, n'est-ce pas ? Tu n'es qu'un salaud, Jud.

Son frère ne nia pas.

Furieux, Cale lui jeta sa bière au visage, le manqua puis fondit sur lui. Il réussit à lui donner trois coups de poing avant que Jud le cueille à son tour à la mâchoire. Cale sentit le goût salé du sang dans sa bouche. Saisissant Jud par les cheveux, il le roua de coups de poing.

Jud réussit à lui décocher un uppercut, suivi d'un croche-pied qui le plaqua au sol, mais Cale riposta d'un coup de genou dans les reins. Ils roulèrent à nouveau, jusqu'à la table de verre cette fois. La lampe vacilla, puis chuta et vint s'écraser à terre, à deux doigts de la tête de Jud. Cale entendit les hommes d'équipage qui arrivaient en courant et parlaient tous à la fois. L'un d'eux le saisit par les bras, tandis qu'un autre empoignait Jud et le tirait en arrière, une aubaine… Cale lui envoya un coup de genou dans l'estomac.

—Arrêtez ! somma Victor.

Les bras emprisonnés par les hommes d'équipage, ils se mirent à échanger des coups de pied en s'abreuvant mutuellement d'injures.

— Laissez-les ! cria Victor en élevant la voix cette fois. Laissez-les se battre, et retournez à vos postes.

Soudain libres, Cale et Jud s'empoignèrent à nouveau et roulèrent à terre. Victor observait le pugilat, impassible. Cale se retourna pour dire à Jud d'arrêter et de regarder cette vieille crapule de Victor, mais le poing de son frère l'atteignit au menton, et tout devint noir.

# 18

En automne, les cours avaient repris, et Laurel et Cale se parlaient chaque soir au téléphone. Mais Cale, qui étudiait d'arrache-pied et faisait de petites nuits, s'endormait souvent en pleine conversation, si bien qu'ils en vinrent tout naturellement à espacer leurs coups de fil.

Au restaurant, Laurel faisait désormais partie de l'équipe du soir.

Quand elle rentrait à la maison, imprégnée des pieds à la tête d'une odeur de cuisine, c'était toujours la même routine : douche, téléphone, puis extinction des feux. Sa vie se trouvait réduite à une succession de gestes : se brosser les dents, râper de la noix de muscade, monter une béarnaise ou faire la lessive. Les choses qui lui semblaient vitales quelques mois auparavant avaient cessé de l'obséder. Elle ne s'interrogeait plus à tout bout de champ sur le grand amour et ses mystères et ne se laissait plus aller à de douces rêveries quand elle se mettait au lit. Elle avait cessé de flotter sur un nuage, et quand elle marchait, c'était avec les deux pieds solidement posés sur terre. L'émotion n'embuait plus ses yeux quand elle se regardait dans la glace ; le monde avait changé, pris des contours plus nets, plus cassants et plus durs.

Enfin, arriva une de ces rares semaines où elle fut affectée deux jours de suite au service du déjeuner.

Malheureusement, Cale était pris par ses cours du soir et indisponible, si bien qu'à quatre heures de l'après-midi elle était de retour chez elle. Elle venait de rentrer depuis cinq minutes à peine quand il y eut un coup de sonnette. Jud Banning était nonchalamment appuyé au montant du porche.

— Jud.

— Laurel.

Et puis plus rien. Ils se toisèrent du regard et il finit par dire :

— Tu ne me fais pas entrer ?

— Je devrais te claquer la porte au nez.

— Sans doute.

Il posa une main sur le chambranle.

— Que veux-tu ?

— Te parler de Cale.

C'était Jud tout craché. Il affichait un air hautain et sûr de lui pour cacher sa frustration et son anxiété. Cale lui avait dit qu'ils ne s'étaient pas réconciliés et, quand il lui parlait de Jud, c'était avec une amertume qui s'apparentait plus à du mépris qu'à de la colère.

— Eh bien, entre.

Il alla se planter au beau milieu de son petit séjour comme s'il avait voulu occuper tout l'espace.

— Charmant petit nid.

— C'est une location meublée. Tout est beige ici.

— J'aime bien le beige. Les couleurs trop vives me tapent sur les nerfs.

— J'ignorais que Jud Banning avait des nerfs.

— C'est parce que tu ne me connais pas.

C'était vrai. Elle n'avait pas envie de le voir sous un jour trop humain ou vulnérable, préférant le reléguer dans une catégorie à part.

— Je peux t'offrir quelque chose à boire ?

— Un scotch m'irait très bien.

— J'ai une bouteille de vin, mais je ne te propose pas de l'ouvrir, dit-elle avec humeur. Je ne peux pas acheter d'alcool. Tu te souviens ? Je peux te proposer un thé glacé à la menthe ou au citron, ou bien de l'eau pétillante, du soda ou un Coca.

— Un soda fera l'affaire. Tu as de la glace ?

— Oui, si tu en veux.

Elle ouvrit le réfrigérateur et en sortit deux bouteilles de soda.

— Je plaisantais, Laurel.

Elle décapsula les deux canettes et lui en tendit une.

— On ne sait jamais quand tu plaisantes et quand tu es sérieux.

— Avec un grand-père comme Victor Banning, c'est un miracle que j'aie un tant soit peu le sens de l'humour.

— Cale, lui, ne rate jamais une occasion de rire.

— Je sais. Il est comme ça depuis tout petit.

Jud fit une pause et but une gorgée de soda.

— Au fait, comment va-t-il ?

— Tu pourrais le lui demander toi-même.

— Encore faudrait-il qu'il daigne répondre à mes coups de téléphone. Je suis allé faire un tour du côté de sa chambre, mais il n'est jamais là. Nous n'avons aucune nouvelle de lui depuis qu'il est entré à la fac… avec deux semaines d'avance, ajouta-t-il en riant.

— Et qu'est-ce qui te fait penser que j'ai des nouvelles de lui ? Ton grand-père a fixé des règles très strictes. Il ne veut pas que nous nous voyions.

— Je connais mon frère. Il n'est pas du genre à obéir au doigt et à l'œil à Victor.

— Et si je le voyais, est-ce que tu le dirais à ton grand-père ?

— Je suis désolé que tu te sois retrouvée embringuée dans cette histoire.

Mais il n'avait pas l'air désolé. Elle se souvenait encore de l'expression de son visage le jour où il les avait surpris dans la cuisine. Même encore maintenant, rien que d'y penser, elle se sentait rougir. Elle avait rapporté des restes de nourriture du restaurant. Elle commença à les ranger dans le réfrigérateur.

— Ton grand-père a menacé Cale de le faire renvoyer de l'université. Apparemment, quand on est plein aux as, on peut soit aider quelqu'un à s'en sortir, soit détruire sa vie.

— Victor dirigerait le monde si on le laissait faire.

— Passe-moi ces deux boîtes, s'il te plaît.

— Qu'est-ce que c'est ? De la cuisine chinoise ? Je croyais que tu étais chef cuisinier.

— Bien… tu viens de remonter d'un cran dans mon estime. Tu te souviens des études que je fais.

Elle ouvrit l'une des boîtes.

— Au restaurant, nous préparons des repas comme celui-ci pour nous entraîner. L'un des avantages de mes études, c'est que je suis nourrie gratuitement. Ballottine de volaille. Oignons farcis à la viande. Saumon de rivière poché au vin blanc. Julienne de carottes, haricots verts et champignons sylvestres. Émincé de poire d'Anjou à la crème au kirsch et au miel.

Il regardait les mets avec un air affamé. *Non, Laurel.*

Il lui prit un carton des mains.

— Ça sent rudement bon.

— Il y en a assez pour deux.

— Dois-je comprendre que tu m'invites à dîner ?

— Ce n'est pas une obligation.

— Je sais. Mais j'en ai envie.

— Dans ce cas, mets le couvert.

Pendant qu'il dressait la table, elle mit les plats au four. Puis elle sortit deux verres à pied et commença à déboucher sa précieuse bouteille de pouilly-fuissé.

— Ne te sens pas obligée de l'ouvrir pour moi.

Elle ôta le bouchon, le renifla.

— Hum, exquis. C'est pour moi que je l'ouvre. Et, si tu es gentil, tu pourras en avoir un verre.

Contre toute attente, le dîner se passa dans la bonne humeur. Il l'interrogea sur sa vie, ses choix, son travail, et lui raconta toutes sortes d'histoires drôles sur son frère et lui. Mais quand le téléphone sonna, ils se turent. Tous deux savaient que c'était Cale. À chaque sonnerie, le silence devenait de plus en plus pesant et elle se sentait de plus en plus coupable de se trouver en compagnie de Jud. Pour finir, elle décrocha. Cale avait l'air exténué, et après un semblant de conversation laborieux elle raccrocha.

Jud dit aussitôt :

— Je ne dirai rien à Victor. Cale rêve de devenir médecin. Après tout, c'est moi qui ai demandé à Victor de le faire entrer à la fac.

— Toi ? dit-elle sur un ton à la fois surpris et accusateur.

— J'aime mon frère, Laurel.

— Tu devrais le lui dire. Ça lui ferait du bien. Je crois qu'il ne s'attendait pas à ce que la fac de médecine soit aussi dure.

— Si jeunesse savait !

— Il est vrai que tu es beaucoup plus expérimenté.

— À certains égards, oui.

233

Elle n'était pas sûre de comprendre où il voulait en venir. Ses propos prêtaient à toutes sortes d'interprétations dont certaines étaient dangereusement suggestives.

— Si je suis venu ici, c'est pour avoir de ses nouvelles.

— Il est fatigué, mais heureux.

Si c'était là ce que Jud était venu entendre, il devait être content.

— Il faut que j'y aille, dit-il en se levant de table.

Une fois à la porte, il s'arrêta et dit :

— Étant donné que mon frère refuse de me parler, j'aimerais pouvoir te passer un coup de fil de temps en temps pour prendre de ses nouvelles.

— Pas de problème.

— Merci.

Il traversa la rue, sauta à bord de sa petite MG rouge, puis agita la main et démarra.

Cette nuit-là, elle dormit comme un loir et n'entendit pas le réveil sonner. Le lendemain, en sortant sur le porche pour se rendre au travail, elle trouva une grosse boîte blanche entourée d'une faveur rouge devant la porte. À l'intérieur, elle trouva une caisse d'excellent vin français avec une carte.

*Chère Petite,*
*Merci de ne pas m'avoir envoyé paître. Ci-joint un petit cadeau qui t'évitera de raconter que tu as laissé ton porte-feuille à la maison.*

*Jud*

Laurel et Cale durent attendre encore une semaine avant de se voir. Il ne voulait pas qu'elle prenne le bus. Et bien que le campus ait été sécurisé, les quartiers autour étaient assez mal famés, c'est pourquoi ils décidèrent de se retrouver sur la plage.

Dès qu'elle le vit entrer dans l'aire de stationnement, Laurel, qui était déjà installée sur le sable, vint à sa rencontre.

— Salut, l'étranger.

— Salut, trésor.

Sa voix rauque dénotait un état de fatigue que reflétaient également ses traits tirés et amaigris, ses cheveux ternes et son teint cireux. Il ne s'était pas rasé. Il plaqua ses lèvres sur les siennes avec une force et une rudesse auxquelles elle ne s'attendait pas et qui lui coupèrent le souffle. Elle essaya de se dégager mais il la retint plaquée contre la voiture et étouffa ses protestations d'un baiser. Lorsqu'il la relâcha enfin, il lui dit abruptement :

— J'ai envie de toi.

— Cale, attends.

— Quoi ?

— Pas ici, tout de même, protesta-t-elle en remettant de l'ordre dans sa tenue.

Il la regarda avec l'air de dire : qu'est-ce qui te prend ? Elle l'entraîna vers la couverture qu'elle avait étendue sur le sable.

— J'ai préparé un pique-nique.

— Je n'ai pas faim, c'est de toi que j'ai envie.

— En tout cas, tu as l'air d'avoir plus besoin de nourriture que de moi. Tu as maigri.

Il bâilla.

— Je suis tellement pris que je ne pense pas toujours à manger.

— Quand as-tu mangé pour la dernière fois ?

— Quelle heure est-il ?

— Quatre heures.

235

— Quel jour sommes-nous ?

— Mercredi.

Elle rit.

— Eh bien, j'ai dîné d'une banane hier soir. Ou était-ce avant-hier ?

Des rides de fatigue creusaient son front et les coins de sa bouche, et il avait les yeux injectés de sang. Il marcha d'un pas chancelant jusqu'à la couverture, puis s'y laissa tomber comme une masse et ramena ses bras en travers de son visage. Quelques secondes plus tard, il dormait à poings fermés.

Le cœur gros, Laurel s'assit en tailleur sur le sable et regarda voler les mouettes. Une bande d'amis était en train de disputer une partie de volley un peu plus loin sur la plage, et deux chiens noirs s'amusaient à pourchasser des frisbees. Près de l'eau, un couple d'amoureux faisait voler un cerf-volant en forme de dragon dont la queue verte ondoyait au ras des flots. Elle enviait leur insouciance, leurs rires et leur joie de vivre. Une bouffée d'air marin souffla dans sa direction. L'air salé picotait ses lèvres gonflées. Elle n'avait pas aimé la façon brutale dont il l'avait embrassée, comme si l'amour était un besoin et non un cadeau. L'un d'eux ne tournait pas rond. Était-ce lui ou elle ?

À côté d'elle, Cale était assoupi. En regardant le mouvement de sa poitrine, elle se remémora les fois où elle s'était endormie entre ses bras. Mais aujourd'hui elle n'avait senti chez lui aucune tendresse. Il y avait de l'impatience dans sa voix et dans ses gestes. Ce n'était pas le Cale qu'elle avait connu. Ce n'était pas l'amour doux, sensuel, éternel. L'homme qui dormait à côté d'elle était devenu un étranger.

Elle commença à déballer le pique-nique. Œufs à la diable farcis au crabe, pain frais, carpaccio de bœuf au raifort, fruits et fromage frais.

Elle décapsula une bière et la posa dans le sable à côté de lui.

— Cale ?

Elle lui secoua le bras.

Il se releva d'un bond.

— Quoi ? Laurel ?

Il laissa échapper un grognement, puis la regarda d'un air ahuri.

— Désolée, s'excusa-t-elle. Il est l'heure de manger.

Il se jeta sur la nourriture, qu'il engloutit jusqu'à la dernière miette sans dire un mot. Elle n'avait aucun appétit, mais picora malgré tout quelques bouchées pour ne pas avoir à parler. Comment était-il possible qu'elle n'ait rien à lui dire ? Qu'était-il arrivé ?

Sur un fond de ciel ambré, le soleil était suspendu à la surface de l'eau qui virait au pourpre. L'air salin avait fraîchi, et le vent soufflait rageusement en soulevant des gerbes de sable dans leur direction. Appuyé sur un coude, Cale finissait de siroter sa bière.

— Il va falloir y aller.

— Quand dois-tu être de retour ?

— À huit heures et demie, dit-il en bâillant.

Il lui tendit la main.

— Allons, viens. Je vais te ramener.

Une fois dans la camionnette, il tapota la banquette et dit :

— Viens plus près, trésor. Tu es trop loin.

Il passa un bras autour de ses épaules en gardant une main sur le volant. Le ciel était bleu indigo quand il se gara devant chez elle.

237

— Quelle heure est-il ?

— Sept heures et demie. Tu n'as plus ta montre ?

— Non. J'ai dû l'oublier au labo, à la bibliothèque, ou dans un amphi. Sept heures et demie ? Ça nous laisse un peu de temps. Viens.

— Tu ne crois pas que tu devrais aller dormir ?

Elle n'osait pas lui dire qu'elle avait envie d'être seule.

— Ce n'est pas de sommeil que j'ai besoin, mais de toi, dit-il en l'entraînant vers la véranda.

Une fois à l'intérieur, il se jeta littéralement sur elle. Tout en la dévêtant, il laissa errer sa bouche sur son cou, ses lèvres. Elle ferma les yeux, affolée. Ses caresses ne lui procuraient aucune sensation agréable. Il la poussa vers le lit et la pénétra aussitôt.

Il était visiblement agité, en raison du manque de sommeil, et ses gestes étaient maladroits et précipités. Elle resta étendue sans bouger et attendit qu'il ait pris ce qu'il était venu chercher tout en se répétant intérieurement : *Ce n'est pas de l'amour, ce n'est pas ça, l'amour...*

Quelques minutes plus tard, il avait fini. Il se laissa retomber sur l'oreiller et sombra dans le sommeil, la laissant seule et désemparée. L'amour lui avait semblé facile au début. Mais la passion avait disparu et elle n'était pas certaine de pouvoir la retrouver un jour. Elle avait cessé de fondre sous ses caresses. Et pourtant c'était un garçon épatant, elle en était convaincue. Cela signifiait-il qu'elle était devenue frigide ? Il lui semblait que la force de son amour s'était estompée jusqu'à devenir aussi ténue qu'un filet de fumée s'échappant d'un feu éteint.

À huit heures, elle le réveilla. Elle fut soulagée quand elle le vit s'éloigner au volant de sa voiture, et se demanda comment il était possible que l'amour cessât de façon aussi brutale. Était-ce dû au surmenage ? Au stress ? Au

238

temps ? Toujours est-il qu'elle ne supportait pas l'idée de devoir rompre avec lui. Elle ne se voyait tout simplement pas lui disant adieu.

Ce soir-là, elle dormit comme une souche, puis se réveilla le lendemain recroquevillée sur elle-même, avec les poings serrés. Les jambes en coton, elle se faufila sous la douche puis ouvrit le robinet et se mit à pleurer.

Cale étudiait jusqu'à en avoir la nuque raide et le regard brouillé. Il potassait ses cours d'histologie et de physiologie en descendant un café après l'autre, puis mâchait du chewing-gum pour chasser le goût amer de la caféine.

Dire que les études de médecine étaient prenantes était un euphémisme. La plus petite heure de cours était un véritable déluge d'informations qu'il était nécessaire d'assimiler ou de mémoriser. En plus des cours magistraux, des travaux dirigés et des examens qui se succédaient sans fin, les étudiants de première année devaient effectuer des stages en milieu hospitalier afin de s'initier à l'observation de cas cliniques tantôt légers, tantôt critiques, et à la manière dont ceux-ci étaient traités.

Son premier contact avec le service de chirurgie se fit sous la houlette d'une étudiante de troisième année qui avait la voix de Minnie Mouse et le tempérament enthousiaste d'une Miss Amérique. Le premier cas qu'il lui fut donné de voir était une patiente alcoolique à laquelle une équipe d'internes était en train de poser un cathéter veineux central.

Tandis que Minnie commentait le déroulement des opérations, la pauvre femme gémissait, recroquevillée en position fœtale sur la table d'examen, sans que l'équipe soignante, entièrement occupée à trouver la veine sous la clavicule, se souciât le moins du monde de son confort. Aucun ne semblait se souvenir de la toute première leçon inculquée aux étudiants, à savoir commencer par établir un contact physique avec le malade, en prenant sa température ou sa tension.

Une fois accomplie leur mission, les internes quittèrent la chambre en se congratulant. Cale prit la main de la patiente dans la sienne, puis, repoussant une mèche de cheveux de son front moite, se mit à lui parler doucement. Lorsque les infirmières vinrent chercher la patiente, il dit à Minnie :

— Je n'arrive pas à y croire.

— Vous avez vu ces as ! s'exclama-t-elle, extatique. J'aimerais bien essayer de poser un ou deux cathéters moi aussi avant la fin de mon stage.

J'adore la médecine, la crème fouettée et la paix dans le monde, songea Cale, écœuré. Le froid détachement des médecins vis-à-vis de la patiente le hanta jusqu'au soir. Plus tard, il alla retrouver son professeur de médecine clinique, le Dr Ed Strovich, un homme qu'il appréciait et respectait. Quand il arriva au rendez-vous, Strovich était en train de s'entretenir avec une femme aux cheveux gris devant l'ascenseur. Lorsqu'ils entrèrent dans son bureau, Ed lui présenta une assiette de baklavas au miel et lui dit :

— Servez-vous.

— Mmm ! C'est un délice, dit Cale en se resservant.

Puis il raconta à Ed la scène à laquelle il avait assisté ce matin-là.

— L'une des grandes questions de la médecine réside dans la façon dont le médecin décide d'aborder ses patients. Il y a deux mois, j'ai dû faire passer des examens à la femme grecque avec qui vous m'avez vu parler. Je pensais qu'elle avait la syphilis.

— Elle a soixante ans bien sonnés, dit Cale. Ce devait être un faux positif.

— Quand je lui ai demandé si elle était fidèle à son mari, elle m'a juré ses grands dieux que oui. Et quand je l'ai questionnée sur son mari, elle m'a dit qu'il avait eu un accident vasculaire quatre ans plus tôt qui l'avait rendu impuissant. J'en suis donc venu à la conclusion que le test était erroné. Mais avant de lui en refaire passer un, j'ai décidé de lui poser une question délicate : avait-elle été victime d'un viol ?

— Je ne pense pas que j'aurais eu l'idée de poser cette question à une femme de son âge.

— Malheureusement, les femmes se font violer à tout âge. Le sujet reste tabou dans les maisons de retraite, en particulier celles qui dépendent de l'État. Mais quand on est médecin, on a tôt fait de découvrir les secrets les mieux gardés.

Ed Strovich n'était pas de ces médecins qui cherchaient à embellir ou à noircir la médecine. Il se contentait de parler vrai.

— Elle n'en avait jamais rien dit à personne et elle s'est sentie humiliée. C'était arrivé peu de temps après son arrivée en Amérique. Elle parlait à peine l'anglais et avait une peur panique de la police. Dans son cœur, dans sa tête, elle n'avait jamais été infidèle. Je lui ai expliqué qu'elle allait devoir repasser un test lorsqu'elle aurait fini son traitement. Elle s'est mise à pleurer, car elle n'avait même pas de quoi payer le premier test. Mais je lui ai dit qu'elle serait entièrement prise en charge. Et elle m'a amené ceci.

Il montra les gâteaux du doigt.

— Comme les médecins de campagne qui se font payer en poulets et en cochons.

— Et qui dorment mieux que nous et se nourrissent de façon plus équilibrée.

Ed se renversa dans son fauteuil.

— Vous n'êtes pas obligé de vous comporter comme les jeunes internes que vous avez vus aujourd'hui, Cale, même si vous allez finir par vous habituer à ce genre de scène. Sachez que c'est à vous de choisir comment vous voulez exercer la médecine. Le meilleur conseil que je puisse vous donner est : tracez vous-même votre voie.

C'étaient les premières paroles positives que Cale entendait depuis des semaines. Elles lui redonnèrent l'envie de poursuivre ses études pour aller au-delà des acinus pancréatiques ou des entérocytes intestinaux afin de pouvoir un jour exercer la médecine comme il l'entendait.

Plus tard, ce soir-là, il alla attendre Laurel devant le restaurant et lui raconta sa journée. Elle était sa planche de salut, mais il n'était pas certain qu'elle en eût conscience. Il lui racontait des choses qu'il n'aurait jamais dites à personne, car il savait qu'elle ne le jugeait pas.

— Tu penses qu'ils ont traité cette femme comme ils l'ont fait parce qu'elle était alcoolique ? demanda-t-elle.

— Je n'en sais rien. Peut-être. Mais si c'est le cas, c'est lamentable.

Il remarqua qu'elle portait un bandage à la main.

— Que t'est-il arrivé ?

— J'ai eu un mal de chien à me concentrer aujourd'hui. Du coup, j'ai accumulé les bourdes. Je me suis coupée, j'ai brûlé le pain, j'ai renversé la soupe. Je crois bien que Richard avait hâte que je finisse mon service pour ne plus m'avoir dans les pattes.

— Eh bien, moi, tu m'as horriblement manqué. Mais un jour viendra où nos efforts seront récompensés.

Il alluma la radio. Un tube de Jay and the Americans était en train de passer.

— Approche-toi un peu, dit-il. Tu n'imagines pas comme les nuits me semblent longues sans toi.

Elle se rapprocha et il passa un bras autour de ses épaules puis se mit à siffloter. Il n'était plus fatigué.

— Tu as l'air gai comme un pinson.

— Oui, je suis heureux, ce soir, parce que je suis avec toi.

De retour à l'appartement, il lui parla de sa vie à la fac et lui raconta toutes sortes d'anecdotes tandis qu'elle l'écoutait sans rien dire ou presque. Étendu sur le canapé, la tête posée sur ses genoux, il vida une bouteille de vin qui l'aida peu à peu à se détendre.

— Je suis en train de préparer notre avenir, trésor.

— Cale, dit-elle en fermant les yeux.

— Tout va bien se passer, lui dit-il en essuyant une larme qui s'était mise à rouler sur sa joue. C'est pour toi que je fais tout ça. Et je sais que tu as confiance en moi. Quand il m'arrive d'en avoir par-dessus la tête, de vouloir tout plaquer, je pense à toi et ça me donne la force de continuer.

Il bâilla, puis ajouta :

— Je ne crois pas que je pourrais y arriver sans toi.

— Mais si, Cale, tu pourrais. Tu es fort. Beaucoup plus fort que moi. Tu n'as pas besoin de moi.

— Si, j'ai besoin de toi, trésor.

Et sur ces mots il sombra dans un sommeil profond et bien mérité.

## 19

Si dire *Je t'aime* était un jeu d'enfant, dire *Je ne t'aime plus* était en revanche incroyablement difficile, pour ne pas dire impossible. Laurel, qui avait tant reproché à sa mère de ne pas avoir le courage de tourner la page, se retrouvait à présent dans la même situation. Parce qu'elle ne voulait pas blesser l'homme qui dormait sur ses genoux, elle préférait se réfugier lâchement dans les faux-semblants. Épuisée de ressasser toutes ces pensées contradictoires, elle ferma les yeux. Quand elle les rouvrit, il faisait jour. Elle était seule sur le canapé, douillettement enveloppée dans une couverture de laine. Elle se redressa, s'étira, et aperçut un petit mot plié en forme de cône sur la table basse en verre fumé.

*Dors bien. Je file en cours. T'appelle.*
*Je t'aime.*

*Cale*

Elle se sentit submergée par une immense tristesse. Pas plus qu'elle n'avait compris ce qui lui arrivait le jour où elle avait fait la connaissance de Cale, elle ne comprenait ce qui lui arrivait ce matin. Elle regarda le petit mot et dit tout haut:

— Je ne t'aime plus. Je ne sais même pas ce qu'est l'amour.

Mais il était facile de parler à une chambre vide. Ce n'était pas comme de dire adieu à quelqu'un.

La journée passa, grise et pesante. Et quand arriva le soir, rien n'était résolu. Cale appela le lendemain pour l'informer qu'il allait bientôt passer ses partiels et qu'elle ne devait pas s'affoler s'il ne lui donnait pas de nouvelles pendant quelque temps. Ce fut pour elle un soulagement. Ces examens lui offraient un nouveau sursis.

Jud passa au restaurant ce soir-là, pour un dîner tardif, et comme il pleuvait, il insista pour la ramener chez elle. Une fois devant la maison, il coupa le contact et demanda :

— Comment va mon frère ?

— En plein dans les examens. Épuisé. Je crois que si tu l'appelais il n'aurait même pas la force de se mettre en colère.

La pluie avait cessé. Elle saisit son sac posé à terre et quand elle se redressa, il effleura doucement sa joue d'un baiser fraternel.

Mal à l'aise, elle s'empressa de sortir de l'habitacle confiné de la voiture de sport pour prendre une bouffée d'air frais.

— Merci de m'avoir raccompagnée.

— Pas de problème.

Il attendit qu'elle ait gravi les marches et ouvert la porte. Lorsqu'elle se retourna, il lui lança :

— Rentre vite te mettre à l'abri, petite fille.

Puis il lui fit au revoir de la main et démarra, la laissant étrangement rassérénée.

Enfant, elle n'avait pas eu de père pour la porter dans ses bras ou lui tenir la main pour traverser la rue quand la circulation était trop dense. Les règles de la sécurité, elle les avait apprises de femmes solitaires et non par le

246

biais de l'amour paternel. Jusqu'à ce jour, elle n'avait jamais réalisé que c'était un cadeau qui lui avait été refusé. Avec Jud, elle était une autre personne. Elle ne se sentait plus coupée du monde.

Le lendemain, quand elle se rendit à l'arrêt d'autobus, l'air était chargé du parfum de l'ondée nocturne. Un ciel bleu immense et chaleureux s'étirait au-dessus de sa tête et la brise nonchalante apportait des effluves aromatiques aux accents citronnés typiques de l'automne californien.

Deux jours plus tard, le téléphone sonna. Cale lui avait dit qu'il la rappellerait. Elle laissa sonner longtemps avant de trouver le courage de décrocher.

— Je te dois un dîner, lui dit Jud.

Soulagée, elle se laissa tomber parmi les coussins du canapé.

— Tu m'as déjà offert une caisse de vin.

— Tu ne veux pas que nous dînions ensemble ?

— Ce n'est pas le problème. Mais tu ne me dois rien, Jud.

— J'ai horreur de manger tout seul.

Pour la tenter, il lui parla d'un nouveau restaurant dont on disait monts et merveilles.

— Je passe te prendre à six heures et demie.

Les Banning n'étaient pas des hommes qui se laissaient facilement éconduire.

Le dîner fut exceptionnel. Il était neuf heures quand ils sortirent de table. Une fois devant chez elle, ils restèrent assis sans rien dire dans la voiture. La clarté blanche et crue du clair de lune et celle plus tamisée des réverbères jetaient des ombres sur le visage anguleux de Jud et faisaient ressortir la blondeur de ses cheveux. Elle eut soudain l'impression d'être en présence d'un homme du

247

temps passé, une sorte d'aristocrate destiné à régner sur le monde – un homme inaccessible et dangereux.

— Merci pour ta compagnie, Petite.

— Je te signale que j'ai eu dix-huit ans en mai.

— Tu veux dire que tu n'es plus une petite fille ? J'adore la façon dont tu réagis à la provocation.

— Quelle façon ? Que veux-tu dire ?

— Tu fais une drôle de tête, comme si tu venais de manger un citron.

— Ce n'est pas vrai.

— D'accord. Fais un peu la moue, pour voir...

Elle fit la grimace, et il l'embrassa, très vite et très doucement, comme s'il avait craint de la briser. Puis il recula et lui décocha un grand sourire.

C'était justement pour cela qu'elle le trouvait dangereux.

— Tu triches, Jud. Tu fais ça souvent ?

Elle sortit de la voiture.

— Parce que tu t'imagines que je pêche les filles au filet ? En ces temps de grande révolution des mœurs ? Les féministes me tomberaient dessus à bras raccourcis.

— Les femmes ont peut-être changé, mais pas les hommes.

Il rit.

Elle fit claquer la portière.

— Merci pour le dîner. J'ai passé une excellente soirée.

— Moi aussi.

Il attendit qu'elle ait ouvert sa porte. Elle souriait quand elle l'entendit démarrer.


Jud patienta une autre semaine avant de l'inviter à nouveau à dîner. Mais il avait beau essayer de prendre ses

248

distances, il n'arrivait pas à la chasser de ses pensées. Ils se retrouvèrent dans un petit bistro de Westwood autour d'une pintade truffée à la Médicis – une recette spéciale-ment créée pour Catherine de Médicis. Laurel se mit en devoir de lui raconter l'histoire de la truffe quand, pour la taquiner, il lui dit que, si chic et prisée soit-elle, cette petite chose noire n'était qu'un affreux champignon.

— On n'a jamais vraiment réussi à la cultiver. Louis XIV avait ordonné qu'une étude soit menée sur la culture de la truffe. Quelques fermiers français ont tenté de la cultiver dans des forêts de chênes, mais les experts sont unanimes : elles ne sont pas de bonne qualité. Celles-ci en revanche sont aussi parfumées que la forêt où elles ont grandi. Elles ont un arrière-goût de terre humide. Ce sont des truffes du Périgord. Mmm. Goûte-moi ça. Pendant des siècles, on a utilisé les cochons pour les déterrer. Mais, de nos jours, on se sert de chiens.

Elle rit puis ajouta :

— Probablement parce qu'il est plus facile d'empê-cher un chien de dévorer une truffe qu'un cochon. En tout cas, elles sont délicieuses, dit-elle en prenant une bouchée.

La lueur des chandelles jetait des reflets dansants sur son visage et ses cheveux bruns qui lui arrivaient aux épaules. Elle portait des bottes de daim marron et un pull à col roulé par-dessus une longue jupe fendue. Lorsqu'elle quitta brièvement la table puis vint se rasseoir, il repensa à ce qu'elle lui avait dit sur les truffes qui ne poussaient que dans les sous-bois humides et profonds jusqu'où seuls quelques heureux élus parvenaient à se frayer un chemin. C'étaient des mets de choix, rares et délicats, qui confé-raient à la cuisine une saveur unique. Laurel aussi était un mets de choix, un trésor caché au plus profond de la forêt. Sa beauté était changeante, comme si à chaque seconde son visage prenait une expression différente, peut-être imperceptible pour la plupart des gens, mais qu'il décelait dans ses nuances les plus subtiles et qu'il ne se lassait pas de découvrir.

Ce soir-là, il avait vu un abandon total se peindre peu à peu sur ses traits. Elle avait cessé de le regarder avec les yeux affolés d'un animal traqué. Elle était détendue et parlait avec naturel. Aucune barrière ne se dressait plus entre elle et lui. Quand il la regardait, il ne pouvait s'empêcher de penser qu'il lui manquait quelque chose. Chaque fois qu'il était avec elle, il se rappelait qu'il avait grandi dans un monde d'hommes, un monde d'où la sensibilité, la sensualité raffinée et la douceur féminines étaient absentes. Jamais il n'avait appris à regarder le monde par les yeux d'une femme. Plus tard, lorsqu'ils furent remontés en voiture, elle se renversa sur la banquette et dit :

— Regarde toutes ces étoiles. Quand j'étais petite, je m'asseyais sur les genoux de ma grand-mère et elle me racontait que mon père se trouvait sur la plus grosse et la plus brillante de toutes, et qu'il me regardait.

Il ne résista pas à l'envie de dessiner le contour de son visage avec son doigt.

— Qu'est-ce que tu fais ? demanda-t-elle d'une voix tremblante.

— Je te touche.

— C'est dangereux.

— Je sais. Mais j'aime ça.

Il effleura doucement du doigt sa lèvre inférieure comme s'il cherchait à tracer les traits de son visage sur une feuille blanche ou à les graver dans sa mémoire.

— Tu es trop vieux pour moi, rappelle-toi.

— Je sais, mais je m'en moque.

Elle baissa les yeux, puis posa une main sur la poignée et dit :

— Il faut que je rentre.

— Je t'accompagne.

Une fois à la porte, il s'adossa au montant de la véranda. Juste avant d'entrer, elle fit une pause et le regarda.

— Je ne peux pas te donner ce que tu veux.

Il n'insista pas. Ne parla pas. À cet instant, il sut qu'ils ressentaient tous deux exactement la même chose. Le visage de Laurel n'avait cessé de le hanter depuis la première fois qu'il l'avait vue.

— Je suis désolée, dit-elle.

— Je le sais.

— Bonne nuit.

— Bonne nuit, Petite.

Il tourna les talons et s'éloigna courageusement. Après avoir regagné la voiture, il resta un moment à contempler la porte close, les deux mains agrippées au volant en essayant, en vain, de chasser le désir qui le submergeait.

Laurel était à la cuisine, en train d'avaler un grand verre d'eau et un cachet d'aspirine, quand un coup frappé à la porte la fit sursauter. Elle ouvrit à la volée.

— Tu ne devrais pas, dit Jud.

— Pas quoi ?

— Ouvrir la porte à n'importe qui.

— N'importe qui comme toi ?

— Non, comme un membre de la « famille Manson[1] ».

---

1. Charles Manson et sa « famille » ont assassiné sauvagement l'actrice Sharon Tate, la jeune épouse enceinte de Roman Polanski, dans sa maison le 9 août 1969. (*N.d.T.*)

— D'accord, tu as raison. Je peux fermer maintenant.

— Tiens, lui dit-il en lui tendant son portefeuille. Je l'ai trouvé dans la voiture.

— Il a dû tomber de mon sac. Merci.

Elle ne referma pas la porte. Elle n'en avait pas envie. Mais pourquoi le désir vous ôtait-il toute volonté ?

De son côté, Jud ne semblait pas décidé à partir.

— Quand tu me regardes avec ce drôle d'air, je me demande ce que tu cherches.

— Oh, Jud.

Elle baissa les yeux, le regarda à nouveau puis ferma les paupières et inspira profondément.

— Je ne cherche rien. Il me semble que j'ai déjà trouvé.

— Cale ?

— Non.

La vérité était là, suspendue au-dessus de leurs têtes. Il la regarda au fond des yeux comme s'il cherchait quelque chose lui aussi, puis fit un pas en avant et s'appuya au chambranle.

— Je ne ferai pas un pas de plus, sauf si tu me le demandes.

— Je ne suis pas sûre d'en avoir le droit.

— Mais tu en as envie.

— Oui, reconnut-elle.

Elle sentit les larmes lui monter aux yeux. Son cœur battait à se rompre, et, pour la première fois, elle comprit qu'elle se trouvait exactement là où elle devait être.

— Je n'ai pas envie d'avoir de regrets.

Ce fut elle qui se rapprocha, jusqu'à ce qu'il n'y ait plus entre eux que quelques centimètres, jusqu'à se retrouver au bord du gouffre.

Mais il ne bougea pas.

— Tu peux reculer, Petite, me fermer la porte au nez, et tout sera fini.

— Fini, dit-elle, mais pas oublié.

— Non, pas oublié.

Soudain, ce fut comme si tout ce qu'elle avait vécu jusque-là s'était retrouvé concentré dans cet instant unique, intense, palpitant et sans fard. La vie n'était en fin de compte rien de plus qu'une succession de désirs, d'espoirs et de besoins. Et tout ce qu'elle pensait se reflétait dans le bleu ardent de ses yeux, son profil aquilin, qui semblaient lui dire la même chose, lui parler des regrets, des occasions manquées, des « si j'avais su ». Voyant qu'il allait battre en retraite, elle saisit sa cravate et le tira à l'intérieur.

## 20

Des vêtements épars jonchaient le plancher jusqu'à la chambre de Laurel. Le clair de lune entrait à flots par la fenêtre, baignant de nacre les draps blancs et leur peau nue. Senteur marine enivrante venue des corps, exquise acuité des sens, sublime sensualité, goût de sel sur leurs langues, goûts de l'un et de l'autre mêlés, jambes enchevêtrées, lisses ou rêches, friction, bras noués dans l'étreinte, et ces folles paroles lentement murmurées, mots doux à la saveur de miel qui accompagnent les mouvements du sexe qui palpite en vous.

Laurel n'éprouvait aucune crainte, aucune appréhension. Et pas le moindre regret. Elle ne voulait rien d'autre que s'abandonner à ses caresses, s'envoler avec lui partout où il lui prendrait l'envie de l'emmener. Il bougeait lentement, posément en elle, comme s'il avait voulu que cela ne finisse jamais.

Chaque baiser, chaque caresse, chaque seconde passée ensemble semblait couler de source. Et elle savait que dans cent ans, ou même dans une autre vie, elle se souviendrait de chacune de ces étreintes. Car, ce soir-là, les étoiles étaient tombées du ciel, la terre avait tremblé, et l'impossible rêve s'était réalisé.

Lorsqu'il la mena à l'orgasme, ce fut comme si son être tout entier était parcouru de petits séismes qui la projetaient hors de son corps. Son cœur battait si vite qu'elle n'arrivait pas à suivre la cadence. Lorsqu'elle émergea enfin du brouillard chaud et laiteux du désir assouvi, elle ouvrit les yeux et vit qu'il la regardait. Sans un mot, il lui prit la tête entre les mains et l'embrassa sur le front. Puis sa bouche effleura ses joues, son menton, ses lèvres. Et ils recommencèrent.

Le soleil était déjà haut dans le ciel quand elle se réveilla, nue et alanguie entre les draps froissés imprégnés du parfum épicé du corps de Jud. Couché sur le ventre, il reposait à ses côtés, profondément endormi. Jusqu'ici, l'amour n'avait été pour elle qu'un mythe, un conte de fées qu'elle se racontait chaque soir avant de s'endormir comme on récite une prière. L'amour était le début et la fin, l'amour était en toute chose.

Et voilà qu'elle se retrouvait à la croisée des chemins, tellement inexpérimentée qu'elle n'était pas certaine de ce qu'elle ressentait alors même qu'il était ici, devant elle, gravé en lettres de feu : l'amour, le vrai. Mais, quoi qu'elle puisse éprouver ou penser, il n'en restait pas moins qu'elle devait faire face à la terrible réalité : elle était amoureuse d'un frère tout en étant toujours liée à l'autre.

— Je suis dans de sales draps, dit-elle tout haut.

— Et moi aussi.

Un long bras masculin l'enlaça. Jud la regardait, un sourire assoupi aux lèvres. Ses yeux étaient si bleus dans la lumière du matin que c'était comme de regarder un ciel d'été à travers une lentille.

— Tu es belle, dit-il alors qu'elle était justement en train de se faire la même réflexion à son sujet. J'aime te voir nue et ébouriffée.

Il déposa un baiser sur sa hanche dénudée, puis repoussa les draps.

256

— Laisse-moi te regarder en pleine lumière.

Curieusement, elle n'en éprouva aucune honte. Au contraire, c'était comme s'il lui avait rendu hommage, et quand il la toucha et lui murmura qu'il avait envie d'elle, elle s'abandonna à la chaleur rassurante de ses bras et se laissa emporter.


Après deux petites heures de sommeil, Jud était à la cuisine en train de boire un café noir bien fort tout en bavardant avec Laurel, douce, belle et rayonnante au lendemain d'une nuit d'amour. Dehors, le soleil d'automne répandait une chaude lumière ambrée. Le monde était un endroit merveilleux et paisible dans lequel il se sentait à présent solidement ancré. Son café, un expresso noir et puissant, avait pris un goût âcre en refroidissant. Tout en s'en servant un autre, il songea à ses expériences passées, aventures amoureuses ou sexuelles, et réalisa qu'une seule nuit d'amour avec Laurel avait suffi pour toutes les effacer.

La sonnette de la porte d'entrée retentit. Il bondit pour la retenir.

— Laurel ?

Mais elle avait déjà ouvert la porte. Cale entra comme en terrain conquis et demanda :

— Pourquoi la voiture de Jud est-elle garée devant chez toi ?

C'est alors qu'il vit son frère, debout dans la cuisine.

— Que fais-tu ici ?

Le visage jusque-là rayonnant de Laurel blêmit d'un seul coup, comme vidé de son sang, tandis qu'une expression de peur mêlée d'horreur traversait ses yeux. Jud prit une gorgée de café et lui dit :

— Je t'avais dit de ne pas ouvrir à n'importe qui.

— Que se passe-t-il?

Cale attendait une réponse de Laurel. Quand il vint se poster entre elle et lui, Jud songea que son frère cadet avait toujours été un obstacle entre eux.

Laurel posa une main sur le bras de Cale.

— J'ai essayé de te le dire.

— Comment? demanda Cale d'une voix aiguë, tendue par l'émotion. Quand ça?

Il ne criait pas, mais presque.

— Eh bien, c'est le moment, vas-y.

Il les regarda tour à tour, mais aucun ne parla.

Pour finir, il dit à Jud:

— Tu as couché avec elle?

— Non.

— Oui, dit Laurel au même moment.

Un long gémissement s'échappa de la gorge de Cale, un de ces cris d'angoisse qu'aucun être humain ne peut contrôler. Il posa sur Jud un regard plein de surprise et d'incrédulité.

— Tu es mon frère. Tu es mon frère.

Répétées deux fois, ses paroles n'en étaient que plus coupantes. Mais Jud ne tiqua pas.

— C'est ma faute, dit Laurel.

Une expression hideuse tordit brièvement les traits de Cale, puis se dissipa. Il dit:

— Oh, Laurel, je ne suis pas certain que tu aies quoi que ce soit à voir dans tout cela.

— Que veux-tu dire?

Cale lança à Jud un regard plein de haine et de reproches, et Jud eut l'impression de voir Victor.

— Espèce de salaud.

Cale laissa échapper un rire aigu, déchirant, qui atteignit Jud en plein cœur.

— Je te laisse le soin de lui expliquer, grand frère.

Puis il tourna les talons et sortit.

Laurel fut la première à réagir.

— Cale ! Attends !

Elle s'arrêta sur le seuil.

— S'il te plaît. Ne pars pas comme ça.

— Adieu, Laurel, lança-t-il sans se retourner.

Elle s'agrippa à la poignée, craignant de s'effondrer si elle ne se raccrochait pas à quelque chose. Quand elle en trouva enfin la force, elle se tourna vers Jud :

— Qu'avons-nous fait ?

— Allons, Laurel, il l'aurait forcément appris tôt ou tard.

Il semblait si calme, si désabusé… Elle se rappela l'expression de son visage quand il les avait surpris à la cuisine dans la maison de Catalina. Elle tira doucement la porte qui se referma avec un petit clic. Un petit bruit anodin dans une situation qui ne l'était pas.

— Il a dit que je n'avais rien à voir dans tout cela. Qu'entendait-il par là ?

— Il pense que j'ai couché avec toi uniquement parce que tu étais sa petite amie. Depuis l'enfance, il est persuadé que je suis en compétition avec lui.

— Et tu l'es ?

— Non, répondit-il sèchement. Ce que nous avons fait, toi et moi, n'a rien à voir avec lui.

— Tu le penses sincèrement ?

— Oui.

Il se rapprocha.

— Non. S'il te plaît, dit-elle en levant les mains paumes ouvertes pour l'empêcher d'avancer. C'est ma faute.

Est-ce que tu as vu sa tête ? Je voulais rompre avec lui l'autre soir, mais il s'est endormi sur mes genoux. Après quoi il m'a dit que c'était pour moi qu'il avait décidé de faire médecine. Je suis lâche. J'aurais dû lui dire que je ne l'aimais plus. Mais, au lieu de cela, je me suis endormie et il était déjà parti quand je me suis réveillée.

— Tu n'es pas lâche, Laurel. Tu es humaine.

— Tu trouves ? Ma réaction me semble au contraire inhumaine et cruelle. J'ai tout sali.

Incapable de le regarder, elle laissa errer ses yeux sur la moquette, puis vers la fenêtre derrière laquelle le soleil brillait, radieux, indifférent.

— Je ne peux pas faire une chose pareille, dit-elle. Je ne veux pas être un obstacle entre toi et lui.

— Rompre une relation n'est pas une chose facile, dit-il en venant dans sa direction. Dis-toi qu'il allait souffrir de toute façon. Quoi qu'on fasse, on ne peut pas contrôler ses sentiments.

— Mais nous lui avons fait mal, Jud. Un mal de chien.

— Trop tard. Il est hors de question que je renonce à toi.

— Et qu'éprouves-tu pour moi, au juste ? Tu n'arrives pas à le dire ?

Elle scruta son visage, cherchant une réponse, une issue, un répit. Mais elle ne vit que Jud. Il la regardait exactement comme il l'avait fait sur le bateau, quand il lui avait dit « Désolé » avant de s'éloigner.

— Je peux le dire, Laurel. Tu veux que je te dise que je t'aime. Et toi ?

— Je n'arrive pas à savoir ce que je ressens.

Ses mains retombèrent le long de son corps et il la regarda comme si elle l'avait frappé en plein visage.

—Désolée, mais c'est la vérité. Je croyais savoir ce qu'est l'amour. Je croyais être amoureuse de Cale. Mais je me suis trompée. Comment pourrais-je être certaine de ce que j'éprouve pour toi ?

—Tu n'éprouves rien pour moi, dit-il platement.

—C'est tout le contraire.

Il tendit un bras vers elle, mais elle recula.

—Simplement, j'ai besoin de réfléchir. Il me faut du temps.

—Combien de temps ?

—Je n'en sais rien. Mais j'ai besoin d'être seule, Jud. Je ne peux pas réfléchir quand tu es là.

—Ce qui en dit long, tu ne crois pas ? lança-t-il sur un ton plein d'amertume et de sarcasme.

—S'il te plaît, reprit-elle après quelques minutes de silence. J'ai besoin de temps pour y voir clair.

—Entendu, je me retire. Je te laisse une semaine. Pas plus.

Raflant son portefeuille et ses clés sur la table, il se dirigea vers la porte. Juste avant de sortir, il s'arrêta pour la regarder une dernière fois, puis dit :

—Je t'aime, Petite.

Elle se mit à pleurer.

—Tâche de t'en souvenir, d'accord ?

—Parle-lui, Jud. S'il te plaît, parle-lui. Je ne veux pas que vous vous fâchiez à cause de moi.

—Je t'ai fait suffisamment de promesses pour aujourd'hui.

—C'est ton frère.

—Je vais y penser.

Il sortit, comme son frère avant lui, sans jeter un regard en arrière.

Laurel referma la porte. La tête lui tournait et elle avait les jambes flageolantes. Elle inspira profondément pour essayer de ravaler sa culpabilité et sa honte. À cet instant, si on lui avait tendu un miroir, elle n'aurait pas pu se regarder. Le visage défait de Cale se mit à flotter devant ses yeux, et elle se précipita dans la salle de bains pour vomir.

# 21

Cale s'était retranché dans son monde intérieur. Il vaquait tant bien que mal à ses occupations, avec un tel détachement qu'il lui arrivait d'oublier ce qu'il avait fait la veille. Il se sentait mutilé, comme au sortir d'une opération chirurgicale qui aurait mal tourné, et rien, ni l'alcool ingurgité à hautes doses, ni les jolies filles, ni même le sommeil, ne parvenait à lui faire oublier que Laurel lui avait préféré son frère. Profondément blessé, son amour-propre avait volé en éclats et il se retrouvait une fois de plus en situation d'échec : Laurel avait cessé de l'aimer. Les erreurs du passé lui revenaient en plein visage, lui rappelant que toutes les femmes qu'il avait aimées l'avaient laissé tomber.

Il vivait sur les remparts de la solitude depuis des mois (ou des années ?), et sans ses coups de fil, qui lui faisaient l'effet d'un remontant, il n'aurait jamais trouvé la force de continuer. Car sans elle, il n'était rien. Y avait-il encore une personne sur cette terre qui croyait en lui ? L'idée qu'ils aient rompu pour toujours le minait, détruisait progressivement toutes les fibres de son corps. Et de toutes les tortures, songer que Laurel était avec Jud était la pire. Le monde de l'amour était sans pitié. Comme dans ces BD où le méchant qui cherche à détruire le monde est à la fois un ami et un ennemi, et porte un masque noir et blanc. Il vous donnait l'illusion de la sécurité, mais ce n'était qu'un mirage. La trahison finissait toujours par arriver et la triste vérité par éclater au grand jour. Ce n'était qu'une affaire de temps.

Il n'arrivait plus à se concentrer. Même Strovich lui avait fait remarquer qu'il accumulait les bourdes, ajoutant que c'était une bonne chose que les examens soient terminés. Cale était en pleine détresse émotionnelle quand, un après-midi, en sortant du labo, il trouva son traître de frère qui l'attendait sur les marches. Jud vint dans sa direction :

— Cale !

— Va te faire voir.

Jud le saisit par l'épaule.

Cale pivota violemment sur lui-même pour se dégager.

— Laisse-moi tranquille.

— Attends. Écoute.

— Non.

Il commença à s'éloigner, mais Jud lui emboîta le pas, sans le lâcher d'une semelle.

— C'est moi qui l'ai rencontrée le premier.

Il fit volte-face.

— Qu'est-ce que tu racontes ?

— Laurel. Je l'ai rencontrée avant toi.

— J'ignorais qu'elle était la propriété de Jud Banning, dit Cale, tremblant de rage contenue.

Il l'avait rencontrée le premier ? Et quand bien même ! Mais quelque chose en lui, une blessure qu'il croyait guérie, s'était réveillée et l'élançait comme une agonie lente et douloureuse.

— Laurel, c'était la fille de Catalina. Celle à cause de qui je me suis retrouvé pris dans une bagarre.

Cale se remit à marcher.

— Tout compte fait, le mec qui t'a cassé la gueule m'apparaît sympathique.

— Attends, dit Jud.

Il le dépassa et vint se camper devant lui pour l'empêcher d'avancer.

— Vas-y, frappe-moi.

Les poings de Cale se crispèrent. Il voulait lui démolir le portrait.

— Non, ce serait trop facile.

— Allons, vas-y, je sais que tu en as envie. Frappe-moi.

— Dégage. Cours rejoindre Laurel. Il te la fallait à tout prix. Tu l'as eue. À moins qu'elle n'ait été qu'un prétexte ?

— Parce que tu crois que je n'éprouve rien pour elle ?

— Je n'en sais rien. Mais la chasse au trésor est finie. Et tu es sorti vainqueur, comme toujours. C'est drôle, tu ne trouves pas ? Il suffit que je désire une chose pour que ce soit toi qui l'obtiennes.

Ils étaient toujours frères, liés par le sang et la parenté, conçus par les mêmes corps, née de la même femme. Mais Laurel n'était pas un objet, ce n'était pas une voiture de sport ou un ballon de basket. C'était un être humain, avec un cœur que Jud avait volé. Cale ne pensait pas pouvoir jamais pardonner à son frère.

— Je ne peux pas changer ses sentiments. Si je suis venu, c'est parce qu'elle me l'a demandé.

Cale lâcha un rire caustique.

— Comme c'est touchant. C'est elle qui voulait que je te casse la gueule ?

Cale secoua la tête, puis son regard se perdit dans le vide et il ajouta :

— Tu ne comprends pas, Jud. Tu ne comprendras jamais. Parce que tu es l'homme à qui tout réussit, alors que je suis le raté de la famille.

Après cela, Jud cessa de le suivre. Quand Cale se retourna, il aperçut son frère debout sous un faux poivrier à côté de la bibliothèque.

Espèce de salaud…

Il fit encore quelques pas, puis il lui lança :

— Vas-y, Jud. Cours la rejoindre. Vite. Chaque minute compte.

Après cela, de la même façon qu'il avait perdu goût à la vie, Cale perdit la notion du temps. La nuit, des visions de Laurel l'assaillaient. Parfois il s'éveillait en croyant sentir une odeur de cannelle, un goût de miel, ou entendre le son cristallin de son rire. Parfois il fermait les yeux en plein jour pour chercher refuge dans l'obscurité, car la vie sans elle signifiait qu'il allait devoir désormais éclairer lui-même son chemin.


Au large de San Pedro, le *Catalina* pénétra dans un épais banc de brouillard. Depuis la fenêtre de la cafétéria où Laurel avait trouvé refuge, on ne voyait qu'un amas d'ouate opaque et silencieuse. La corne de brume lançait sa plainte à intervalles réguliers, et à chaque secousse les cloches de détresse tintaient tandis que le vapeur poursuivait sa course, laissant derrière lui le continent.

Tout avait commencé sur ce bateau. Les mois qui s'étaient écoulés depuis lors se mirent à défiler dans sa tête et, tandis qu'elle se rejouait mentalement chaque scène, elle s'interrogeait sur ses choix. Pourquoi avait-elle fait l'amour avec Cale ? Était-ce parce qu'elle l'aimait ? Parce qu'il l'aimait ? Ou parce qu'elle voulait à tout prix être aimée — de lui ou d'un autre, quel qu'il fût ? Était-ce parce que Jud l'avait rejetée ? La vérité, implacable, était qu'elle avait choisi de coucher avec lui le soir où elle avait découvert que Jud était son frère. C'était l'évidence même. Elle était tombée follement amoureuse de Jud lorsqu'il lui avait offert son premier verre de vin. Et maintenant elle se demandait lequel des trois avait été le dindon de la farce.

Elle n'avait trouvé aucune réponse satisfaisante lorsque le navire entra dans le port d'Avalon. L'eau d'un vert terne luisait sous le ciel couleur de plomb, et l'air salé et humide était aussi épais que le brouillard qu'ils avaient traversé quelques heures auparavant. Elle était revenue ici, dans l'île, avec l'espoir d'y voir plus clair et de trouver les moyens de recoller les morceaux des trois vies qu'elle avait détruites. Elle avait hâte de retrouver la maison qu'elle avait fuie quelques mois auparavant. Car au milieu de tout ce chaos – ce chassé-croisé d'erreurs et de revirements – sa mère était son port d'attache, la seule personne qui l'aimât sans rien exiger en retour.

Laurel trouva la maison vide. Une heure plus tard, quand sa mère revint de la boutique, elle lui raconta l'histoire de Cale et Jud. La réaction de Kathryn fut d'une violence inouïe.

— Je le savais. J'en étais sûre ! s'écria-t-elle en se mettant à marcher de long en large dans le séjour. Tu ne le croiras peut-être pas, mais je l'ai senti venir.

— Mais comment est-ce possible ? Tu ne connais même pas Jud.

— Je savais que ces garçons allaient te briser le cœur. Ce sont des Banning. Comment aurait-il pu en être autrement ?

La voix de sa mère se fit soudain stridente :

— Ils ont brisé notre famille.

Elle se mit à pleurer, agrippée des deux mains au dossier d'un fauteuil, et les larmes qui jaillissaient de ses yeux semblaient remonter des profondeurs d'un puits de désespoir.

— Ces deux frères vont te détruire. Tu dis que tu aimes Jud et pas Cale. Mais moi je te conseille de les fuir tous les deux comme la peste.

À présent, Laurel regrettait d'être venue.

— Maman, s'il te plaît. Je suis désolée. Mais tu ne comprends pas. Tout est ma faute. C'est moi qui me suis immiscée dans leur vie.

— Toi ? Mais non, voyons. C'est une histoire qui a commencé il y a des années.

— Qu'est-ce que tu racontes ?

— Ils ont tué ton père, Laurel.

— Maman ? Tu dérailles ou quoi ?

— Attends-moi ici.

Kathryn disparut, avant de revenir, blême, avec un vieux carton à chaussures. Elle lui tendit une coupure de journal.

Laurel commença à lire et c'est alors que la lumière se fit, insoutenable.

— Tu veux dire que leurs parents étaient dans l'autre voiture ?

— Ils n'étaient pas simplement dans l'autre voiture. Leur père était complètement ivre et conduisait comme un malade. Il a brûlé un feu et est entré de plein fouet en collision avec ton père. C'est Rudy Banning qui a provoqué l'accident et tué ton père.

— Sont-ils au courant ?

— Non.

— Pourquoi ne m'as-tu rien dit ?

268

— Est-ce que cela aurait changé quoi que ce soit ?

Les lettres noires se mirent à danser sur le papier jauni. Sentant que la tête lui tournait, Laurel prit une profonde inspiration et ferma les yeux.

— Je n'en sais rien.

Comble de l'ironie, le sort avait voulu que ce soit elle qui remette la mort de son père et l'intolérable souffrance qui en avait découlé au centre de leur vie. Le visage amaigri de sa mère était presque méconnaissable. Elle avait des yeux fiévreux d'insomniaque et le teint gris. Son menton était trop pointu et ses lèvres fines, comme celles d'une vieille femme. C'était une personne brisée, une de plus, songea Laurel.

C'était donc cela, l'amour ?

## 22

Jud tint parole. Il ne revint pas de la semaine. Mais le septième jour, à huit heures, il se présenta chez Laurel avec la ferme intention de lui faire entendre raison. Il avait obtenu ce qu'il voulait, mais il était prêt à se battre pour la garder. Le matin où ils s'étaient quittés, il était allé acheter une bague. Depuis lors, l'écrin de velours ne l'avait pas quitté. Il l'emportait partout avec lui, tantôt dans sa poche de veston, tantôt dans la poche intérieure de son blouson de sport, le plus près possible de son cœur. Tout en gravissant les marches du perron, il répétait mentalement le petit discours qu'il avait préparé. Il frappa à la porte, puis se retourna et attendit, les mains dans les poches. Pas de réponse. Il recommença en tambourinant plus fort.

— Laurel ! Laurel ! Ouvre !

C'est alors qu'il aperçut une petite pancarte *À louer* accrochée à la fenêtre. Il se figea, le souffle coupé. Elle était partie. Comment avait-il pu être assez bête pour lui accorder ne serait-ce qu'un jour de réflexion ?

Après une minute qui lui sembla une éternité, il sauta par-dessus la balustrade et vint coller son nez à la vitre, en mettant ses mains en visière. Les meubles étaient toujours là, mais pas la chaîne stéréo ni le plaid en tricot qui recouvrait le canapé, ni la poterie de sa mère ou les photos. D'une main tremblante, il nota le numéro de téléphone qui figurait sur la pancarte puis reprit la voiture pour se rendre à la cabine téléphonique la plus proche. La ligne de Laurel était hors service et le numéro du propriétaire ne répondait pas.

Une sueur froide aux relents métalliques s'écoulait par tous les pores de sa peau, le glaçant de la tête aux pieds. Il regagna sa voiture au pas de course. L'air lui manquait, l'obligeant à respirer à grands traits. Agrippé des deux mains au volant, il se rendit d'abord à l'école hôtelière. Mais là-bas on lui dit qu'elle était partie sans donner d'explications et sans laisser d'adresse. Il alla ensuite se garer devant le restaurant et attendit que quelqu'un vienne lui ouvrir. Laurel avait téléphoné deux jours plus tôt pour s'excuser, lui dit-on, car elle ne reviendrait plus. Il rappela le numéro qui figurait sur la pancarte, chaque heure jusqu'au soir, et quand il réussit enfin à joindre le propriétaire, ce dernier lui expliqua que Laurel avait donné son congé sans même chercher à récupérer sa caution.

À minuit, à bout de forces, il se mit au lit. Cette nuit-là, il dormit d'un sommeil lourd et sans rêve ; le lendemain matin, il prit le premier avion pour Catalina.


Assise dans un fauteuil d'angle, une boîte de mouchoirs sur les genoux et un vieux carton à chaussures posé à ses pieds, Kathryn contemplait la tasse de thé refroidi qu'elle tenait à la main. Le sucre qu'elle avait ajouté ne parvenait pas à faire passer le goût amer du citron. Dehors, le jour commençait à se lever sur les rues encore vides.

Elle ne fut nullement surprise d'apercevoir Jud Banning remontant l'allée. Il était venu pour la tourmenter et arrivait au moment le plus sombre de ces dernières quarante-huit heures. Sa fille avait pris la clé des champs. Elle les fuyait tous, même elle, surtout elle.

À l'est, des lambeaux de soleil teintaient çà et là le ciel de rose. Sur la table, la pendule sonna huit coups, chaque note s'égrenant à contretemps des coups frappés à la porte. Elle alla ouvrir.

—Je savais que l'un de vous deux viendrait, dit-elle en guise de bienvenue. J'ai eu raison de me faire du mauvais sang l'autre jour.

—Je cherche Laurel.

—Elle n'est pas ici.

—Où est-elle ?

—Elle m'a appelée il y a deux jours pour me dire qu'elle ne voulait plus voir personne.

Elle laissa échapper un petit rire amer, coupant comme un éclat de verre brisé.

—Même moi, elle ne veut plus me voir.

—Il faut que je la retrouve. J'aime votre fille.

—Votre frère aussi, apparemment. Mais je ne crois pas que ce soit de l'amour. C'est une compétition acharnée entre vous deux. Vous vous êtes servis d'elle.

—C'est ce qu'elle vous a dit ?

—Elle m'a rapporté les propos de Cale quand il vous a surpris ensemble. Il y a un contentieux entre vous.

—Mon frère s'est trompé. Ce n'est pas ce que vous croyez. Il faut que vous essayiez de comprendre. Il faut qu'elle comprenne.

—Allez-vous-en et laissez-nous tranquilles.

Elle fit un geste pour refermer la porte.

—Attendez ! S'il vous plaît. Je suppose qu'elle est à Seattle.

—Dans ce cas, pourquoi êtes-vous ici ?

— Il faut que j'aie une explication avec elle. Je ne veux pas la perdre.

Il ne voulait pas la perdre ? Était-il seulement conscient de ce qu'il venait de dire ? Gagner, perdre, détruire.

— Entrez, finit-elle par dire en entrebâillant la porte.

Il entra sans un mot, visiblement mal à l'aise. Elle lui tendit le carton plein de coupures de journaux et il commença à lire celle qui se trouvait sur le dessus de la pile. En le voyant pâlir, Kathryn songea : Une vie brisée contre une autre.

— Si vous aimez ma fille autant que vous le prétendez, Jud Banning, partez. Laissez-la refaire sa vie, une vie dans laquelle un Banning n'a pas sa place. Votre famille nous a fait suffisamment de mal comme cela.

— Elle est au courant ?

— Oui, depuis deux jours.

— Raison de plus pour que je lui parle. Écoutez, je suis désolé pour votre mari, mais c'est mon père le coupable. Cale et moi n'y sommes pour rien. Nous sommes des victimes tout autant que vous.

— Restez à l'écart de ma fille.

— Vous voulez me punir, mais c'est Laurel que vous punissez.

— Si elle vous aimait, elle ne vous aurait pas laissé. Je ne cherche pas à vous punir, mais simplement à la protéger.

— Vous n'avez pas besoin de la protéger de moi. Jamais je ne lui ferai de mal.

— C'est déjà fait Allez-vous-en.

Elle lui fit signe de partir. Sa présence ici, dans sa maison, l'asphyxiait comme s'il lui avait volé l'air dont elle avait besoin pour respirer.

Après avoir refermé la porte derrière lui, elle se laissa tomber dans un fauteuil puis rejeta la tête en arrière et ferma les yeux. Elle entendait encore la voix de Laurel lui disant au téléphone :

« Je ne veux pas semer la discorde entre deux frères. Et maman, je ne te pardonnerai jamais de ne pas m'avoir dit la vérité plus tôt. Je t'appellerai dans quelque temps pour te faire savoir où je suis. Adieu. »

Sur ces simples mots, elle avait disparu.

La pendule sonna la demie quand Kathryn trouva enfin la force de bouger. Après s'être douchée, elle alla s'installer derrière son bureau et appela la galerie de Seattle. Deux coups de fil plus tard, elle entrait en communication avec le fondé de pouvoir de Victor Banning et l'informait qu'elle était disposée à vendre une toile de Rachel Espinosa. Une fois réglées toutes les formalités, elle raccrocha. C'était aussi simple que cela.

Elle se rendit ensuite dans la remise et, après avoir réussi non sans mal à extirper le tableau de sa cachette, elle passa le reste de l'après-midi à l'emballer soigneusement avant d'appeler les déménageurs pour leur demander de passer le prendre le lendemain et de l'expédier sur le continent. La quincaillerie de l'île ne se trouvait qu'à une courte distance de la maison et, trente minutes plus tard, elle entrait dans sa chambre et allumait le plafonnier. À la lumière électrique, tous les défauts des vieux murs ressortaient. Elle n'avait jamais réussi à s'habituer à ce jaune criard et faussement joyeux. Car elle n'était pas Evie. Les goûts de sa sœur ne lui convenaient pas mieux que ceux de Julia. Si bien qu'après avoir entassé tous les meubles au milieu de la pièce, Kathryn empoigna son rouleau et commença à repeindre sa chambre en bleu.

Deux hommes en uniforme déchargèrent la caisse soigneusement emballée puis suivirent Harlan jusqu'à l'entrepôt. Victor se tenait face à l'unique mur resté vide, où il avait prévu d'accrocher les deux dernières toiles de Rachel. Son cœur battait à se rompre, il avait si chaud qu'il se sentait sur le point de défaillir, exactement comme lorsqu'ils étaient ensemble. Le temps avait beau passer, il ne parvenait pas à effacer le souvenir de Rachel, qui résonnait dans sa mémoire comme un carillon.

Elle et lui avaient l'habitude de se retrouver dans un entrepôt semblable à celui-ci, environné par des squelettes d'usines désaffectées et desservi par le même monte-charge grinçant. Mais, une fois la porte fermée, le monde extérieur cessait d'exister. La pièce carrée et aveugle, avec son lit posé à même le plancher de bois brut, sa baignoire munie d'une douche en acier, ses toilettes et son lavabo sur pied, avait des allures de cachot. Pendant plus de dix ans, ils avaient fait l'amour dans une pièce privée de lumière naturelle, de ciel bleu ou de soleil, comme s'ils avaient voulu se prouver l'un à l'autre qu'ils avaient tout à perdre.

Rachel était sa passion et son poison. Elle était comme lui assoiffée de luxure et de pouvoir, et chacun s'acharnait à dominer l'autre, tout en étant incapable de rompre ou de prendre ses distances.

« C'est fini, Victor. »

Chaque fois qu'elle prononçait ces mots, c'était d'une voix résolue et détachée qui détonnait par sa froideur avec la femme ardente qui s'était donnée à lui quelques instants plus tôt. Son cœur à lui battait très fort après l'amour. Mais elle reposait nonchalamment dans le lit, offrant à la vue la courbe serpentine de son dos nu, dont la blancheur de lait contrastait avec le noir de ses cheveux. Ses fesses portaient encore la trace violacée de ses doigts. Ce jour-là, lorsqu'elle se releva pour allumer une cigarette, il vit des restes de peinture orange sous ses ongles, un éclair de jaune sur son coude, une touche de vert sur un pouce.

Unique source de couleur dans cette pièce aux murs blancs comme une toile vierge, Rachel regardait ailleurs, distante et solitaire. C'était sa façon à elle d'ériger une barrière entre eux – un mur qui finissait néanmoins toujours par se craqueler. Se penchant vers lui, Rachel lui mit sa cigarette entre les lèvres, puis elle se leva et enfila sa robe en la faisant passer au-dessus de sa tête.

Écœuré par le goût du tabac, il jeta le mégot dans un verre contenant un reste de whisky posé sur le plancher.

— Tu t'en vas ?

— Oui.

— Ce qui veut dire que tu as eu ce que tu étais venue chercher.

— Et toi aussi.

Elle enfila ses chaussures à talons, le toisa du regard.

— C'est possible.

Les mensonges proférés à haute voix semblaient plus crédibles. Victor était un menteur consommé.

Elle ramassa son sac à main, y jeta ses cigarettes et son briquet.

— Je veux mettre un terme à tout ceci.

— Uniquement pour pouvoir te prouver que je n'ai pas d'ascendant sur toi. Tu as tort de t'en faire, ma jolie. Nous avons tous besoin de nous raccrocher à quelque chose, c'est humain. Allons, va-t'en. Je sais bien que tu reviendras.

— Et toi aussi, Victor.

Elle ouvrit la porte, puis se retourna.

— Je ne t'aime pas.

— C'est justement ce qui nous rapproche, je suis moi aussi incapable d'aimer.

Le regard qu'ils échangèrent à ce moment-là était franc, dénué de fard, malgré tous les mensonges qu'ils avaient pu échanger.

Il avait beau se dire que cet amour était destructeur, il ne pouvait s'en passer. C'était là son drame. Et maintenant que Rachel n'était plus de ce monde, elle lui manquait cruellement. Depuis sa mort, il ne s'était pas passé un jour sans qu'il ait eu l'impression d'avoir été amputé d'une partie de lui-même. Il ne regrettait pas d'avoir dit la vérité à son fils, mais il regrettait d'avoir perdu Rachel en le faisant.

Le monte-charge avait atteint le dernier étage. Quand les déménageurs eurent déposé la toile contre le mur, Victor attendit qu'ils aient regagné leur camion et quitté l'entrepôt pour l'ôter de son emballage.

En découvrant l'immense estafilade en forme de X qui lacérait le tableau de part en part, il n'en crut pas ses yeux. Une violente émotion, mélange de colère et de stupeur, s'empara de lui. D'un pas chancelant, il regagna la voiture.

— À la maison, ordonna-t-il en même temps qu'il décrochait le téléphone de voiture.

Dès que son fondé de pouvoir fut à l'autre bout de la ligne, il lui demanda :

— Qui vous a vendu la toile ?

— Je ne le sais pas précisément. Il y a un problème ?

Dès qu'il fut en possession de l'information, son avocat le rappela.

— Le propriétaire a exigé que l'argent soit reversé à une association caritative. La fondation Jimmy Peyton.

— Je vous rappelle plus tard.

Victor raccrocha. Il avait le souffle court et se sentait nauséeux.

— Jimmy Peyton et les Fireflies, dit-il tout haut.

Un nom qu'il avait complètement effacé de sa mémoire après l'accident. Peyton. La dernière petite amie de Cale s'appelait Laurel Peyton. Jimmy Peyton et les Fireflies. Laurel Peyton. Non, c'était impossible. Jamais sa famille n'aurait toléré le moindre lien entre elle et lui. La gamine lui ayant semblé insignifiante, il ne s'était pas donné la peine de se renseigner sur son compte. Dire qu'il lui aurait suffi de prononcer son nom pour les séparer ! C'était le comble de l'ironie.

Mais toujours est-il que la toile avait été délibérément vandalisée. Elle avait été défigurée, comme l'avaient été leurs vies. Si tant était qu'on puisse qualifier de vies ces tissus de mensonges, de non-dits et de dénis. Il abaissa la vitre. Il manquait d'air.

— Harlan, montez l'aération.

Une sensation étrange de picotement envahit brusquement sa joue droite, se répandit en cercles sur tout son visage jusqu'à l'engourdissement, puis disparut. Il avait un goût de métal dans la bouche.

— Vous disiez, Monsieur Banning ?

— Montez la soufflerie. Je n'arrive pas à respirer.

Dans sa tête, les mots étaient clairs, mais ce qui sortait de sa bouche était une bouillie assourdie et incompréhensible. Les bords de son champ de vision pâlirent puis disparurent. Il ferma les yeux. Il avait chaud, la tête lui tournait.

Quand il rouvrit les paupières, la voiture était arrêtée et Harlan se tenait penché au-dessus de lui, une main posée sur son épaule.

— Je ne comprends pas ce que vous dites, Monsieur.

De l'air, songea-t-il. Il fait trop chaud. J'ai besoin d'air. Mais ses lèvres refusaient de remuer.

On était vendredi après-midi quand Jud appela Cale pour lui annoncer que Victor avait eu une attaque. Cale se mit aussitôt en route, mais à cause des embouteillages il lui fallut plus d'une heure pour se rendre à l'hôpital de Santa Ana. Il trouva son grand-père dans l'unité de soins intensifs, perfusé et relié à des moniteurs. Son visage, un masque grotesque, ressemblait d'un côté au Victor que Cale avait toujours connu – avec des traits aigus et des muscles parfaitement dessinés – tandis que l'autre n'était plus qu'un amas de chair et d'os qu'on aurait dit broyés. La peau grise et les cheveux plaqués par la transpiration, il gisait, inconscient.

Jud se tenait à côté de la fenêtre, les mains dans les poches. Il avait les traits tirés et semblait frappé de mutisme. Cale n'avait pas revu son frère depuis la fois où il était venu le trouver à la fac pour tenter de lui extorquer une absolution.

— Que s'est-il passé ?

— Ils étaient en train de rouler sur l'autoroute quand Victor s'est mis à abaisser toutes les vitres en tenant des propos incompréhensibles. Harlan a appelé son médecin, qui lui a dit de venir immédiatement ici, à l'hôpital. Ils vont lui faire passer d'autres examens quand il sera réveillé. Il ne peut pas parler, mais il a survécu à l'attaque.

Cale ne répondit rien. Jud restait planté à côté de la fenêtre. Un gouffre les séparait.

— Puisque tu es là, je vais en profiter pour aller passer quelques coups de fil, dit Jud en se dirigeant vers la porte.

Cale ne put s'empêcher de demander :

— Tu vas appeler Laurel ?

Jud se retourna vers lui.

— Non. Elle est partie sans laisser d'adresse. Sa mère prétend qu'elle ne sait pas où elle est. Laurel lui aurait dit qu'elle ne voulait pas s'immiscer entre nous.

— Trop tard.

— C'est beaucoup plus compliqué que tu ne le crois.

Jud avait l'air abattu, ce qui seyait mal à son tempérament de fonceur.

— Tu as essayé Seattle ?

— J'ai mis un détective sur l'affaire. Mais je crois qu'elle veut qu'on lui fiche la paix.

Il ouvrit la porte.

— Je vais chercher Harlan.

Resté seul, Cale jeta un coup d'œil au dossier médical de Victor. À en juger par les résultats du scanner, l'attaque avait été sévère, mais il allait s'en sortir. Saisissant le coin du drap, Cale essuya un filet de salive qui s'écoulait de la bouche de son grand-père, geste qui, en temps normal, aurait révulsé le vieil homme.

Restait à savoir s'il allait récupérer toutes ses fonctions. Son grand-père avait toujours été un tyran. Cale aurait voulu le mépriser, mais il n'était pas facile de haïr un homme grabataire. Il lui toucha la main et le vieil homme ouvrit les yeux. Il essaya de parler, mais ne parvint qu'à émettre des sons gutturaux incompréhensibles.

— N'essaie pas de parler, Victor. Je vais chercher quelqu'un.

Mais la main de son grand-père s'agrippa à la sienne, refusant de la lâcher, si bien que Cale dut se servir de son autre main pour appuyer sur la sonnette. Quand l'infirmière entra pour l'emmener faire d'autres examens, elle dut desserrer ses doigts un à un pour l'obliger à lâcher prise. Resté seul dans la chambre vide, Cale frotta ses phalanges rouges et endolories. À sa grande stupeur, il fondit en larmes. Un immense désespoir jaillissait des profondeurs de sa poitrine en grands sanglots désespérés qui le faisaient hoqueter et le secouaient de la tête aux pieds. Il se laissa tomber sur une chaise à côté du lit et enfouit son visage entre ses mains.

Au bout d'un moment il sentit la main de Jud sur son épaule. Quand il réussit enfin à se ressaisir, il s'essuya les yeux, gêné.

—Je suis désolé pour Laurel, Cale.

Jud ne comprenait rien.

—C'est sans importance. Je n'y pense déjà plus.

Les mots étaient sortis précipitamment de sa bouche, comme le font les mensonges. Mais au fond de lui, Cale savait qu'il n'était pas près de l'oublier.

# Troisième partie

## 2002

«C'est en se battant contre lui-même
que l'homme révèle sa vraie valeur.»

Robert BROWNING

# 23

*Newport Beach, Californie*

Un après-midi par semaine, Cale Banning s'échappait de son cabinet pour aller faire un dix-huit trous au Country Club de Harborview. C'était Robyn qui lui avait suggéré de se mettre au golf, quelque vingt ans plus tôt. Elle avait remarqué qu'il rentrait exténué et tendu le soir, après avoir passé toute la journée au bloc opératoire.

— Cale, mon amour, nous t'adorons. Tes confrères et tes patients te respectent, mais ton dévouement finira par avoir raison de toi. Pourquoi ne vas-tu pas jouer au squash, au football ou au tennis, ou tiens, même, au golf, pour te défouler ? Tu devrais penser à ta santé.

Pour son anniversaire, Robyn et les garçons lui avaient offert un jeu de clubs de golf et Jud lui avait payé l'abonnement au club.

Cette semaine-là, comme souvent, il jouait en compagnie de Super Collins, un cardiologue et ancien compagnon d'études qu'il avait connu à l'université de Californie du Sud. Son vrai nom était Karl, mais on l'avait surnommé «Super» car il était capable d'envoyer une balle de golf si haut dans les airs qu'elle semblait attendre les applaudissements avant de redescendre sur le green.

Collins pointa sa canne vers le rough et dit :

— Cent dollars que tu vises à côté et que ta balle atterrit dans les arbres.

— Pari tenu, dit Cale en faisant un swing.

Cinq minutes plus tard, il se retrouvait au pied d'un eucalyptus géant, très loin du green.

— Ma parole, dit Super, tu es tombé à pieds joints dans le piège.

— Piège ? Arrête de frimer, tu veux ?

Cale frappa la balle et l'envoya à trois coups au moins du trou. À quatre heures, il devait six cents dollars à Super.

— Je vais te donner une chance de te refaire, Banning. Quitte ou double. Tu fais un par et j'efface l'ardoise.

Cale toisa un instant le drôle d'instrument qu'il tenait à la main, puis se dit qu'il aurait eu aussi vite fait de jeter la balle à la main en direction du green.

— Rien à fiche du pognon. Je joue comme un pied, voilà tout.

— Parce que tu ne penses qu'à gagner. Ou parce que tu n'aimes pas perdre. Écoute, on va faire un pari. Si je fais ce trou en deux coups au-dessus du par, tu devras examiner une de mes patientes.

— Vois ça avec Sharon, c'est elle qui gère mon planning.

— Blablabla.

— Appelle Madison. C'est un bon chirurgien.

— Ce n'est pas Brad Madison que je veux, c'est toi.

— Pourquoi ?

— Parce que tu es le meilleur, crétin.

— Je suis le meilleur crétin ?

Cale scruta le gazon du fairway.

— J'ai une certaine expérience, je te le concède.

— Tu n'as pas perdu ton sens de l'humour, mais je n'en dirais pas autant de ton culot.

Ce n'était plus un jeu, un échange de boutades entre deux vieux copains. Cale fit volte-face.

— Que cherches-tu à insinuer ?

— Que tu as changé depuis la mort de Robyn.

— Nous avons été mariés pendant près de trente ans. Alors, forcément, ma femme me manque.

— Ce n'est pas de cela que je veux parler, et tu le sais très bien. Ce qui te manque, c'est la pêche.

— Pourquoi faut-il que les gens qui ignorent tout du veuvage se sentent obligés de vous dire comment vous devez vous comporter et ce que vous devez ressentir ?

— Comme je suis ton ami, je préfère ne pas relever. Mais laisse-moi tout de même te rappeler qu'il fut un temps où tu étais l'un des meilleurs chirurgiens de ta génération. Je n'aurais jamais cru qu'un type aussi doué que toi puisse renoncer un jour à sauver des vies.

— Interroge mes patients. Je n'en ai pas perdu un seul depuis longtemps.

— Depuis que Robyn est morte.

— Exact, car il se trouve que la médecine n'a rien pu pour elle.

Il faisait vingt-cinq degrés à l'ombre et il n'y avait pas un nuage dans le ciel, mais sans sa femme le ciel bleu et le soleil n'avaient pas l'air d'être à leur place.

— Je choisis mes patients. Tout le monde choisit ses patients.

— Robyn était fière de toi.

— Si tu n'étais pas un vieil ami, Karl, je te mettrais mon poing dans la figure.

Cale fit un swing et regarda la balle s'envoler vers la droite.

— Je suis mal barré.

— Et ça ne date pas d'hier, mon vieux.

—Je suis un grand chirurgien, reprit-il sur un ton presque agressif.

—Tu étais un grand chirurgien.

Cale leva la main, il capitulait.

—Et toi, tu es une sacrée tête de mule. Tu n'auras qu'à me faire suivre ce dossier. Et maintenant, tu veux bien la fermer ?

—Bien sûr.

Super posa sa balle sur le tee, recula.

—Comment s'appelle ta patiente ?

—King.

Collins rectifia son alignement, balaya le green du regard.

—Son nom est King.


*Santa Ana, Californie*

Annalisa King adorait son père, mais parfois il était insupportable. Alors qu'elle était en train de rouler sur l'autoroute, il l'avait appelée sur son portable pour l'abreuver de recommandations. Elle l'écoutait sans pouvoir raccrocher.

—Tu as du talent, Annalisa. Tu es *ma* fille, lui répétat-il pour la centième fois.

Sa voix criarde était déformée par les ondes électromagnétiques qui faisaient ressortir son drôle d'accent.

—Je te l'ai déjà dit. Tu t'associes avec moi et, dans quelques années, je t'ouvre ton propre restaurant. L'Annalisa. Tu imagines ton nom en toutes lettres sur la devanture ? Et tes initiales gravées sur les vitres ?

—Je ne veux pas d'un restaurant.

— Parce que le métier de chef n'est pas digne de toi, peut-être ?

— Ce n'est pas le problème et tu le sais très bien.

— Tu le portes en toi, dans tes gènes. Tu es en train de jeter ton talent à la corbeille.

— À la poubelle, papa. Jeter à la poubelle.

— Si tu veux. C'est la même chose. Et ne change pas de sujet, s'il te plaît. Conceptrices de cuisines ! Ta mère et toi êtes aussi ravagées l'une que l'autre.

— King Design jouit d'une solide réputation. Et d'ailleurs, tu es le premier à faire appel à maman pour équiper tes restaurants.

— Écoute-moi, *ma petite fille*.

Elle aurait voulu lui dire : «Je ne suis plus une petite fille ! Et ce n'est pas à toi de me dire ce que je dois faire.» Mais il parlait, parlait et insistait pour essayer de la convaincre. L'idée qu'elle ait pu suivre une autre voie que celle qu'il avait choisie pour elle lui était insupportable. C'était comme si elle avait préféré sa mère.

Brusquement, il s'arrêta de parler. Ne sachant que dire, elle bredouilla :

— Je t'adore, mon papa chéri. Mais il y a un monde fou sur l'autoroute. Il faut que je raccroche. On en reparlera plus tard. Bisous.

Elle éteignit son portable et le jeta dans sa sacoche posée sur le siège passager, mais les paroles culpabilisantes de son père continuaient de résonner dans sa tête avec l'insistance d'un marteau-piqueur. Elle abaissa la vitre et monta le volume de la radio.

Un quart d'heure plus tard, elle était dans l'ascenseur, en route pour le dixième et dernier étage du siège de la compagnie BanCo. Elle se sentit soudain prise de vertige et dut s'appuyer à la paroi pour garder l'équilibre. Un voile de transpiration baignait son front. Les nerfs.

Contrairement à sa mère, elle refusait de rester assise derrière son bureau en attendant que la compagnie Del Mar ait fait son choix parmi les entrepreneurs qui avaient répondu à son appel d'offres concernant le projet de Camino Cliff; elle avait, à l'insu de sa mère, pris rendez-vous avec le responsable des marchés. Les portes de l'ascenseur s'ouvrirent sur un élégant vestibule où officiait une réceptionniste tirée à quatre épingles derrière un bureau en demi-lune en acajou et métal brossé.

— Je suis Annalisa King. De King Design. J'ai rendez-vous avec M. Banning.

La femme consulta son carnet de rendez-vous.

— Je suis désolée, mais je ne vois votre nom nulle part.

— C'est au sujet du projet de Camino Cliff.

— Vous voulez voir M. Matthew Banning.

Elle feuilleta un autre carnet de rendez-vous.

— Voilà, c'est ici. Si vous voulez bien patienter… Je vais l'avertir que vous êtes arrivée.

Annalisa alla s'asseoir dans l'un des canapés mis à la disposition des visiteurs, puis croisa les jambes et se mit à tapoter du pied sur le rebord de la table basse sur laquelle s'étalaient de luxueux magazines au papier glacé. Des appliques en verre de Murano éclairaient les murs tapissés de daim, et les coussins du canapé étaient recouverts de cachemire. Elle se pencha de côté pour jeter un coup d'œil à la toile accrochée derrière elle : un Miró original, de deux mètres de haut. Du fric, du fric, et encore du fric à ne plus savoir qu'en faire.

Trois mois auparavant, King Professional Design leur avait soumis des plans et un devis pour l'aménagement de sept restaurants et dix cuisines pro, soit un marché de

290

cinq millions de dollars. Enclave de plusieurs centaines d'hectares située en première ligne de mer, le projet Camino Cliff comprenait plusieurs terrains de golf portant la griffe Arnold Palmer, une résidence hôtelière cinq étoiles avec vue imprenable sur le Pacifique et un spa suisse de classe internationale. Les restaurants, depuis l'authentique maison de thé japonaise et le bar à sushis jusqu'à la salle de réception surmontée d'une immense coupole de verre, allaient proposer le fin du fin de la haute cuisine californienne.

C'est parce qu'elle espérait coiffer ses concurrents au poteau qu'Annalisa avait demandé à rencontrer le responsable du projet. Non pas le directeur de la société Del Mar, qui avait lancé l'appel d'offres, mais le propriétaire de la société mère, la BanCo.

— M. Banning va vous recevoir.

Annalisa suivit la réceptionniste dans un long couloir. Elles passèrent devant une salle de conférences vitrée avant de s'arrêter devant une porte en bois de rose sculpté. Annalisa la suivit à l'intérieur.

— Mlle Annalisa King, de chez King Design.

La main tendue, Annalisa se figea en voyant l'homme qui avait quitté son bureau pour venir à sa rencontre. Il était plus jeune qu'elle ne l'avait imaginé – à peine trente ans – et d'une beauté à tomber à la renverse.

— Matthew Banning.

Il lui serra la main et se tint devant elle, tel un prince charmant sorti d'un conte de fées : voix grave onctueuse, cheveux noirs, yeux bleus, et plus grand qu'elle d'une bonne tête malgré ses talons aiguilles Christian Louboutin. Elle regarda furtivement sa main gauche. Pas d'alliance.

— Vous semblez surprise ?

— Vous êtes si jeune…

Les mots étaient sortis tout seuls.

Il rit de bon cœur.

— J'étais en train de me dire la même chose à votre sujet.

— Je suis une enfant prodige.

— Tant mieux. J'aime les femmes intelligentes. Asseyez-vous, lui dit-il en s'adossant au rebord de son bureau, pieds croisés.

— Si je m'assieds dans ce fauteuil et que vous restez debout, je vais avoir l'impression de m'adresser à Dieu.

— Parfait. Je vois que nous savons l'un et l'autre où est notre place.

— Vous voulez dire que je vais devoir brûler un cierge si je veux décrocher le marché de Camino Cliff ? plaisanta-t-elle en s'efforçant d'avoir l'air détendue.

— Je ne vous cache pas que la concurrence est rude.

— Je sais. Cuttler est le maître d'œuvre du Ritz, du Palms à Indio, et de la rénovation des Ranches de Santa Ynez. La société Riverton a réalisé Pelican Point et l'auberge de Cote de Casa. Mais nous avons le Del Sol de Megryl à notre actif, ainsi que le Jonathan, le Tommy Bahama, et le Cutter.

Elle fouilla dans sa serviette et en ressortit le dossier de présentation de King Design. Mais, lorsqu'elle releva les yeux, elle vit qu'il avait l'air surpris.

— Vous n'avez pas l'air de connaître nos réalisations ?

— Non.

Elle redressa la tête.

— Vous n'aviez pas retenu notre devis.

— Non.

— C'est curieux, vous ne me faites pourtant pas l'effet d'un homme qui se trompe dans ses choix.

Il ne répondit rien, ne fit pas un geste. Elle reprit :

— Je veux ce marché, monsieur Banning.

— Et pourquoi devriez-vous avoir ma préférence ?

Impassible, son visage ne trahissait pas la moindre émotion.

— Parce que ma mère est une cuisiniste hors pair. Elle est capable de satisfaire les chefs les plus exigeants. Elle-même a été chef du Camaroon.

— Le restaurant de Beric King à L.A. ?

Il fit une pause, puis dit lentement :

— King Professional Design. Ce n'est bien sûr pas une coïncidence.

Annalisa sourit :

— Ma mère a géré les affaires de mon père pendant des années, et elle continue encore aujourd'hui, bien qu'ils aient divorcé depuis longtemps. La restauration est notre domaine de prédilection, et s'il y a une entreprise qui sait concevoir des cuisines, c'est la nôtre.

— Cuttler et Riverton ont davantage d'expérience. L'un et l'autre ont plus de vingt ans de métier et ils sont habitués à réaliser des projets de cette envergure.

— Quand je suis entrée, vous avez été frappé par mon jeune âge. J'ai vingt-deux ans. Je manque d'expérience, sans doute. Mais j'ai grandi dans le milieu de la restauration. C'est comme si je le portais dans mes gènes, dit-elle, citant son père.

Matthew Banning l'écoutait attentivement. Ce qui était plutôt bon signe, même si la partie n'était pas gagnée.

— Nous sommes une petite entreprise, je vous le concède, poursuivit-elle, mais cela joue en votre faveur. Car nous serons d'autant plus à votre écoute. Nous allons nous consacrer entièrement au chantier jusqu'au complet achèvement des travaux.

— Le devis de Riverton est moins cher.

— Et vous trouvez son offre crédible ?

Il ne répondit pas.

— On ne peut pas tirer les prix au-dessous d'un certain plancher, reprit-elle. Riverton prétendra qu'il peut avoir des prix sur les matériaux et il se rattrapera sur d'autres postes. Il vous comptera un petit dépassement sur les aciers, un autre sur l'éclairage ou sur les pierres… Vous acceptez un dépassement contractuel de dix pour cent sur les offres, c'est bien cela ?

— C'est bien cela.

— Vous pouvez être certain que Riverton et Cuttler vont faire jouer la clause des dix pour cent. Appelez leurs autres clients et demandez-leur s'ils étaient au-dessus ou au-dessous du devis.

Il semblait déconcerté.

Elle lui tendit le dossier de présentation qu'elle avait apporté.

— Voici la liste des chantiers que nous avons réalisés. Vous pouvez appeler chacun des clients qui y figurent et leur demander ce qu'ils pensent de notre travail. Pas une seule fois nous n'avons fait de dépassement de devis.

Il prit le dossier. Elle avait réussi à l'appâter.

— Ni ma mère ni moi ne vous ferons jamais de promesses que nous ne pourrons pas tenir. Nul n'aura besoin de la clause des dix pour cent.

Elle savait qu'elle était en train de jouer son va-tout.

— Vous nous attribuez le marché et nous retirons la clause des dix pour cent.

— Cela représente un demi-million de dollars.

— Absolument.

— C'est risqué.

— Je n'ai pas l'habitude de faire des promesses en l'air.

Elle sortit une carte de visite de sa serviette et la lui tendit.

— Surtout, n'hésitez pas à m'appeler si vous avez des questions.

Il prit la carte.

— Eh bien, vous m'avez donné matière à réflexion.

— J'espère bien, dit-elle sur le ton bravache de quelqu'un qui n'a rien à perdre.

Elle empoigna son attaché-case, lui serra la main.

— Je veux ce marché.

— C'est ce que j'avais cru comprendre.

— Dans ce cas, il est inutile que je prenne une minute de plus de votre temps.

Elle commença à s'éloigner. Mais une fois à la porte, elle s'arrêta et vit qu'il regardait ses jambes. Si une paire de talons aiguilles et une minijupe de créateur italien lui permettaient de décrocher ce contrat, c'est qu'elles valaient chaque sou qu'elle avait dû débourser pour se les offrir.

— Prenez le temps de réfléchir, Matthew.

Elle se dirigea vers l'ascenseur sans jeter un regard en arrière. Quand les portes se furent refermées derrière elle, elle s'adossa à la paroi, le cœur battant et le front en sueur. Il n'était pas facile d'obtenir ce qu'on voulait dans la vie.

*Surfside, Californie*

Laurel Peyton King avait beau se dire qu'aucun mariage n'était jamais rose et que les sentiments, même les plus forts, résistaient difficilement à l'épreuve du temps, son divorce lui avait laissé un goût de cendres. Elle s'était mariée par dépit, pour essayer d'oublier une blessure d'amour et parce qu'elle était inexpérimentée, et quand elle avait réalisé son erreur, au lieu de relever la tête et de quitter un mari qui lui rendait la vie impossible, elle s'était entêtée à rester à ses côtés. Mais, maintenant qu'elle était divorcée, sa vie lui semblait moins compliquée, et elle en venait à se dire qu'en persistant à rester mariée elle avait fait une fois de plus le mauvais choix au nom de l'amour, pour préserver leur fille. Beric King, son ex, était une toque étoilée, l'auteur d'extravagants menus créés spécialement pour la cérémonie des Oscars, un homme plein d'énergie et de charme qui envoûtait les amateurs d'émissions culinaires matinales, un nom qui s'étalait à la devanture de restaurants situés dans Hollywood ou Fairfax Boulevard, un mari avec qui la vie était un chaudron frémissant, prêt à déborder à chaque instant.

La seule chose qu'elle avait exigée au moment du divorce était leur maison sur la plage, située sur un bras de terre entre l'océan et l'autoroute de la côte du Pacifique, où les maisons étaient serrées les unes contre les autres comme des livres sur une étagère et aussi disparates que les gens qui peuplaient la Californie.

Beric et elle avaient découvert le bungalow gris rechampi de blanc quelques heures seulement après qu'il eut été mis en vente, et l'avaient aussitôt acheté. Peu après, sa véranda repeinte de frais et garnie de luxuriantes jardinières de géraniums et d'impatiens était devenue son havre de paix. Là, à quelques enjambées du sable doré, elle pouvait se laisser bercer par le roulement des vagues en respirant l'air marin et en admirant le chatoiement électrique du soleil couchant tandis qu'au-dessus de son épaule le disque pâle de la lune commençait à monter dans le ciel. Là, à l'écart des réverbères, le ciel était d'un bleu profond et les nuits fraîches.

Dans ce monde uniformisé à outrance, où régnait une température constante de vingt-cinq degrés, où les lotissements de deux cents maisons livrées clés en main poussaient comme des champignons, où les décapotables de marque allemande filaient par dizaines sur l'autoroute, sa petite tranche de sable lui semblait différente et suspendue hors du temps. Seule devant l'immensité du Pacifique, Laurel pouvait méditer sur ses erreurs passées.

En semaine, à l'heure du déjeuner, elle revenait ici pour prendre une bouffée d'air marin et avaler un sandwich en jetant un coup d'œil au journal de midi. Mais aujourd'hui elle avait quitté le bureau plus tard que prévu et l'après-midi était déjà bien entamé lorsqu'elle s'assit devant la télévision pour manger son sandwich au thon. Tandis que les flashs d'information défilaient en boucle sur une mince bande bleue en bas de l'écran, des journalistes experts en droit pénal débattaient autour d'une affaire de meurtre qui tenait la nation en haleine depuis quelque temps. Le prévenu, un homme d'affaires de Seattle accusé d'avoir assassiné sa femme, avait été arrêté alors qu'il tentait de franchir la frontière. De courtes séquences filmées au tribunal montraient tour à tour les parents, les enfants et les maîtresses supposées du suspect.

Un journaliste célèbre avait pris l'antenne.

— Nous sommes en présence d'une accusation uniquement fondée sur des présomptions. Pas d'arme du crime, aucune preuve médico-légale tangible. Le procureur va avoir du pain sur la planche.

— Nous savons pourtant qu'il est coupable, rétorqua sèchement une autre journaliste. L'homme a appelé sa maîtresse en lui faisant croire qu'il était à Hong Kong le lendemain du jour où le cadavre de sa femme a été retrouvé.

— Ce n'est pas parce qu'il ment que c'est un assassin. Le substitut du procureur va devoir centrer son réquisitoire sur le sort de la victime s'il veut convaincre le jury.

Le visage du jeune procureur emplit soudain l'écran.

— Fils du juge Patrick O'Hanlon, Greg O'Hanlon a jusqu'ici obtenu une moyenne de neuf condamnations sur dix réquisitoires. Comme dit le proverbe, bon chien chasse de race.

Laurel éteignit la télévision. Elle n'aurait jamais dû l'allumer. Elle jeta son sandwich à la poubelle puis reprit le chemin du bureau.

— Votre mère a appelé, lui dit sa secrétaire lorsqu'elle poussa la porte du bureau. Elle voulait s'assurer que nous avions bien noté les dates de sa prochaine expo. Mais pourquoi veut-elle qu'aucun membre de la famille ne soit présent le soir du vernissage ?

— Par superstition, j'imagine. Il y a longtemps que j'ai renoncé à comprendre ce qui se passait dans la tête de ma mère.

— Annalisa a appelé pour dire qu'elle sera de retour d'ici trois quarts d'heure. Et j'ai réservé les billets d'avion et les chambres d'hôtel pour la foire-expo de Chicago.

— Parfait, dit Laurel en déposant le reçu de la banque sur le secrétaire de Pat.

Une fois dans son bureau, elle tenta de s'immerger dans un fatras de plans et de schémas puis, voyant qu'elle n'arrivait pas à se concentrer, elle déverrouilla le tiroir qui renfermait ses documents confidentiels. Le dernier dossier suspendu contenait une épaisse enveloppe en papier kraft qu'elle n'avait pas ouverte depuis un an. Un record.

Les lettres qui se trouvaient à l'intérieur émanaient d'une agence de filature, et parmi elles se trouvait une photo grand format d'un jeune homme aux cheveux blond cendré ; un visage qui faisait partie de ses souvenirs de jeunesse. Les années avaient beau passer, elle n'arrivait toujours pas à oublier. La broyeuse à papier était derrière elle, la corbeille à ses pieds. Elle les regarda l'une et l'autre, puis referma l'enveloppe comme chaque fois.

Quelques instants plus tard, la porte s'ouvrit à la volée.

— Je n'ai pas besoin de prendre rendez-vous pour voir ma femme !

Pat lui barra la route.

— Ex-femme.

Beric King passa la tête par l'entrebâillement.

— Peux-tu dire à cette personne de se déplacer ?

— C'est bon, Pat. Laissez-le entrer.

Pat leva les yeux au ciel puis referma la porte. L'ex-mari de Laurel rajusta son col de chemise et tira sur les manches de sa veste.

— Tu devrais virer cette bonne femme.

— Sous prétexte qu'elle a une tête qui ne te revient pas ?

— Absolument.

— Malheureusement pour toi, c'est une secrétaire hors pair. Je crois même que je vais lui donner une augmentation.

— C'est plus fort que toi, il faut toujours que tu cherches à me provoquer.

— Détrompe-toi, je suis trop occupée pour perdre mon temps à de tels enfantillages. Et d'ailleurs, je n'ai même pas besoin d'essayer, tu démarres au quart de tour.

— Je ne comprends pas ce que j'ai fait pour que tu m'en veuilles à ce point, dit-il en s'asseyant.

Laurel se prit la tête dans les mains.

— Oh, non, pitié, tu ne vas pas recommencer !

Un bras posé sur le dossier de son fauteuil, Beric croisa une jambe sur l'autre, ramenant une bottine en cuir d'autruche sur son genou. Il portait une veste en soie et lin par-dessus un tee-shirt noir et un jean, et ses cheveux auburn étaient rassemblés en une longue queue-de-cheval. Pendant des années elle avait essayé d'aimer cet homme.

— Pourquoi es-tu là ?

— Je suis venu te parler d'Annalisa.

— C'est à elle qu'il faut t'adresser, pas à moi. Elle a vingt-deux ans.

— Elle refuse de m'écouter.

— Tu veux dire qu'elle refuse de faire ce que tu voudrais.

— Elle devrait venir travailler avec moi. Je suis son père.

— Et moi sa mère. Elle travaille ici, et ça se passe très bien.

— Elle est en train de gâcher son talent.

Laurel regarda son ex-mari dans les yeux. Il lui était facile de la blesser.

— Notre fille a plus d'une corde à son arc.

— Quand elle était petite, elle ne cessait de répéter qu'elle voulait devenir chef, comme son papa.

— Quand j'avais six ans, je voulais être Fantômette ou Alice détective. Mais à vingt-deux ans je n'avais plus envie d'être l'une ou l'autre.

— Non, parce que tu étais déjà chef, comme Annalisa devrait l'être. Toi. Moi. Mon père. Ma mère. Mon frère. Je lui ai dit que c'était inscrit dans ses gènes !

— Bon chien chasse de race, dit-elle.

— C'est précisément ce que je cherche à te dire. Annalisa est ma fille. Je veux l'empêcher de rater sa vie.

— Vraiment ?

300

Il lui jeta un regard obstiné.

— Moi, je crois plutôt que tu veux décider de tout tout seul.

— Il ne s'agit pas de toi et de moi, Laurel.

Il s'arrangeait toujours pour tout déformer.

— Non, je sais. Il s'agit de notre fille. Cesse de la vampiriser. Elle t'aime, soit, mais c'est avec moi qu'elle veut travailler. Ce n'est pas moi qui l'y ai obligée.

Il se pencha en avant et tapota vigoureusement du doigt sur le bureau.

— Cette entreprise, c'est moi qui te l'ai donnée.

Elle se pencha en avant, les deux mains posées sur le bureau.

— Et Annalisa, c'est moi qui te l'ai donnée.

Repoussant son fauteuil d'un geste brusque, il se leva.

— J'ai commis une erreur en venant ici.

— Ce n'est pas nouveau.

Une fois à la porte, il se retourna. Beric adorait les sorties théâtrales.

— Tu te fiches éperdument du bonheur de notre fille.

— Va-t'en, Beric.

Elle fit un geste de la main.

— Va… retourne à ta cuisine… à tes petits plats.


Laurel avala deux cachets pour calmer ses brûlures d'estomac puis fit pivoter son siège face à la baie vitrée. Au loin, on apercevait l'échangeur de l'autoroute semblable à un gros nœud de béton, avec à l'arrière-plan les tours vertigineuses du centre commercial de South Coast Plaza. Au-dessus s'étirait le ciel californien d'un bleu vibrant tandis que le soleil de l'après-midi jetait son or sur les façades en verre des gratte-ciel. Elle avait travaillé comme chef au dernier étage du plus haut de ces immeubles quand ils étaient rentrés de France. À l'époque, Beric King était un inconnu. Mais il avait réussi à remédier à cette lacune en apposant son nom partout – le Donald Trump de la haute cuisine. Et elle s'était servie de ce nom pour monter sa propre affaire. Quand elle lui avait annoncé qu'elle voulait se lancer dans le design industriel, il lui avait ri au nez. Et voilà que maintenant il cherchait à s'en attribuer le mérite.

Il y eut un coup léger frappé à la porte, puis Annalisa passa la tête par la porte entrouverte.

— Papa est parti ?

— Oui, la voie est libre.

— Je l'ai entendu qui vociférait quand je suis arrivée, alors j'ai filé m'enfermer dans mon bureau. Il y a une semaine qu'il ne cesse de me harceler de coups de fil.

— Tu ne devrais pas répondre.

— Si je ne réponds pas, il me laisse des messages jusqu'à saturer ma boîte vocale.

— Le moins qu'on puisse dire, c'est que ton père ne renonce pas facilement quand il a une idée derrière la tête. Il ne supporte pas d'être relégué au deuxième plan.

Laurel fit une pause, puis elle ajouta :

— J'aurais dû appeler la société Peyton Design.

— Mon nom est King, remarqua Annalisa.

— Désolée. Il y a encore des plaies à vif, et puis les effets de manche de ton père m'ont agacée.

— Super. Toi aussi, tu en veux à papa.

— En fait, je fais tout ce que je peux pour ne pas lui en vouloir. Ce serait lui accorder trop d'importance.

Pat entra, un fax à la main.

— Bonnes nouvelles de Jack Colson.

Laurel prit le fax pour le lire et écarquilla les yeux, incrédule.

— Ils sont en train de mener l'enquête auprès de nos anciens clients.

Elle regarda Pat, puis Annalisa.

— Jack dit que Del Mar l'a appelé pour prendre des renseignements à notre sujet. Ils n'envisagent quand même pas de nous confier le projet Camino Cliff !

— Mais si, forcément, puisque nous sommes les meilleures, dit Annalisa avec l'assurance de la jeunesse.

Laurel s'était attendue à ce qu'ils portent leur choix sur une société plus importante et plus ancienne que la leur. Camino Cliff, c'était l'Eldorado, c'était comme de décrocher le gros lot.

— Je n'arrive pas à y croire.

— Maman, il faut que tu arrêtes de voir les choses en petit.

— Je garde les pieds sur terre. C'est plus sûr.

— Sûr, peut-être. Mais moi, je veux réussir et on ne peut pas réussir sans prendre de risques. Sans compter que ça donne du piment à la vie.

Elle se leva en disant :

— Je dois partir. Je dîne en ville ce soir.

Laurel se replongea dans la lecture de la télécopie. Jack laissait entendre que l'affaire était conclue et que Del Mar était prêt à leur confier le projet, mais elle avait du mal à y croire. Il y avait belle lurette qu'elle avait perdu ses illusions.

— Maman ?

Laurel leva les yeux.

— Papa n'a jamais eu les pieds sur terre, lui dit Annalisa avant de franchir la porte.

## 24

Au cours des trente ans qui avaient suivi son attaque, Victor avait assisté à tous les vernissages de Kathryn Peyton. Au début dans un fauteuil roulant poussé par Harlan, puis en s'aidant d'un déambulateur, et enfin, comme ce soir, en s'appuyant sur une canne en argent si finement sculptée qu'elle aurait pu passer pour une œuvre d'art. La foule des convives se pressait autour des niches dans lesquelles était exposée la nouvelle collection baptisée *Sombres Recoins*. Certaines pièces étaient de véritables sculptures d'argile aux noms évocateurs comme *Ciel nocturne*, *Jungles*, *Heure secrète* ou *Le Cœur*.

Après avoir feuilleté le catalogue de l'exposition, Victor s'attarda sur le mot de l'artiste.

*Les artistes vivent deux vies. La leur et celle de leurs œuvres. J'ai créé pendant quarante ans et puisé dans les épreuves de la vie pour donner du sens à mon travail. Privé de sens, l'art ne serait pas de l'art : le sens ne vient qu'avec le vécu.*

*K. PEYTON*

Vêtue à la mode bohème, elle se tenait à l'écart de la foule. Une chaîne stéréo déversait en boucle des airs de musique irlandaise et il n'y avait à boire que du vin. Elle le regarda s'approcher d'un air résigné.

— Vous vous êtes donné beaucoup de mal, lui dit-il en désignant l'exposition d'un geste de sa canne.

Elle inspira longuement.

— Je crois que vous m'étiez moins antipathique quand vous ne pouviez pas parler.

Elle avait croisé les bras, comme chaque fois qu'ils étaient face à face. Un geste instinctif de défense, songea Victor.

Au fil des ans, l'un et l'autre avaient perfectionné l'art de la conversation même si, les premiers temps, sa bouche paralysée l'avait empêché de tenir des propos intelligibles.

— J'aurais préféré du whisky, dit-il.

— Vous n'avez pas besoin de whisky.

— L'alcool lève les inhibitions. Quand on leur sert des cocktails, les gens dépensent plus facilement leur argent.

— Toute la collection est déjà vendue, Victor.

Il ne chercha pas à feindre la surprise. Il brandit le catalogue et dit :

— J'ai lu le mot de l'artiste. Il faut des années pour apprendre à regarder le monde avec lucidité.

Son visage hâlé se creusa de petites rides. Elle répondit :

— J'ai connu autrefois quelqu'un qui puisait son inspiration dans le scandale.

L'espace d'un très court instant, Victor ressentit un pincement qui ressemblait à de la tristesse. Il désigna la collection d'un hochement de tête.

— Cette fournée-ci est impressionnante, Kathryn. Vous avez mûri.

Elle le regarda droit dans les yeux et dit :

— Dois-je vous remercier ?

— Non, mais quand on voit votre travail, on ne peut s'empêcher de penser qu'il est l'œuvre d'un esprit torturé.

Elle laissa échapper un rire sans joie.

— Je pense que vous en connaissez un rayon sur la torture.

Toute sa vie durant, il avait cherché le remède au malheur. En vain.

— Je connais les sombres recoins du cœur.

— Je n'en doute pas, Victor. Et maintenant, j'imagine que vous avez hâte d'aller boire un scotch ailleurs. L'alcool est censé apaiser les affres des âmes tourmentées. Si vous voulez bien m'excuser, je dois aller rejoindre mes invités.

Sur ces mots, elle tourna les talons. Ce soir-là pas plus que les fois précédentes elle n'avait cherché à savoir pourquoi il était venu.


L'unique photo de la pièce était celle d'une femme qui ne vieillirait jamais. Sur la plage en compagnie de ses deux garçons, elle riait sous le ciel bleu limpide de sa courte existence. Posée sur un coin du bureau, la photo était censée rafraîchir la mémoire de Cale, qui, ces derniers temps, vivotait au jour le jour.

Il avala deux cachets de Naproxène avec un vieux fond de déca – sans conteste la boisson la plus infecte au monde – et relut pour la deuxième fois le dossier médical de Mme King en prenant des notes avec son stylo Montblanc – un cadeau de Robyn. Quand sa cartouche d'encre se tarit, il posa le stylo sur la table et se passa une main sur le front.

Le cancer de sa femme, une tumeur de la taille d'un petit pois, avait été dépisté précocement. Sacrée veinarde.

Pas de chimio pour Robyn, juste une radiothérapie. Jusqu'à ce qu'une autre tumeur, puis une autre, et encore une autre fassent leur apparition. Pour finir ils l'avaient tellement gavée de chimio qu'ils l'avaient achevée sans parvenir à vaincre son cancer. Après sa mort, il lui arrivait de lever le nez du journal pour se mettre à lui parler, par habitude. Au moindre mouvement à l'orée de son champ de vision, il levait les yeux, pensant que c'était elle qui entrait dans la pièce. Et la nuit, quand il se tournait dans le lit et étirait le bras vers elle comme il l'avait fait pendant des années, il ne trouvait qu'un oreiller vide sur lequel ne subsistait aucune trace de son parfum.

Depuis lors, chaque fois qu'il examinait un patient ou pénétrait dans la salle d'opération, il sentait le poids de la mort sur ses épaules. Tout désir d'entreprendre des opérations chirurgicales risquées avait disparu chez lui.

— Salut, p'pa.

Son fils cadet entra dans le bureau comme si la terre entière lui avait appartenu. Un privilège de la jeunesse.

— Tu vas faire un chirurgien du tonnerre, lui dit Cale.

— Possible, mais encore faut-il que j'apprenne à poser un cathéter veineux central. Je m'y suis encore mal pris ce matin. Je n'aurais pas aimé être à la place du patient.

— Tu finiras par y arriver.

— C'est ce qu'ils me disent tous quand je touche l'os.

— Il faut enfoncer l'aiguille plus profondément sous la clavicule. Si tu savais le temps que j'ai mis avant de pouvoir faire un point de suture… La médecine requiert plus de pratique que de talent.

— Encore heureux, sans quoi je n'aurais aucune chance de pouvoir entrer dans la confrérie.

Ce n'était pas vrai. Son fils était naturellement doué. Chez lui, la médecine était une seconde nature. C'était un fin clinicien, capable de venir à bout des techniques les plus complexes.

Dane prit la photo qui se trouvait sur le bureau.

— Je me souviens du jour où elle a été prise, dit-il. Maman était hors d'elle parce qu'en reculant pour faire le point tu avais écrasé les sandwiches du pique-nique.

Cale rit, mais seulement parce que son fils riait. Il n'avait plus le moindre souvenir de la scène ou de la réaction de sa femme. Seuls les bons moments passés ensemble étaient restés gravés dans sa mémoire.

Voyant l'écran radioluminescent allumé, Dane demanda :

— Qu'est-ce que c'est ?

— Les clichés, ils sont arrivés.

Cale se leva pour laisser sa place à Dane.

— Jettes-y un coup d'œil et dis-moi ce que tu en penses.

Pendant que son fils prenait connaissance du dossier médical de la patiente, Cale s'assit sur un coin du bureau. Craignant que le soleil de printemps qui entrait à flots par la fenêtre orientée au sud ne décolore la photo de sa femme, il la changea de place.

— On lui a posé une valve artificielle, apparemment, dit Dane en feuilletant le dossier. Il y a sept ans. Une arythmie avait été diagnostiquée lors d'un examen de routine.

— Voici son dernier électrocardiogramme, dit Cale avant de commenter les résultats.

— Je ne comprends pas où tu trouves la force de relever ce genre de défi à longueur d'année.

Il ne dit pas à son fils qu'il lui arrivait d'avoir les mains tremblantes, ou que l'envie de soigner les cœurs malades lui avait passé depuis longtemps et que chaque fois qu'il entrait en salle d'opération il avait l'impression de descendre dans l'arène.

— Que comptes-tu faire ?

— Lui prescrire d'autres examens.

Sa secrétaire entra.

— Matt a appelé. Le déjeuner aura finalement lieu chez Tommy Bahama, leur dit-elle.

Cale consulta sa montre.

— À l'heure convenue ?

— Oui. Vous allez être en retard.

— Mince.

Pendant que Dane éteignait l'écran, il se débarrassa de sa blouse.

— En route, fiston, dit-il en prenant ses clés de voiture.

Avant de sortir, il remit les dossiers à sa secrétaire :

— Appelez le cabinet du Dr Collins, il me faut une échocardiographie transœsophagienne. J'ai des doutes sur le diagnostic.

Quarante-cinq minutes plus tard, ils entraient chez Tommy Bahama, un restaurant branché de Newport Beach qui accueillait une clientèle jeune et friande de plats exotiques comme le poisson sauce aux fruits ou le poulet reggae.

Dane jeta un coup d'œil autour de lui en râlant.

— Des palmiers et des perroquets ? Alors que je rêvais d'un bon hamburger avec une Coors bien fraîche et un petit match à la télé.

Matt était assis au fond du restaurant et parlait avec un homme en chemise hawaïenne. Cale poussa son fils du coude.

— Tiens, voilà ton frère.

— C'est qui, ce type qui parle avec lui, Jerry Lewis ?

Ils partirent d'un éclat de rire qui ne cessa que lorsqu'ils eurent rejoint Matt et passé leur commande. Dane

310

écarta d'un geste rageur une branche de palmier qui lui retombait dans le visage.

Matt demanda :

— Ça n'a pas l'air d'aller ?

— Je te préviens : s'ils mettent une ombrelle en papier sur ma bière, je me casse.

— Prends plutôt un cocktail, frérot, comme ça tu auras droit à un petit singe en plastique piqué sur une olive.

— Tu as quelques métros de retard, mon vieux. J'ai cessé de faire la collection des piques à cocktail le jour de mes dix ans. Mais qu'est-ce qu'on fiche ici ? Je croyais qu'on devait s'envoyer un bon steak avec une platée de frites. Si jamais je croise quelqu'un que je connais, je vais devoir passer tout le repas caché derrière le menu. Hep, attends un peu. Tu ne nous as pas fait venir ici pour nous annoncer que tu es gay, au moins ? J'ai toujours pensé que tu étais trop mignon.

— Très drôle, dit Matt.

Il attendit que le serveur eût déposé les assiettes sur la table.

— Nous sommes en train de choisir le prestataire de service du projet de Camino Cliff. L'un des prestataires potentiels est une entreprise locale qui a réalisé la cuisine de ce restaurant.

— Jud est déjà venu ici ? demanda Dane en balayant la salle du regard. J'aimerais bien être là quand il verra ça.

— C'est moi le responsable du projet, et c'est moi qui vais choisir le prestataire. Ce qui m'intéresse, c'est la cuisine, pas la déco. Et j'ai envie de faire appel à une petite entreprise.

— Si Jud t'a confié ce projet, c'est qu'il te pense capable de le mener à bien, dit Cale, qui savait que son frère n'était pas du genre à prendre des décisions à la légère. Te voilà à la tête d'une lourde responsabilité.

— Un baptême du feu, dit Matt.

Dane rit.

— Tu m'as dit un jour que tu n'avais pas envie de jouer les sous-fifres.

— Et c'est vrai. Quand il m'a donné carte blanche, il a bien précisé que j'allais devoir me débrouiller seul quand le ciel me tomberait sur la tête. Ce qui risque d'être le cas au moins une fois par semaine, voire une fois par jour.

— Tu peux être content d'avoir un patron comme lui. Jud a appris le métier avec Victor. Et, crois-moi, il n'a pas eu la vie rose.

— Tiens, à propos de l'illustre patriarche, dit Dane en ôtant la sauce aux fruits qui recouvrait son hamburger, je vous parie cent dollars que Jud va se ramener avec une jeunette de vingt ans à l'anniversaire de Victor.

Matt rit.

— Encore une que tu vas pouvoir lui piquer, p'pa.

— Elle avait trente ans, et je ne la lui ai pas piquée.

— Dès l'instant où elle a su que tu avais perdu ta femme, elle ne t'a plus quitté de la soirée.

Dane piqua l'ombrelle en papier qui garnissait son steak dans le sandwich de Matt.

— Tiens, j'ai horreur de l'ananas.

— Elle avait perdu son mari un an plus tôt. J'étais donc bien placé pour savoir ce qu'elle ressentait.

— Ouais, n'empêche que Jud faisait une drôle de tête, dit Dane.

— La semaine suivante, au boulot, il n'était pas à prendre avec des pincettes, ajouta Matt. Je le comprends, note bien. Il se pointe à la fête avec un canon et tu passes

312

la soirée à discuter avec elle dans un coin obscur, tandis qu'il fait les cent pas devant le buffet.

— Ils n'avaient dîné qu'une seule fois ensemble. Il n'y avait rien entre eux.

Cale fit signe au garçon de lui apporter l'addition et surprit ses deux fils en train d'échanger un regard complice.

— Et il n'y a rien eu entre nous non plus.

— Dommage, dit Dane. Ça aurait mis un peu de piment dans ta vie, p'pa.

Dès que ses fils eurent nettoyé leurs assiettes, Cale annonça qu'il devait retourner au bureau.

Matt prit l'addition.

— Je t'invite, p'pa. Et je tiens le pari de mon petit frère. Cent dollars.

— Pari tenu, dit Dane en se levant de table.

Matt lui passa un bras autour des épaules en riant.

— Jud sort à nouveau avec Kelly. Tu veux payer cash ?

— Va te faire voir, Matt.

Dehors, l'asphalte semblait ondoyer dans l'air brûlant. Le soleil de Californie accélérait le vieillissement de la peau, décolorait les cheveux, faisait jaunir les peintures et les photos. Cale mit ses lunettes de soleil et se dirigea vers sa voiture. En voyant ses deux grands gaillards de fils marcher devant lui, il se sentit vieux. Puis ils se mirent à échanger des bourrades et des taloches en riant comme deux gosses qui auraient grandi trop vite, et il fut transporté dans le passé.

Sans Robyn à ses côtés, il se sentait de trop. Il se mit à jouer mentalement au test de la mémoire. Il se demanda ce qu'aurait dit Robyn si elle avait été ici avec lui. Mais, à son grand désappointement, il fut incapable de donner la moindre réponse.

Jud Banning n'écoutait qu'à moitié ce que Kelly était en train de lui dire. Rédactrice d'un magazine de mode, divorcée, sans enfants, c'était une brune tout en jambes. Ils avaient fait connaissance des années auparavant, par l'intermédiaire de Robyn, après quoi ils avaient rompu puis renoué. Pris par ses affaires, Jud avait besoin d'une relation tranquille et confortable. La vie dont il rêvait quand il avait débuté n'avait plus le même attrait pour un homme mûr. Quand, après un périple d'une semaine en Alaska, au Nevada et en Louisiane, il rentrait à Santa Barbara et retrouvait le QG en pleine effervescence, l'expression « usé jusqu'à la corde » n'était pas une figure de style.

À travers la baie vitrée du restaurant, le soleil couchant jetait des ombres colorées sur l'argenterie et les verres en cristal. Ces derniers temps, ils faisaient fréquemment des dîners romantiques comme celui-là. Il prit une longue gorgée de whisky.

— L'appartement que j'ai en vue se trouve dans ton immeuble.

— Pourquoi veux-tu déménager ? demanda-t-il en reposant son verre.

— Parce qu'il est bon de changer de temps en temps.

Le ton enjoué qu'elle avait pris pour lui annoncer la nouvelle ne lui disait rien qui vaille.

— Tu as une maison magnifique, dans un beau quartier, dit-il. Depuis combien d'années vis-tu là-bas ?

— Dix ans.

— Tu y es chez toi, Kel. Tu y rentres chaque soir. Sans parler des enfants des voisins que tu emmènes en promenade. Moi, c'est à peine si je connais mes voisins. Vivre en appartement me convient. Je n'ai pas envie d'un jardin, un ponton à bateau me suffit amplement.

Ni l'un ni l'autre n'avait touché à sa salade. Elle gardait les yeux fixés sur sa coupe de cristal.

—Là-bas, au moins, tu as de l'espace, une pelouse, des fleurs.

—Les fleurs poussent aussi dans des jardinières sur un balcon. Mais tu sais bien que ce n'est pas un problème de fleurs.

—Ni un problème d'appartement, ajouta-t-il en finissant son scotch.

—Tu penses sans doute que je n'ai pas su tirer les leçons de mes erreurs passées.

Une voiture klaxonna, des rires fusèrent à une table voisine. Tintements de vaisselle et d'argenterie. Un air de piano résonna. Une chanson de Billy Joel.

—Je suis heureux que tu fasses partie de ma vie, Kel.

—Je sais. Mais j'ai besoin d'autre chose. Je t'aime, Jud.

Il étira un bras par-dessus la table et lui prit la main. Il était sincèrement désolé. Il réagissait toujours mal quand il se sentait acculé.

—Tu sais que je tiens à toi. Mais rien ne presse. Si tu as des problèmes au boulot, dis-le-moi. Je peux peut-être t'aider.

Elle le regarda, l'air légèrement surprise, puis éclata de rire.

—Robyn m'avait pourtant prévenue. Mais je m'entêtais à croire que tu n'étais qu'un accro du boulot.

—C'est moi qui ai repris les rênes de l'entreprise familiale.

—Qualifier BanCo d'entreprise familiale est un peu léger.

—C'est un travail très prenant, c'est vrai. Mais que t'a dit Robyn, au juste ?

— Que tu étais incapable de t'investir dans une relation. Mais j'avais bêtement espéré qu'il en irait autrement entre nous.

Kelly se leva puis jeta sa serviette sur la table.

— Il me semble que j'ai le droit d'avoir une relation stable avec un homme qui m'aime autant que je l'aime, Jud.

Il se leva à son tour.

— Kelly, attends. Essayons d'en parler.

— Veux-tu m'épouser ?

— Je n'en sais rien. Peut-être. Un jour.

— Jud. Je t'en prie. Sois honnête.

Il laissa s'écouler quelques secondes avant de répondre :

— La vérité, c'est que je n'ai aucune intention de me marier dans l'immédiat.

— Je comprends, dit-elle en prenant son sac à main. N'aie crainte, je ne vais pas acheter cet appartement. Mais s'il te plaît, ne m'appelle plus.

Il la regarda s'éloigner, grande et élégante dans sa robe de cocktail noire dont l'échancrure révélait la courbe gracile de son dos, le contour soyeux de ses épaules. Il savait que sa somptueuse chevelure brune sentait les fleurs exotiques et sa peau le talc pour bébé. Kelly dormait du côté droit du lit. Elle lui empruntait ses chaussettes pour garder ses pieds au chaud la nuit et buvait du lait avec du Pepsi. Mais il avait beau savoir qu'elle l'aimait, pour rien au monde il n'aurait cherché à la retenir.

Quand la nouvelle tomba que King Design avait été choisi pour le projet de Camino Cliff, Laurel fut à deux doigts de penser qu'elle vivait dans un monde parfait. Peu après, une enveloppe en papier vélin rehaussée d'or lui parvint. C'était une invitation pour un cocktail donné en l'honneur des différents prestataires de service. Une rapide incursion au salon de beauté, suivie d'une séance de shopping avec Annalisa, et le tour était joué. À présent, avec un fourreau noir et des talons aiguilles ultrachic, il ne lui restait plus qu'à compléter sa tenue par le parfait accessoire : la paire de pendants d'oreilles en diamant qu'elle s'était offerte quand Beric l'avait trompée pour la troisième fois.

— Maman ?

Laurel entendit se refermer la porte d'entrée.

— J'arrive.

Elle alla retrouver Annalisa au pied de l'escalier.

— Ces chaussures sont un vrai supplice.

— Il te fallait quelque chose de sexy.

— Ce qu'il va me falloir, c'est une bonne assurance maladie quand je me serai étalée la tête la première sur le trottoir. Et tiens d'ailleurs, à ce sujet, je te signale que ces chaussures m'ont coûté plus cher que ma mutuelle.

Laurel se dirigea vers le garage puis s'arrêta.

— Je vais mettre des talons plats.

— Pas question. Tu es superbe. Tu ne vas tout de même pas renoncer à faire vingt ans de moins à cause d'une malheureuse petite paire de talons…

— Que tu es cruelle, ma fille !

Laurel ôta ses chaussures avant de monter en voiture.

— Je refuse de conduire avec ces trucs aux pieds. C'est bon pour les rombières qui se font trimballer par des chauffeurs.

Le restaurant de Laguna était très chic : colonnes de pierre, baies vitrées, dalles de marbre. Elles suivirent les pancartes indiquant « Réception privée » jusqu'à un bar ouvrant sur une terrasse qui donnait sur la plage et l'océan.

À l'horizon se profilait la silhouette vert sombre de Santa Catalina. Les serveurs déambulaient entre les groupes de convives avec des plateaux couverts de canapés et de coupes de champagne, tandis qu'autour du bar les hommes discutaient.

Un grand et beau jeune homme en costume trois pièces se détacha du groupe pour venir à leur rencontre.

— Annalisa, dit-il en prenant la main de sa fille.

Celle-ci eut l'air étrangement embarrassée, et son trouble redoubla quand, sans la relâcher, il se retourna et dit :

— Vous devez être Laurel King. J'ai vu votre travail. Et j'ai été emballé. Annalisa avait raison.

Sans lui laisser le temps de réagir, sa fille dit aussitôt :

— Maman, je te présente Matthew Banning.

D'un seul coup, Laurel eut l'impression qu'on l'avait vidée de son sang. Elle inspira profondément, reprenant juste ce qu'il fallait de contenance pour bredouiller quelques banalités en sirotant une coupe de champagne tandis qu'autour d'elle la pièce s'emplissait d'un brouhaha étourdissant.

Quand Annalisa lui parla des liens de Del Mar avec BanCo et que Matthew Banning lui dit que sa fille était venue discuter avec lui en personne, elle eut l'impression que les murs se resserraient autour d'elle. Elle n'arrivait plus à respirer. Si seulement elle avait osé poser sa coupe de champagne sur son front pour se rafraîchir… mais elle n'arrivait à penser à rien d'autre qu'à ce visage qui se tenait devant elle et qui lui en rappelait un autre. Ce garçon était le fils de Jud.

Il était très brun et frisé, contrairement à Cale et Jud, qui étaient tous deux blond cendré. Mais ses yeux, ses traits, sa mâchoire, ses fossettes la ramenèrent à l'époque

318

de sa jeunesse, dans les années soixante-dix. Laurel se demanda à quoi ressemblait sa mère. Il rit, et elle eut l'impression de reconnaître sa voix. Comme c'était étrange de se retrouver ici, après toutes ces années, en présence de sa propre fille et du fils de Jud…

Elle se félicita d'avoir mis des talons quand elle regarda par-dessus l'épaule de Matthew et aperçut Jud. À côté de la porte, il regardait dans la direction opposée. À cet instant, elle sentit qu'elle perdait tous ses moyens. Elle était venue ici sans se douter de ce qui l'attendait. Avec un sourire forcé, elle dit :

— Si vous voulez bien m'excuser un instant, j'ai besoin de prendre l'air.

Le cœur battant, elle sortit sur la terrasse. Agrippée des deux mains à la balustrade, elle emplit lentement ses poumons d'air marin. Le soleil commençait à peine à descendre à l'horizon. Elle mit ses lunettes de soleil, puis alla s'attabler tout au bout de la terrasse, là où personne ne la remarquerait. Le temps s'écoulait, bercé par le mouvement des vagues. Elle vida son champagne d'un trait puis se remit à scruter l'océan. Soudain, elle sentit une ombre tomber sur elle. C'était Jud. Il se tenait tout près, un cocktail dans une main et une coupe de champagne dans l'autre. Lorsqu'il posa le champagne devant elle, elle eut une impression presque comique de déjà-vu.

— Quand je vous ai aperçue à travers la vitre, je me suis demandé ce qu'une aussi jolie femme faisait là toute seule, dit-il.

Il fit une pause, puis ajouta :

— Mon nom est Jud Banning.

Il y eut un bref silence durant lequel elle se demanda si elle devait rire ou pleurer. Il ne l'avait pas reconnue.

# 25

— Vous permettez ? demanda Jud en tirant une chaise.

Voyant que la blonde hésitait, il se dit qu'elle allait l'envoyer promener.

— C'est étonnant, le temps a beau passer, Jud Banning vous ressert toujours la même rengaine.

Ah. Ils avaient déjà couché ensemble. La fille baissa la tête pour ôter ses lunettes noires. Une mèche de cheveux retomba devant son visage et trente ans s'envolèrent d'un seul coup.

— La Petite !

Elle laissa échapper un rire.

— J'ai passé l'âge.

— Tu as changé de couleur de cheveux.

Il s'assit et prit une longue gorgée de cocktail.

— Oui. Ça fait déjà quelques années. Après mon divorce, j'ai éprouvé le besoin de changer.

Elle était toujours aussi belle. Ses traits s'étaient adoucis et elle avait cette silhouette étoffée qui rendait les femmes mûres terriblement désirables. Elle était divorcée. Encore un imbécile qui n'avait pas su la garder. Ne sachant que dire, il demanda :

— Mais que fais-tu ici ? C'est une réception privée.

— J'ai été invitée. Ma fille et moi dirigeons une entreprise de design professionnel. Ton fils nous a confié la réalisation de plusieurs projets de restaurants.

— Je n'ai pas de fils.

Elle fronça les sourcils tandis que son regard se portait sur son annulaire gauche.

— Je croyais que Matthew était ton fils.

— C'est le fils aîné de Cale.

— Cale a un fils ?

— Il en a deux.

— Il est ici ? demanda-t-elle en jetant un regard alentour.

— Il est médecin, Laurel. Spécialiste de chirurgie cardiothoraxique.

— Tu es sérieux ? dit-elle en pâlissant.

— Tout à fait. Il est sorti premier de sa promotion.

Sa stupeur laissait supposer qu'elle n'avait gardé qu'un vague souvenir de cette époque. Il se sentit trahi.

— Il ne parlait que de devenir médecin.

— Oui, je m'en souviens, dit-elle d'une voix si douce qu'il en éprouva un pincement de jalousie.

Il aurait aimé continuer à bavarder, mais chaque fois qu'il ouvrait la bouche il avait l'impression de parler dans un amplificateur.

Elle se leva.

— Je te prie de m'excuser, dit-elle en commençant à s'éloigner.

Soudain, l'image de Laurel se fondit avec celle de Kelly. Il l'attrapa par le bras.

— Laurel, attends.

Surprise, elle regarda fixement sa main sur son bras, puis, levant les yeux vers lui, demanda :

— Que fais-tu, Jud ?

Il n'y avait pas de rudesse dans son geste, mais il cherchait à la retenir.

— Maman ?

Une ravissante jeune femme rousse s'approcha.

— Je te cherchais partout.

— Je te présente ma fille, Annalisa King, dit Laurel en reculant pour mettre de la distance entre eux. Annalisa, je te présente Jud Banning.

— Vous êtes l'oncle de Matthew. Enchantée de faire votre connaissance.

Elle avait un teint lumineux, éclatant, mais c'était surtout son visage, tout en douceur et en fraîcheur – comme celui de Laurel – et sur lequel on lisait la promesse, rare, d'une beauté qui ne flétrirait jamais, qui le subjugua. Il eut l'impression de revoir la mère de Laurel, la fois où il était allé la supplier de lui dire où était sa fille. Un grand nombre d'années avaient passé depuis lors, mais ce très court instant était resté gravé dans sa mémoire.

Annalisa prit sa mère par la main.

— Viens, maman. Les architectes qui connaissent bien Megryl et Cutter aimeraient te rencontrer.

— Au revoir, dit Laurel en se tournant vers lui.

Au même moment, sa fille se ravisa.

— Non, attends, maman. M. Banning devrait nous accompagner. Il voudra savoir qui nous sommes et comment nous travaillons.

Sans doute vit-il le regard suppliant dans les yeux de Laurel, car il se tourna vers Annalisa et dit :

— Allez-y sans moi. Je fais confiance à Matthew. Je suis sûr qu'il a fait le bon choix. Personnellement, j'ai plutôt envie d'admirer le coucher du soleil.

D'un geste large, il désigna l'horizon.

— Au revoir, Jud.

Laurel s'éloigna avec sa fille sans se retourner.

Les mouettes tournoyaient en criant au-dessus de l'océan, et au pied de la terrasse les vagues se brisaient avec fracas contre les rochers. Ce soleil couchant n'était guère différent de celui qu'il avait contemplé, trente ans plus tôt, depuis le pont du *Catalina*. C'était le même ciel – rouge, pourpre et or –, si resplendissant qu'il engourdissait l'esprit et les sens. Il se tourna face à la baie vitrée, puis s'adossa à la balustrade pour pouvoir observer Laurel tout en sirotant son cocktail. Il n'était pas question qu'elle lui échappe à nouveau, même si ce soir il ne cherchait pas à la retenir.

Matthew Banning lui prenait la main à tout propos, lui apportait à boire dès que son verre était vide, la frôlait d'un peu trop près chaque fois que la foule se resserrait autour d'eux, puis s'excusait avec un sourire ravageur en posant une main sur son dos nu. Annalisa était sur des charbons ardents et se disait que si ce petit jeu de séduction avait eu lieu dans un bar, ils auraient probablement fini la soirée chez elle ou chez lui.

N'ayant d'autre moyen de dissuasion, elle avait fait en sorte de garder sa mère constamment à ses côtés. Jusqu'au moment où elle dut se rendre aux toilettes. En ressortant, elle l'aperçut dans le couloir. Profitant de ce qu'il était en pleine discussion avec un collaborateur, elle se hâta discrètement vers la sortie.

— Annalisa. Attendez. Si vous voulez bien m'excuser, dit-il à son interlocuteur.

Puis il s'empressa de la rejoindre.

— Je vous ai cherchée partout. L'ambiance commence à retomber. Que diriez-vous d'aller manger un morceau ?

324

Je connais un bistrot tranquille non loin d'ici qui sert des grillades dont vous me direz des nouvelles.

— Je suis venue avec ma mère. J'allais justement la retrouver au vestiaire, mais s'il y a un dîner de prévu avec les autres, je vais l'avertir.

— Attendez. Mon invitation est strictement personnelle.

— Un dîner en tête à tête ?

Il rit, puis se frotta la nuque en regardant ailleurs.

— Exactement.

— Vous pensez que c'est une bonne idée ?

— C'est une idée qui me trotte dans la tête depuis le jour où vous êtes entrée dans mon bureau pour me persuader de vous engager.

— Et maintenant que c'est fait, je ne pense pas que ce dîner soit une bonne chose.

— C'est curieux, j'avais l'impression que nous avions des atomes crochus, vous et moi.

Elle sentit courir de petits picotements sur sa peau, comme si l'air s'était soudain chargé d'électricité. Il avait beau tenir ses distances, elle avait l'impression qu'il la touchait.

— Je ne le nie pas, mais ce contrat est le plus gros que nous ayons jamais décroché, et, pour être tout à fait franche, je n'ai pas envie de tout faire capoter bêtement. D'ailleurs, vous devriez vous réjouir que je prenne mon travail à cœur.

— Je m'en réjouis, mais je ne vois pas en quoi cela nous empêche de dîner ensemble.

— Vraiment ? Entretenir des relations autres que professionnelles serait courir à la catastrophe.

— Ce n'est pas comme si nous étions des collègues de travail.

— Je ne suis pas d'accord.

— Vous avez tort. Je suis tout à fait capable de dissocier ma vie privée de ma vie professionnelle.

— Dans un monde parfait, peut-être, Matthew. Désolée, mais je ne peux pas, dit-elle en commençant à s'éloigner. Ma mère m'attend.

Elle se mit à longer le couloir, consciente qu'il la regardait. Deux personnes qui se trouvaient là et qui avaient entendu leur conversation la dévisagèrent quand elle les dépassa. Dehors, elle sentit la fraîcheur du soir sur ses joues brûlantes.

Sa mère l'attendait dans la voiture, les bras posés sur le volant – ce qui n'était pas bon signe.

— Et maintenant, lui dit-elle tandis qu'elle attachait sa ceinture de sécurité, nous allons avoir une explication, toi et moi.

— Vas-y, maman. Je suis tout ouïe.

Laurel roula une dizaine de mètres puis s'arrêta.

— Prends le volant, dit-elle, j'ai bu du champagne.

Elles n'étaient qu'à quelques centaines de mètres du restaurant quand Laurel se décida à parler.

— Tu aurais dû me dire que tu étais allée les voir.

— C'est parce que j'y suis allée que nous avons décroché le marché. Je ne vois pas où est le problème. Écoute, maman, nous n'arriverons jamais à rien si nous attendons les bras croisés que les contrats nous tombent dans le bec. Nous devons remuer ciel et terre. Prendre des risques. Franchement, aurais-tu eu l'idée de t'adresser directement à BanCo sans passer par Del Mar ? As-tu seulement songé que nous allions devoir nous battre pour décrocher ce contrat ?

La vérité, proférée sur un ton aussi cassant, était dure à encaisser. En somme, Annalisa lui reprochait d'être passive. Entre une mère et sa fille, il suffisait de quelques paroles pour semer la rancœur. Elle ne se reconnaissait pas dans le portrait qu'Annalisa venait de brosser d'elle.

— Non, reconnut-elle. L'idée ne m'a pas effleurée. Mais à quoi bon puisque tu es là pour prendre les choses en main ?

— Et j'ai bien fait. Il fallait que l'une de nous prenne les devants.

Un camion leur fit une queue de poisson et Annalisa donna un coup de klaxon.

— Il est beaucoup plus facile de foncer tête baissée quand on ne traîne pas toutes ses erreurs passées derrière soi.

— Quelles erreurs ? Nous avions tout à gagner, et rien à perdre.

Sa fille avait raison. Elles n'avaient rien à perdre. Elle songea à toutes les occasions qu'elle avait manquées sous prétexte qu'elle ne voulait pas prendre de risques. Mais depuis quand était-elle devenue une créature timorée ? Perdue dans un abîme de perplexité, Laurel regardait défiler les enseignes lumineuses et les phares des voitures qui jetaient des ombres colorées sur le pare-brise, le rétroviseur, leurs profils, créant une atmosphère surréaliste de carnaval qui lui donnait l'impression d'émerger d'un rêve.

Quand la voiture entra dans la résidence, elle se décida à rompre le silence.

— Je suis contente que tu aies pris les devants, Annalisa. Mais il est important que nous soyons franches l'une avec l'autre. Je te rappelle que nous sommes associées. Tu aurais dû me dire que tu avais démarché auprès de BanCo au lieu de me laisser dans l'ignorance. Résultat, j'avais l'air d'une idiote. Ce n'est pas comme cela qu'on fait des affaires.

Se retrouver dans l'antre des Banning avait été un cauchemar. Mais sa fille ne connaissait rien de son passé.

— Je sais. J'aurais dû t'en parler, mais parfois j'ai l'impression que tu as peur, maman. Et pas seulement de prendre des risques en affaires, mais de la vie en général. Tu m'as dit une fois que c'était ton opération du cœur qui t'avait finalement décidée à quitter papa et à monter ta propre affaire. Mais, maintenant que c'est fait, on dirait que tu restes figée, comme si tu n'osais plus ni avancer ni reculer. Je ne veux pas t'accabler, maman, mais je vois bien que tu n'es pas heureuse.

— C'est toi mon bonheur.

— Même quand je fais mes coups en douce ?

— Tu ne le feras plus.

Laurel sortit de la voiture en titubant légèrement sur ses chaussures à talons.

— Je ne pense pas que le bonheur soit une valeur sûre. C'est un sentiment fugace, pas une chose sur laquelle on peut parier son avenir.

— Oh, maman, est-il si important de ne pas commettre d'erreurs ? Il faut bien vivre, tout de même.

Elle regarda sa fille, perchée sur des talons encore plus vertigineux que les siens, si jeune et si sûre d'elle.

— Il arrive qu'on commette des erreurs qui changent radicalement le cours de notre existence, dit Laurel.

— Le changement n'est pas nécessairement une mauvaise chose.

— Tu n'as pas idée de ce que je donnerais pour être à nouveau jeune et sûre de moi.

Elle laissa échapper un petit rire teinté de regret, puis reprit :

— J'aimerais pouvoir me jeter à corps perdu dans la vie, en pensant que rien de mauvais ne pourra jamais m'arriver, ni à moi ni à ceux que j'aime.

— Eh bien, fais-le. Jette-toi. Regarde, comme ça…

Annalisa ouvrit grand les bras et se mit à courir – sur ses talons aiguilles ! – en direction de sa voiture.

— Bonne nuit, maman.

Laurel la regarda partir, puis elle referma la porte du garage. Une fois à l'intérieur, elle se dirigea vers l'escalier, mais son talon dérapa et elle tomba la tête la première sur le carrelage. Une douleur aiguë lui traversa le bras, irradia jusqu'à son menton, puis se propagea à sa hanche et à son genou. À demi sonnée, elle resta un instant sans bouger puis éclata de rire avant de fondre en larmes, la joue toujours sur le carrelage, les bras ramenés au-dessus de sa tête. Un long moment s'écoula avant qu'elle se décide à se relever. Elle ôta ses chaussures en reniflant comme une idiote.

Il était d'autant plus difficile d'admettre qu'on était malheureux qu'on se savait l'artisan de son propre malheur. Il lui semblait qu'à chaque fois qu'elle se retrouvait à la croisée des chemins, elle prenait la mauvaise direction, mettant chaque fois plus de distance entre ses rêves et elle. Et ce soir, elle s'était retrouvée face à l'un d'eux.

Malheureusement, les chaussures à talons ne l'avaient pas aidée à se sentir plus jeune. Elles ne l'avaient pas aidée à effacer le passé et à se rapprocher du bonheur.


*Seattle, 1970-1971*

Durant les mois qui avaient suivi sa séparation d'avec Cale, puis Jud, puis sa mère et L.A., la vie de Laurel n'avait été qu'une suite de mensonges. Tout avait commencé avec l'idée, fausse, que la pilule était sans risque. En réalité, elle n'était sûre qu'à quatre-vingt-dix-huit pour cent, et Laurel faisait partie des deux pour cent restants. En découvrant qu'elle était enceinte, affolée et ne sachant où aller, elle était retournée à Seattle. Là-bas, dans la ville où elle avait grandi, elle s'était fait embaucher dans un restaurant. Quand elle n'avait plus pu cacher sa grossesse, elle avait menti, d'abord au médecin, puis au juge des adoptions – à qui elle avait dit ne pas savoir qui était le père. C'était l'époque de l'amour libre et des communautés hippies, et les jeunes filles étaient nombreuses à se rendre à Tijuana pour se faire avorter à la sauvette dans des arrière-boutiques crasseuses. Mais elle avait appris qu'une de ses anciennes camarades de classe avait perdu tout son sang à la suite d'un de ces avortements improvisés et qu'une autre avait dû subir une hystérectomie en urgence.

De deux maux, Laurel avait choisi le moindre. Car elle avait beau s'affoler à l'idée d'avoir un enfant, elle n'avait pas le courage d'interrompre la vie qu'elle sentait palpiter en elle. Si bien qu'une fois encore elle avait dû mentir, sachant que, si l'un des frères Banning venait à découvrir la vérité, leurs vies à tous les trois seraient gâchées.

Elle était même allée jusqu'à se mentir à elle-même en se disant que donner son bébé à l'adoption était tout compte fait la meilleure solution. Mais les meilleures décisions ne sont pas forcément les plus faciles à prendre. Et la nuit, quand elle sentait le bébé remuer dans son ventre, elle se demandait si elle n'était pas en train de commettre une terrible erreur.

Les parents adoptifs, un juge et son épouse, étaient de braves gens qui avaient essayé sans succès d'avoir des enfants, jusqu'à ce que la femme, enceinte de cinq mois, fasse une fausse couche qui avait failli lui coûter la vie. Lorsqu'elle les avait rencontrés, Laurel avait été bouleversée par l'air mélancolique de la femme quand elle regardait son gros ventre.

Laurel avait continué de travailler jusqu'au bout, et quand elle rentrait chez elle le soir, elle parlait à son bébé. Elle lui disait combien sa vie serait belle avec les O'Hanlon, comme si elle avait cherché à s'en convaincre elle-même.

L'accouchement lui sembla interminable – était-ce pour la punir de ses péchés ? Vingt et une heures de souffrance. Le mur derrière elle portait des marques laissées par l'alliance qu'elle avait achetée et portée jusqu'à la fin de sa grossesse.

Le bébé était un garçon de quatre kilos. Elle ne se souviendrait jamais de son premier cri, car elle s'était bouché les oreilles pour ne pas entendre ses vagissements. Et lorsqu'on lui avait demandé si elle voulait le voir, elle avait fermé les yeux et détourné la tête, de crainte de ne pas pouvoir s'en séparer si elle le regardait. C'était un geste d'amour. Il méritait de se faire adopter par des parents comme les O'Hanlon, des gens qui pouvaient se permettre de désirer un enfant alors qu'elle ne le pouvait pas. Pas maintenant, en tout cas. Pas ici, dans cette situation. Lorsque, à peine remise de l'accouchement, elle avait signé les papiers de l'adoption, le juge lui avait remis une lettre.

— De la part de Barbara O'Hanlon.

Voyant qu'elle retournait la missive en tous sens, il précisa :

— Vous n'êtes pas obligée de la lire.

Elle contempla avec détachement son nom joliment calligraphié sur l'enveloppe. Par endroits, l'encre avait légèrement coulé et formé de minuscules veines bleues sur le papier.

L'enveloppe en épais vélin couleur crème n'était pas scellée. Le rabat était simplement glissé à l'intérieur.

*Chère Laurel,*

*Je ne suis pas certaine qu'il existe des mots pour dire combien ce merveilleux cadeau a changé notre vie. Nous l'avons appelé Gregory Patrick O'Hanlon. Et nous allons le choyer.*

*Quand le moment sera venu, je lui dirai combien il faut de courage à une femme qui aime son enfant plus que sa propre vie pour le donner à des parents qui peuvent lui assurer une vie meilleure et l'aimer de tout leur cœur.*

*Barbara O'Hanlon*

Laurel avait serré la lettre dans son poing en sanglotant. Les infirmières l'avaient laissée un moment seule, puis étaient revenues avec du chocolat chaud et un magazine *Glamour*. En feuilletant le magazine, elle s'était mise à pleurer en voyant les filles qui posaient à l'intérieur. Elle se sentait tellement plus vieille qu'elles… Tout ce dont il était question ici – les flirts, les sorties, les cheveux longs ou courts, une manif contre la guerre, les bottes en daim – la laissait indifférente.

Le lendemain de l'accouchement, elle s'était levée à plusieurs reprises avec l'intention de se rendre à la pouponnière. Mais chaque fois elle avait rebroussé chemin avant d'atteindre le bout du couloir. Une fois, elle était allée jusqu'à l'endroit d'où il était possible de voir la vitre de la nursery, mais pas les bébés qui se trouvaient à l'intérieur. Elle avait aperçu les O'Hanlon blottis dans les bras l'un de l'autre, riant et pleurant de bonheur. Le lendemain, elle quittait la maternité, et une semaine plus tard elle quittait Seattle après avoir emballé ses maigres effets : un haut à franges, deux pulls, un poncho en alpaga et une paire de jeans en patchwork. Après avoir déposé la clé de son appartement chez le gardien, elle était allée faire don de ses vêtements de grossesse à une œuvre de bienfaisance, puis s'était rendue à la banque pour faire virer l'argent de son livret d'épargne sur un compte international.

Après quoi elle s'était envolée pour la côte est. À l'aéroport JFK, elle avait passé dix-huit heures sur une chaise inconfortable avant de prendre enfin place à bord d'un avion à destination de Paris. Depuis le hublot, elle regardait rapetisser les lumières de la ville. Elle laissait toute sa vie derrière elle, comme s'il s'était agi de celle de quelqu'un d'autre.

# 26

Cale n'avait jamais perdu son sang-froid en salle d'opération, mais quelques jours plus tôt il avait craqué et envoyé valser un plateau d'instruments à travers le bloc. Une opération est un acte vital qui comporte forcément des risques. Mais jusqu'ici il avait toujours su faire face en cas d'imprévu. Un pépin survenait? C'étaient l'expérience et le calme méthodique qui prenaient le relais.

Le remplacement de la valve cardiaque ne comportait pas de risques particuliers : Dan Hardt était un sujet jeune, l'organe n'était pas en détresse, il s'agissait d'une première opération à cœur ouvert. Deux ou trois pulsations cardiaques artificielles auraient peut-être suffi à le sauver. Mais Cale avait senti l'engourdissement l'envahir comme si son esprit avait été séparé de son corps. Pendant des mois, il s'était battu contre ses démons, et voilà qu'ils étaient revenus pour l'assaillir en pleine intervention chirurgicale. Résultat, le mardi précédent, un homme de trente-neuf ans, père de trois enfants, était mort. Les trois jours suivants, il avait réalisé avec succès cinq interventions, mais la veille il avait surpris par hasard une conversation entre différents membres de son service.

— Le pauvre, avait dit l'une d'elles. Il est fichu.

— C'est de moi que vous parlez? avait-il demandé. Ou de Dan Hardt?

Les filles avaient rougi, et nié, tandis que les hommes s'étaient figés. Mais il les avait entendus commenter l'incident du bloc, ses sautes d'humeur qui duraient depuis des mois, la fois où il avait piqué sa crise et exigé qu'on éteigne la stéréo qui diffusait un air de rock. Le même Dr Banning qui se lavait les mains en salle de désinfection au son de Janis Joplin et de Joe Cocker.

Il n'aurait jamais imaginé faire partie un jour de ces médecins souffrant de problèmes de comportement, de ces hommes connus pour être des tyrans mais considérés comme des génies.

À présent, assis dans la salle d'attente d'un confrère psychiatre, Cale attendait. Les yeux rivés au sol, il tentait en vain de chasser de ses pensées le visage défait de Sally Hardt. L'expression de douleur qui avait envahi ses traits lorsqu'il lui avait annoncé la mort de son mari le hantait jour et nuit.

Rick Sachs lui ouvrit la porte marquée « Entrée ».

La porte marquée « Sortie » donnait directement sur l'aire de stationnement afin de permettre aux patients de s'esquiver discrètement de son cabinet. Sachs était un homme grand et svelte. Psychiatre respecté, il s'était spécialisé dans les troubles mentaux des médecins : épuisement, addictions, maladie mentale, sénilité. Certains de ses patients, objets de trop nombreux procès et plaintes, lui étaient adressés par l'ordre des médecins.

Rick s'assit face à lui.

— Eh bien, qu'est-ce qui vous amène ?

— Mon « M&M » privé.

Il se référait à la séance de débriefing appelée « Morbidité et Mortalité », rituel qui réunissait chaque semaine tous les membres d'un service hospitalier pour discuter des cas problématiques, des issues malheureuses dues à des erreurs de protocole ou de diagnostic.

— J'ai perdu un patient mardi dernier et j'ai craqué en pleine salle d'op. J'ai balancé un plateau de matériel à travers la pièce.

Rick prit des notes dans un carnet;

— Cela vous était déjà arrivé auparavant?

— Non.

— Vous est-il arrivé de perdre des patients?

— Oui, mais il y a très, très longtemps. Plusieurs années.

Ils parlèrent alors des procédures et des circonstances de l'accident, puis en vinrent à sa vie privée, et, quand il évoqua le deuil qui l'avait touché personnellement, Cale fondit en larmes. Même s'il avait pu contenir ses larmes, il n'aurait pas cherché à le faire, car elles étaient la preuve qu'il était encore capable de sentiments. Pour finir, après avoir passé plus d'une heure dans le cabinet du Dr Sachs, ils convinrent d'un nouveau rendez-vous.

— Vous n'avez pas une réputation de despote, lui dit Sachs. Vos confrères vous respectent. Mais cet incident risque de vous faire perdre confiance en vous.

Tout en écoutant le verdict de Rick, Cale préparait la question qui lui brûlait les lèvres mais qu'il redoutait de poser.

— Pensez-vous que je doive arrêter d'exercer la médecine... temporairement tout au moins?

— Le fait que vous soyez venu ici de votre propre chef est plutôt bon signe. Il va sans doute falloir que vous changiez certaines choses, mais vous avez pratiqué plusieurs opérations depuis l'accident. Ce n'est pas un problème de compétence, Cale. Vous n'êtes pas Jacob Wilson.

Jadis chirurgien réputé, Wilson avait continué d'exercer alors que son état mental s'était détérioré. Il avait été suspendu par le conseil de l'ordre après avoir provoqué la mort de trois patients.

— Vous ne vous droguez pas, vous ne buvez pas, poursuivit Rick. Vous avez subi un deuil douloureux et perdu confiance en la médecine.

— Pas moi. Robyn.

— La médecine n'a pas réussi à sauver votre femme, Cale. Nous sommes de toute évidence face à un cas de dépression, et en tant que médecin vous savez certainement de quoi je veux parler. De nos jours, on attend de nous que nous nous surpassions. Nous vivons à l'ère du Prozac et du Zoloft. Vous êtes un être humain, même si vos patients vous donnent parfois l'impression d'être plus que cela, et il y a des limites que vous ne pouvez pas dépasser. L'expression « pratique médicale » laisse supposer que nous ne vivons pas dans un monde parfait. Tout le monde peut se tromper, mais vous, il semblerait que vous ne soyez plus capable de supporter l'échec. Et c'est cela que nous devons changer.

Ils convinrent d'un nouveau rendez-vous. Comme Cale se levait pour partir, Rick lui dit :

— Il y a une chose à laquelle j'aimerais vous demander de réfléchir d'ici la semaine prochaine.

— Oui ?

— Qu'est-ce qui vous turlupine dans cette histoire ? d'avoir perdu un patient, ou d'avoir infléchi la courbe statistique ?

Le dimanche soir, Kathryn se rendit chez Laurel. Après avoir déposé sa valise dans le vestibule, elle se laissa tomber dans un fauteuil.

— Quel bonheur de ne pas dormir à l'hôtel, pour une fois… J'ai tendance à oublier combien organiser une exposition demande de l'énergie.

— Je ne comprends pas pourquoi tu continues de te donner tout ce mal, alors que les galeristes ne demandent qu'à accueillir tes œuvres, lui lança Laurel qui était en train de préparer du thé à la cuisine. Tu vieillis, maman.

— Merci de me le rappeler. Au cas où je n'aurais pas remarqué que j'ai les pieds en compote, la vue basse, les cheveux blancs et les doigts déformés par l'arthrose.

Elle avait beau rire pour faire passer l'amertume de ses propos, il fallait bien se rendre à l'évidence. Ses verres de lunettes étaient plus épais, ses mains la faisaient souffrir le soir, et il lui arrivait de se tromper dans ses dosages d'émail malgré des années de pratique.

— Je suis toujours en train de chercher les clés de l'atelier, et il m'arrive de rester plantée bêtement devant le téléphone parce que je n'arrive plus à me souvenir de ton numéro.

Annalisa passa à côté d'elle et lui effleura l'épaule.

— J'ai vingt-deux ans, et il m'arrive d'entrer dans la cuisine et de ne plus me souvenir de ce que je suis venue y faire. Tu n'es pas vieille, mamie. Ton expo était extraordinaire. Tes œuvres irradiaient une énergie qui se réfléchissait dans toute la salle. Les gens étaient subjugués. Ils débattaient entre eux de ton travail. On voit bien que tu suscites la réflexion chez eux.

D'un coup de pied, elle se débarrassa de ses escarpins puis s'assit sur le canapé, un coussin serré contre sa poitrine.

—C'est vrai, au fond. Tu vis seule, tu crées seule. Il n'y a guère que pendant tes expos que tu peux juger de l'impact de ton œuvre sur le monde extérieur. Mais toute autre considération mise à part, j'ai adoré tes nouvelles œuvres.

—Organiser une expo a quelque chose d'exaltant. C'est comme une drogue, reconnut Kathryn.

Pourtant, les vernissages ne lui procuraient plus la même euphorie. Laurel avait raison. Elle se faisait vieille.

—Je devrais peut-être songer à lever le pied. Je vais y réfléchir.

—Ou multiplier les expositions, au contraire, suggéra Annalisa avec un délicieux entêtement.

Elle avait remarqué que sa petite-fille avait le don de saisir avant tout le monde la signification profonde de chacune de ses œuvres ; c'était comme de voir son propre cerveau en marche. Kathryn se plaisait à croire que l'héritage génétique avait sauté une génération et qu'Annalisa et elle étaient presque jumelles, que les cheveux roux de sa petite-fille lui venaient d'elle et non pas de Beric King.

Ce qui était sûr, c'est qu'elles se chamaillaient rarement et qu'Annalisa lui vouait même une admiration proche de la vénération. Elle ne la jugeait pas, contrairement à Laurel. Bien souvent, sa fille et elle étaient obligées de prendre des gants de peur de se froisser l'une l'autre. Et Kathryn n'avait jamais pardonné à Laurel de s'être sauvée, puis de s'être mariée et d'avoir donné le jour à Annalisa en France, loin d'elle. Les années perdues l'étaient à jamais et il était impossible de les rattraper.

Laurel tendit une soucoupe avec des rondelles de citron à Annalisa.

—Je ne voulais pas te vexer, maman. Mais tu as l'air fatiguée.

—Et je le suis, reconnut Kathryn d'une petite voix aussi fragile que ses vieux os.

Les remarques de Victor Banning ne cessaient de tourner dans sa tête et l'empêchaient de dormir. Elle n'appréciait pas de se trouver réduite à un stéréotype. Sa création jaillissait de la souffrance. Sans souffrance il n'y avait pas d'art, pas de sens. Une œuvre dépourvue de sens n'était qu'un objet. Les œuvres dignes de ce nom étaient vivantes.

Mais l'idée que son travail puisse être vu comme de l'autoflagellation lui était insupportable. Car cela supposait qu'elle avait fait les mauvais choix. Elle se laissa retomber parmi les coussins et commença à siroter son thé en silence. Il y avait des œuvres à elle un peu partout dans la maison de sa fille, sur les tables, sur le dessus de la cheminée, dans des niches éclairées. Une immense pièce, de facture récente, occupait un coin du séjour.

—C'est drôle de se retrouver assise ici et de pouvoir observer l'évolution de mon travail au fil du temps, dit-elle. Je n'ai pas gardé suffisamment d'œuvres pour pouvoir en avoir une vision globale.

Elle avait sous les yeux une rétrospective de K. Peyton.

—Il a eu raison de dire que j'ai fait du chemin.

—Qui cela ? demandèrent Annalisa et Laurel à l'unisson.

—Un critique, le soir du vernissage. Je n'étais pas aussi douée quand j'ai commencé.

—Ce n'est pas vrai, protesta Laurel avec une telle véhémence que Kathryn en resta sans voix.

Puis elle éclata de rire.

—Mais si, voyons. Je me référais à mes toutes premières œuvres. Tu étais trop jeune à l'époque, tu ne peux pas t'en souvenir. C'était avant la mort de ton père.

Laurel se leva brusquement et dit :

— Suivez-moi.

Kathryn et Annalisa échangèrent un regard surpris, mais Laurel était déjà dans l'escalier, en train de montrer la voie. Elles montèrent la rejoindre à l'étage. Un entêtant parfum de rose flottait dans sa chambre à coucher.

— Regarde-moi ces fleurs. Elles ont la taille de mon poing, dit Annalisa en s'approchant d'un guéridon. C'est un vase en baccarat ?

— On dirait bien, dit Kathryn.

Un énorme bouquet de roses blanches au feuillage vert sombre trônait dans un grand vase devant la fenêtre.

— C'est à peine si on voit la mer.

— Qui t'a donné ces fleurs, maman ? demanda Annalisa.

— Un vieil ami que j'ai retrouvé par hasard.

— Un ami qui en pince pour toi, en tout cas. Que disait la carte ? s'enquit Annalisa en brandissant une enveloppe de fleuriste vide.

Laurel se raidit, puis dit précipitamment :

— Bonne chance pour ton prochain contrat.

Une mère sait toujours quand sa fille ment. Kathryn comprit que Laurel n'était pas à prendre avec des pincettes et qu'Annalisa allait se faire rembarrer à la prochaine question.

— J'espère que c'est un prétendant, maman. Un petit peu de romance ne te ferait pas de mal. Tu mènes une vie de nonne.

Laurel pâlit. Elle était aussi blanche que la poterie qu'elle tenait à la main.

— Mais c'est une de mes œuvres, dit Kathryn, stupéfaite.

C'était un vase de ses débuts, que Jimmy aimait beaucoup et à côté duquel elle avait dû passer des centaines de fois sans même le voir. À l'époque, elle n'était encore

342

qu'une artiste débutante dont les poteries n'intéressaient pas grand monde.

— Je l'adore, dit Laurel doucement. Ne dis pas que tu n'avais pas de talent, maman. Je n'ai jamais rien vu d'aussi beau.

— C'est différent de ce que tu fais maintenant, mamie, dit Annalisa en prenant le vase des mains de sa mère. Même ta signature a changé.

— Mes premières œuvres n'ont pas été bien accueillies par les critiques d'art. L'un d'eux – le moins méchant – a dit de mon travail qu'il était facile et sans imagination.

Ce soir-là, elle avait fondu en larmes dans les bras de Jimmy. En l'espace d'une soirée, quatre années de travail s'étaient trouvées réduites à néant. Elle était encore jeune et sensible, et les propos acerbes des journalistes l'avaient profondément blessée. Pour finir, Jimmy était allé chercher des articles de journaux dans lesquels la critique éreintait sa musique. Le ton en était snob et caustique. Il les lui avait lus tout haut en faisant le pitre jusqu'à ce qu'elle retrouve le sourire.

Mais à présent, Kathryn voyait les choses différemment. Son vase était peut-être sans imagination, mais facile, certainement pas. Elle doutait de jamais pouvoir en reproduire un semblable malgré toute l'expérience et la technique qu'elle avait acquises au fil des ans. La Kay Peyton heureuse et innocente qui avait signé ce vase avait cessé d'exister. Elle était devenue K., et K. savait que sous l'apparente simplicité de l'objet se cachait un travail minutieux et complexe.

Ses premières œuvres se mirent à défiler dans sa mémoire comme un montage d'images oubliées. Une partie de son passé venait de resurgir avec une netteté qui la laissait désemparée. Elle voulut parler des roses de Laurel, mais les mots lui manquèrent, et elle dit:

—Cette artiste-là a cessé d'exister.

Laurel lui lança un regard consterné qui faillit l'achever, et c'est alors qu'elle réalisa que ce dont il était question ici n'avait rien à voir avec l'art.

Plus tard, ce soir-là, après que sa mère fut allée se coucher et qu'Annalisa fut rentrée chez elle, Laurel se mit en pyjama puis éteignit la lumière de la salle de bains. En sentant le parfum épicé des roses qui embaumait la chambre, elle fut brusquement envahie par une étrange mélancolie mêlée d'excitation et d'espoir. Le jour où les fleurs de Jud étaient arrivées au bureau, elle s'était sentie transportée trente ans en arrière. Mais une telle émotion n'était plus de mise aujourd'hui. Tout cela faisait partie du passé.

On frappa à la porte de sa chambre.

—Laurel?

Sa mère parut sur le seuil. Dans son peignoir sagement noué à la taille, elle semblait plus petite, plus vieille et plus fragile. Elle tenait la carte du fleuriste à la main.

—Je l'ai trouvée sur le comptoir de la cuisine.

—Merci, dit Laurel en la lui prenant des mains.

—Que se passe-t-il, Laurel? Cesse de jouer les idiotes, s'il te plaît. « Une fleur pour chaque année passée. Trente ans, c'est trop, Jud. »

—Je n'ai plus dix-sept ans, maman.

—En effet, tu en as quarante-huit, et j'espère que tu as compris qu'il n'est pas possible de revenir en arrière.

—Tu préférerais sans doute que je passe ma vie enfermée dans le passé, comme toi.

344

Une gifle aurait été moins cruelle, mais les mots étaient sortis tout seuls. L'émotion avait pris le dessus.

— Regarde-nous. Regarde ce que nous sommes devenues, à cause de toute cette amertume, maman. Je n'ai jamais réussi à trouver la place qui me revenait. Et tout cela parce que tu vivais drapée dans le deuil et le ressentiment, la colère et le chagrin. Parce que tu as passé ta vie enfermée dans ton atelier, immergée dans ton travail. Tu sais pourquoi j'aime ce vase ? Parce que ce vase est pétri de joie. Ce n'est pas une de ces pièces torturées, censées figurer le côté sombre de la vie. Il est simple et beau.

Elle fit une pause, puis ajouta :

— J'aurais aimé te connaître à l'époque.

— J'étais une autre personne alors. Mais le bonheur et la joie ne durent pas.

La voix de sa mère se brisa. Elle détourna les yeux et se recroquevilla sur elle-même.

— Tu es partie vivre en France. Tu t'es mariée. Tu as eu Annalisa. Tous ces moments importants dans la vie d'une femme, tu les as vécus à des milliers de kilomètres de moi.

— Tu es venue au mariage.

— En tant que simple invitée. J'ai réussi à avoir une place d'avion de justesse, car tu as attendu la dernière minute pour me prévenir. Je me suis toujours demandé si c'était délibéré de ta part. Et puis ce mariage au milieu d'un pré…

— C'était un champ de lavande. En 1971, je trouvais cela romantique. Avec le recul, je me dis que ce jour-là j'ai commis une erreur. Mais cela n'a rien à voir avec ce qui se passe aujourd'hui.

— Pour moi, si. Car chaque fois qu'un Banning croise notre chemin, nous perdons quelque chose.

Laurel s'approcha du lit et déposa la carte sur la table de chevet.

— Il fallait que je parte, maman.

— À cause d'eux. À cause de ces deux frères. Tu t'es retrouvée tiraillée entre eux. Tout est leur faute.

— Non. C'est ma faute.

— Mais était-ce une raison pour t'enfuir loin de moi ?

Sa mère s'était mise à pleurer et Laurel s'en voulait de lui avoir fait de la peine.

— Écoute, je suis désolée. Je ne voulais pas te blesser ou rouvrir les blessures du passé. Pour rien au monde je ne voulais raviver le souvenir de la mort de papa. Mais c'est fini. C'est arrivé il y a très longtemps. Nous ne pouvons rien y changer. Tu dois comprendre que nous sommes liées par un contrat.

— Quel contrat ?

— Del Mar, le projet Camino Cliff, est une filiale de BanCo. Je l'ignorais quand nous avons répondu à l'appel d'offres, mais il n'en reste pas moins que c'est une chance pour King Design. Une occasion comme il ne s'en présente pas deux dans une vie. Et tout cela grâce à Annalisa, qui a fait les démarches et décroché le marché. Un marché de cinq millions de dollars.

— Cinq millions, répéta Kathryn d'une voix morne. Comment pourrais-je prétendre lutter contre cinq millions de dollars ?

— Il ne s'agit pas de toi. Ce contrat est important pour Annalisa et pour moi. C'est une fille brillante, et je suis fière d'elle. Elle ignore tout de ce qui s'est passé entre nous et les Banning, et je ne te laisserai pas la priver de ce qui lui tient à cœur sous prétexte que tu as peur.

Elle avait dit cela sur un ton presque aussi cassant que celui de sa mère.

Kathryn se dirigea vers la porte, puis s'arrêta et se retourna.

— Je voulais te protéger, c'est tout.

— N'y pense plus, maman. S'il te plaît, n'y pense plus, soupira Laurel.

## 27

Le lendemain matin, sa mère était partie en laissant un mot l'informant qu'elle était retournée à L.A. Laurel avait passé une nuit agitée. La culpabilité n'était pas une chose facile à gérer, surtout quand les rapports étaient à ce point tendus et empreints d'émotion. Elle ne pouvait retirer ce qu'elle avait dit. Sa vie lui semblait à nouveau compliquée. En sortant de l'ascenseur, elle aperçut deux roses dans des soliflores en verre posées devant la porte de son bureau. Il y avait une carte attachée à chacune.

*Déjeuner. Appelle-moi quand tu seras prête.*

*Jud*

Avec Pat en congé et Annalisa en réunion chez Del Mar, le reste de la journée prit des allures de cauchemar. Le téléphone sonna sans arrêt toute la matinée ; les plans du site avaient été adressés par erreur à une autre entreprise. N'ayant d'autre choix que d'aller les récupérer, Laurel se retrouva prise dans les embouteillages. Enfin, toutes les heures, ce jour-là, une fleuriste se présenta au bureau avec une rose, chaque fois d'une couleur différente : rouge feu, jaune soleil, bordeaux, orange clair, rose – vif et pâle. Toutes étaient accompagnées d'une carte portant le même numéro de téléphone et le même message.

À la fin de la journée, toutes les cartes étaient alignées comme des soldats au garde-à-vous sur le bord de son bureau, tandis que les roses en occupaient les coins.

— Ne compte pas sur moi pour t'appeler.

Saisissant un stylo, elle s'en servit comme d'un projectile pour abattre les cartes. Quand toutes furent tombées à terre, elle les ramassa, puis ramassa les roses et jeta le tout à la corbeille.

Quelques minutes plus tard, elle était plongée dans un inventaire quand la fleuriste se présenta avec une rose couleur lavande – sa préférée.

— Qu'il aille au diable, pesta-t-elle à mi-voix.

— Le moins qu'on puisse dire, c'est qu'il a de la suite dans les idées, dit la jeune fille. C'est moi qui ai pris la commande et rédigé toutes les cartes.

Laurel consulta sa montre.

— Il y en a encore beaucoup ?

— Deux. Elles sont dans le camion.

— Ça vous ennuierait de me les donner tout de suite ?

— Pas du tout.

Quand la fille revint, Laurel lui tendit une feuille avec son numéro de carte bancaire.

— Ai-je encore le temps de passer une commande ?

— Vous avez une heure.

— Avez-vous des cactus ?

— Bien sûr.

— Dans ce cas, envoyez-lui le plus gros et le plus piquant que vous trouverez avec une carte disant : «Non».

La fille riait encore lorsqu'elle referma la porte derrière elle.

De retour dans son bureau, Laurel jeta un coup d'œil à la poubelle pleine de roses et se sentit fondre. Le seul vase dont elle disposait était beaucoup trop grand mais elle le remplit malgré tout d'eau tiède. Lorsqu'elle entreprit de tailler les tiges, elle remarqua qu'on en avait ôté les épines. Si seulement on avait pu en faire autant avec les ronces de la vie! songea-t-elle.

— Coucou, me revoilà! cria Annalisa en passant dans le couloir avec un paquet de café et un sac de courses à la main.

Elle fila directement à la cuisine pour y ranger les provisions.

Lorsqu'elle revint, elle s'installa dans un fauteuil avec les pieds croisés sur le bureau face à Laurel.

— Ce vase est trop grand, dit-elle en pointant le bâton de réglisse qu'elle tenait à la main.

— C'est le seul que nous ayons ici. Comment s'est passée ta journée?

— Bien. Plutôt tranquille. Mais ce n'est pas plus mal. Je vais attendre que nous soyons revenues de la foire de Chicago pour faire une liste de tous les ustensiles dont nous allons avoir besoin. Ces fleurs, c'est toujours le même type qui te les a envoyées?

— Je n'ai pas envie d'en parler. Nous allons leur soumettre des projets d'aménagement, mais en veillant à ne pas nous enfermer dans un schéma trop précis. Je suis allée chercher les plans aujourd'hui. À ce propos, il va bientôt falloir que je rencontre le chef cuisinier.

— Accroche-toi bien. Ils n'ont pas encore fait leur choix.

Laurel lâcha son stylo.

— Tu plaisantes?

Annalisa secoua la tête.

— N'est-ce pas ce qu'on appelle mettre la charrue avant les bœufs? Tu imagines ton père prenant possession d'une cuisine dont tous les aménagements auraient été réalisés sans qu'il ait été consulté ? Ils n'auraient plus qu'à tout reprendre à zéro. Chez lui, c'est une question de principe. Il faut qu'il se plaigne, même quand ça lui convient.

— Je le leur ai dit. Et là, coup de théâtre ! Ils m'ont informée qu'ils voulaient engager papa.

Laurel lâcha un juron.

— Tu m'aurais taillé les oreilles en pointe si j'avais dit un mot pareil, protesta Annalisa.

— Non, ton père jure en anglais. Simplement, il ne le fait pas quand tu es là.

Laurel se renversa dans son fauteuil et réfléchit un moment.

— Je connais ton père, heureusement. Mon seul souci, c'est qu'il va vouloir nous dire comment aménager toutes les autres cuisines du projet.

Annalisa se tassa dans son siège.

— Papa ne va pas arrêter de me harceler pour me convaincre de travailler avec lui.

— Ce n'est pas dit. Quand il verra de quoi tu es capable, il finira peut-être par te laisser tranquille.

— Bien sûr. Et puis je vais gagner au Loto et ne pas prendre un gramme même en m'enfilant la moitié de cette énorme boîte de bonbons.

Elle brandit un morceau de réglisse rouge dont elle trancha le bout avec ses dents.

— Avec un peu de chance, il va refuser.

— Ton père ? Certainement pas. Tu ne veux pas venir dîner à la maison, plutôt que de t'empiffrer de cochonneries ?

— Si, tu as raison. Je vais aller les ranger.

Quelques minutes plus tard, Laurel était en train de fermer la porte du bureau quand le carillon de l'ascenseur

tinta. C'était Beric. Il courut vers elles en agitant une enveloppe en papier kraft.

— Ah, vous voilà ! Vous tombez bien. J'ai une surprise
pour vous. Devinez ce que c'est !

— Un contrat avec le restaurant de Camino Cliff, dit
Annalisa d'une voix désabusée.

— Oui ! Comment le sais-tu ?

Annalisa regarda sa mère puis son père.

— Parce que je les ai vus et qu'ils m'ont dit qu'ils
étaient en négociation avec toi.

— Au début, oui. Mais ils m'ont convaincu de les
rejoindre. Et maintenant, j'ai une super nouvelle à vous
annoncer.

Il riait, les mains sur les hanches, fier comme un coq.

— Ils m'ont confié la gestion de tous les restaurants
du projet.

Tous porteront la griffe Beric King.

Laurel ne parvint pas à réprimer un petit grognement
de contrariété, tandis qu'Annalisa pâlissait.

— N'est-ce pas formidable ? Venez, nous allons fêter
ça.

Beric passa un bras enthousiaste autour des épaules de
chacune d'elles et les attira contre lui comme s'il s'agrippait à des bouées de sauvetage. Puis, serrant Annalisa un
peu plus fort, il dit :

— Peut-être pourrions-nous — mais ce n'est qu'une
suggestion – appeler l'un d'eux l'Annalisa, et laisser *ma
petite fille* agencer son futur restaurant. Ainsi elle travaille-
rait à la fois avec *maman* et *papa*.

— Papa, s'il te plaît…

— Je sais, je sais. Cela fait beaucoup à digérer en une
fois. Nous en reparlerons plus tard. Tous les King vont
pouvoir recommencer à travailler ensemble.

Beric les entraîna vers l'ascenseur. Il regarda Laurel, qui réprima une furieuse envie de l'envoyer promener.

— On va bien s'amuser, pas vrai, Laurel ?

— Oui, Beric. Comme quand on était mariés.


Pour Annalisa, dîner en compagnie de ses parents était une expérience fascinante. Bien qu'ils fussent séparés depuis des années, son père aimait toujours sa mère. C'en était même parfois douloureux, car il n'avait pas l'air de comprendre comment ils en étaient arrivés là. Annalisa avait beau les aimer tous les deux, elle n'avait rien pu faire pour leur venir en aide quand leur mariage avait commencé à battre de l'aile. Après le divorce, sa mère avait réussi à retrouver ses marques. Mais Annalisa en était ressortie avec un sentiment de culpabilité mêlé de colère, de chagrin et de ressentiment. Au début, comme toutes les adolescentes qui souffrent – et qui savent que, quoi qu'elles puissent dire ou faire, l'amour de leur mère leur restera acquis –, elle s'en était prise à Laurel.

Mais ce soir, elle voyait bien que sa mère souffrait de l'exubérance de son père, de ses rodomontades, de son besoin de régenter leurs vies selon les principes chers à Beric King, toque étoilée, époux, ou plutôt ex-époux (ce qui était encore pire) et roi des enquiquineurs. Après le dîner, ses parents quittèrent le restaurant ensemble en se chamaillant au sujet des plans de travail en inox. Restée seule, Annalisa n'avait aucune hâte de regagner son appartement vide. Elle entra dans le bar, où un orchestre jouait des airs de jazz, et alla s'asseoir au comptoir pour prendre un verre.

La salle commençait à s'animer et à se remplir à mesure que les gens qui sortaient de table se dirigeaient vers le bar. Peu après, l'orchestre s'accorda une pause. La tension du dîner avec ses parents se dissipait. Au milieu de cette foule joyeuse, elle se sentait quelque peu libérée de son tragique destin de célibataire qui désespérait de rencontrer chaussure à son pied alors qu'autour d'elle le monde entier semblait transi d'amour. Elle se retourna pour poser son verre sur le comptoir et se retrouva face à face avec Matt Banning.

— Eh, bonsoir ! dit-elle.

— Bonsoir, dit-il en s'adossant au bar, assez près pour lui donner envie de reculer son tabouret.

— Vous êtes venu pour le concert ? demanda-t-elle.

— Non. J'étais au restaurant avec mon père.

Elle balaya la salle du regard.

— Où est-il ?

— Il vient de partir. Nous essayons de dîner ensemble une fois par semaine. Entre hommes, ajouta-t-il avec un rire dépourvu d'ironie.

— J'ai dîné ici avec mes parents, mais je ne vous ai pas vu.

— Nous étions à l'étage, c'est plus calme. Mon père n'aime pas les lieux bruyants.

— Mes parents, au contraire, se sentent chez eux quand ils vont au restaurant et contribuent pour une large part au tapage ambiant.

Un silence embarrassé s'ensuivit. Matt exerçait sur elle un effet troublant, inquiétant. En sa présence, elle se sentait faiblir, en proie à des bouffées de désir qui lui brûlaient la peau et qu'elle ne parvenait pas à contrôler. Quand il se tenait comme maintenant tout près d'elle, l'air se mettait à vibrer, provoquant des frissons sur sa nuque, sur ses bras, ainsi qu'un doux frémissement léger et furtif comme un battement d'ailes au creux de sa poitrine. Créature solitaire, elle se sentait désarmée face à des émotions aussi violentes.

—Puis-je vous offrir un autre verre ? demanda-t-il. C'est une vodka ?

—Non, du Canada Dry avec du citron vert. Je n'ai pas envie de me mettre à divaguer.

Elle regretta aussitôt ces paroles qui trahissaient sa faiblesse.

—Il m'arrive de boire de l'alcool, mais rarement pendant le travail et jamais quand je dois prendre le volant.

—Vous aimez bien tout contrôler, en somme.

—Vous aussi, je crois, dit-elle en riant. Vous n'avez rien bu d'autre que du Coca l'autre jour, à la réception.

—Ainsi, vous m'avez observé ? Vous vous intéressez un peu à moi ? Si seulement c'était vrai !

Voyant qu'il devenait sérieux, elle cessa brusquement de rire.

—Non, Matt. S'il vous plaît.

—Je suis sincère. Vous préféreriez que je vous mente ?

Oui, songea-t-elle avant de dire tout haut :

—Mais pourquoi moi ?

Il haussa les épaules.

—Je n'en sais rien.

—Il y a des milliers de filles dans ce comté, et des dizaines rien qu'ici, dans ce bar, qui ne demanderaient pas mieux que de vous rencontrer. Vous n'avez que l'embarras du choix. En voyez-vous une qui vous plairait ?

—Oui. Mais elle refuse de sortir avec moi.

—En effet, répondit Annalisa d'un ton ferme. Quelle est la solution ?

—Rester seul et sans attaches.

Il se pencha vers elle et murmura :

—Je ne vous fais pas pitié ?

— Ce n'est pas ma faute si vous vous retrouvez le bec dans l'eau.

— Et vous, pourquoi êtes-vous seule ?

— Je n'ai jamais dit que j'étais seule.

— Vous avez raison. Cette soirée marque le début de notre relation.

— Ah non, protesta-t-elle en reposant résolument son verre sur le comptoir. Je vais vous trouver une fille, attendez. Tenez, vous voyez la blonde là-bas ? Plutôt jolie, non ?

— Bronzée.

— Toutes les blondes qui sont ici sont bronzées. Je ne vois pas où est le problème.

— Ces dames vont finir ridées comme des pommes.

— Matthew… Matthew. Un homme qui cherche une femme ne pense pas au lendemain. Tout ce qui l'intéresse, c'est ici et maintenant.

— À vous entendre, tous les hommes sont des gamins insupportables.

— Je ne vous le fais pas dire.

— Dois-je comprendre que les hommes que vous avez connus se comportaient comme des goujats ?

— Non.

— Pas tous, mais presque ?

Elle prit une longue gorgée de son verre, regrettant de n'avoir pas commandé une vodka et surtout d'avoir orienté la conversation sur ce terrain glissant.

— Parlez-moi donc du dernier avec qui vous êtes sortie.

— Ça ne vous regarde pas.

— Pourquoi ? Vous le voyez toujours ?

— Grands dieux, non.

Elle n'avait personne dans sa vie, mais l'avouer à Matthew Banning eût été se rabaisser à ses yeux. Il la regardait avec l'insistance de quelqu'un qui attend une réponse.

—Bon, puisque vous y tenez, dit-elle avec une moue dépitée. Le dernier avec qui je suis sortie était un ami d'amis, un rendez-vous arrangé si vous préférez.

—On ne devrait jamais sortir avec un rendez-vous arrangé.

—J'ai accepté l'invitation pour rendre service à une copine. Plus tard, il a confié à cette amie qu'il me trouvait trop grosse.

Matthew, qui venait de prendre une gorgée, manqua s'étrangler. Il la regarda d'un air suspicieux, comme s'il pensait qu'elle lui mentait.

Elle leva la main, paume ouverte.

—Je vous jure que c'est vrai.

—C'était un gringalet ?

—Non, c'était un courtier en Bourse, grand et blond.

—Et aveugle, apparemment.

Elle resta un moment à ruminer en silence les propos du courtier. Trop grosse… Et dire qu'elle avait une énorme boîte de réglisses au bureau. Elle n'avait aucune volonté. La preuve, au lieu de partir en courant, de fuir la tentation pendant qu'il était encore temps, elle restait ici à discuter avec Matt. La vérité, c'est qu'elle aimait sa façon de la regarder, de la taquiner, de se tenir tout près d'elle sans la toucher. Il portait un polo tout simple avec un jean et des mocassins. Voyant qu'il la dévisageait attentivement, elle se demanda ce qu'il pensait.

—Vous faites quoi ? Un trente-six. Et vous pesez combien ? Cinquante kilos ?

—Comment avez-vous deviné ?

—J'ai de la chance, voilà tout.

— Vous êtes capable de dire la taille et le poids d'une femme rien qu'en la regardant. J'imagine que vous avez des sœurs.

— Un frère. Mais quand j'étais à la fac, on avait l'habitude de parier sur la taille et le poids des filles, mes amis et moi. On jouait pour de l'argent et je raflais chaque fois la mise.

Attention, la mit en garde une petite voix intérieure. Un garçon qui n'avait pas de sœur et qui pouvait deviner les mensurations d'une femme à vue de nez était un homme à femmes. Bill, le rendez-vous arrangé, conduisait une Porsche Carrera noire. En Californie, le berceau de l'automobile, on vous jugeait à la voiture que vous conduisiez. Bill avait en outre tous les attributs du play-boy. Matt était peut-être comme Bill, un homme pour qui les femmes et les voitures n'étaient que des faire-valoir. Mais ce genre d'amusement ne pouvait en aucun cas se substituer à l'amour. Elle secoua tristement la tête et conclut :

— Les hommes sont des êtres superficiels.

Il plissa les paupières et lui décocha un regard qui laissait entendre qu'il lui revaudrait ça.

— Je n'ai pas envie de parler de mon poids et de ma taille. Je vais de ce pas vous chercher une petite amie pour que vous cessiez de me regarder avec des yeux de chien battu.

Il éclata de rire.

— C'est donc l'effet que je vous fais ? Pas étonnant que vous refusiez de me donner ma chance.

Elle tendit la main et, le saisissant par le menton, l'obligea à regarder à l'autre bout du bar.

— Regardez cette blonde, là-bas, sur le tabouret. Vous la voyez ? Celle avec les cheveux mi-longs, habillée en rouge.

Il l'étudia pendant un moment puis fit non avec la tête.

— Trop maigre. Heureusement que vous n'êtes pas directrice de casting.

— Très bien, nous allons vous en chercher une autre.

Elle scruta toutes les filles assises au comptoir, puis se pencha vers lui et lui murmura à l'oreille.

— Et celle-là, là-bas, avec les cheveux bruns frisés, assise à côté du téléphone. On dirait Drew Barrymore.

— Mais c'est Drew Barrymore.

Annalisa détailla à nouveau la femme, puis haussa les épaules.

— Et quand bien même ? Vous ne voulez pas tenter votre chance ?

Il secoua la tête.

— Non. Ce serait trop de soucis d'entretien.

— Je n'ai jamais compris ce que les hommes entendaient par « soucis d'entretien ».

— Toute fille qui fait la une de la presse.

— Mince alors, vous êtes sacrément difficile.

— Dites-moi si je me trompe, mais vous avez failli ajouter « pour un homme ».

— Pas de procès d'intention, dit-elle en levant la main pour le faire taire.

Il se contenta de la regarder comme s'il l'avait percée à jour. Elle avait du mal à cacher son cynisme.

— Vous me faites dire des choses que je n'ai pas dites pour noyer le poisson.

— Je sais ce que je veux. Je suis exigeant.

— Vous êtes un homme. Comment pourriez-vous être exigeant ?

— Vous voyez ? Je vous l'avais dit. Vous avez un problème avec les hommes.

— Mais non, c'était juste une plaisanterie. Et maintenant, arrêtez de me provoquer.

Elle vit à l'expression de son visage qu'elle n'avait pas réussi à le berner.

— Bien, que diriez-vous de la brune qui est assise trois tabourets plus loin ?

— Ne cherchez pas à changer de sujet, voulez-vous ?

— Je cherche à vous trouver une cavalière. Soyez attentif, je vous prie. Cette fille est superbe, sensuelle. Les hommes aiment ça, non ? Et vous avez vu son sourire ?

— J'aime les rousses.

— Ne me dites pas que vous ne sortez qu'avec des rousses.

— Il se trouve que mes préférences en matière de femmes ont changé récemment.

— Vous perdez votre temps, Matt.

— Je ne suis pas pressé.

— Bon sang, ce que vous pouvez être obstiné ! Vous rendez-vous compte que nous sommes appelés à travailler ensemble pendant les deux années à venir ?

— Je suis un homme patient.

— Voilà une belle contradiction dans les termes.

— Très drôle. Vous comprenez, maintenant, pourquoi vous me plaisez tant ?

— Vous êtes complètement fou !

— Fou de vous.

— Vous n'arrêtez donc jamais ?

— Vous ne pouvez pas me reprocher de tenter ma chance.

— Il est temps de partir, dit-elle en prenant son sac à main. Cet endroit commence à être trop bruyant pour moi.

Il posa son verre et dit :

— Je vous raccompagne jusqu'à votre voiture.

—Ce ne sera pas nécessaire. Restez. Écoutez la musique. Ils jouent divinement.

Il tendit la main et saisit le pull posé sur le dos de son tabouret, mais ne le lui donna pas.

—Je vous raccompagne. Il fait noir dans l'aire de stationnement.

—Je sais me défendre.

—J'avais remarqué, Annalisa.

—Non, sérieux ? Je suis ceinture noire, lança-t-elle par-dessus son épaule.

—Parfait. Vous allez me servir de garde du corps.

Il posa son pull sur ses épaules, puis garda un moment ses mains sur elle. C'était une marque de courtoisie, mais aussi un geste sensuel et intime. Il lui pinça doucement les épaules et l'espace d'un court instant elle oublia de respirer. Une fois dehors, ils s'arrêtèrent et elle se tourna vers lui pour lui dire bonsoir.

—Je suis garé de ce côté-là, dit-il en pointant sa clé de voiture à l'ouest du parking.

Du même côté qu'elle, pas de chance.

—Et vous ?

Il attendit sa réponse, puis voyant qu'elle ne venait pas, ajouta :

—Il y a un problème ? Vous ne vous souvenez plus où vous êtes garée ? Appuyez sur le bouton d'alarme.

—Non. Je suis garée de ce côté-là aussi.

La saisissant par le coude, il commença à la piloter à travers le parking.

—Parfait. Comme cela, au moins, vous ne risquez pas de m'abandonner en cas d'agression.

Elle rit malgré elle.

—Entendu, je vais vous raccompagner et mettre en fuite les éventuels casseurs.

— Très drôle.

— Pauvre petit homme faible ! Vous mesurez combien, au fait ?

— Un mètre quatre-vingt-huit.

— Et moi un mètre soixante-six.

— Je sais, dit-il avec un sourire goguenard.

Ils firent le reste du chemin en silence. Une fois en vue de sa voiture, elle appuya sur la touche de déverrouillage et les phares s'allumèrent.

Il éclata de rire.

— Qu'est-ce qu'il y a de si drôle ?

Il cliqua à son tour sa clé de voiture et les phares d'une Chevrolet stationnée à côté de sa voiture s'allumèrent.

— Vous ne pouvez pas me quitter d'une semelle, rit-il.

Il y avait plus d'une centaine de places dans ce parking, mais ils étaient garés l'un à côté de l'autre. Le mot « destin » traversa brusquement son esprit. Annalisa faisait partie de ces gens qui ne croient pas au hasard. Chaque fois qu'elle le regardait, elle se sentait fondre, raison pour laquelle elle adoptait le ton léger de la dérision. Elle ne se sentait pas prête pour une relation qui risquait de la consumer. Matthew Banning était capable de l'embraser, et elle savait qu'il n'y avait pas pire tue-l'amour qu'une idylle avec un collègue de travail.

Il lui ouvrit galamment la portière. Elle monta et mit aussitôt la clé dans le contact, mais, au lieu de refermer la portière, il se pencha vers elle. Une main sur le volant et l'autre sur la clé, elle se tenait prête à démarrer, mais il murmura son nom, et elle commit l'erreur de le regarder.

— Vous et moi sommes pareils. Nous ne renonçons pas facilement quand nous avons une idée en tête.

— Je ne peux pas, Matt. C'est impossible.

— Si, vous pouvez.

Elle allait lui répondre, mais il leva une main en l'air pour la faire taire.

— Je veux vous faire la cour. Et je suis prêt à attendre le temps qu'il faudra.

À ces mots, elle se sentit fondre. Matt menait une guerre d'usure. C'était un homme riche, intelligent, brillant et beau comme un dieu qui brûlait probablement la chandelle par les deux bouts. Mais oui, bien sûr, toutes ces flatteries, ce bagout, ces minauderies n'étaient pour lui qu'un jeu. Cette pensée jeta la confusion dans son esprit. Son instinct de conservation lui dictait de se méfier de cet homme qui risquait de lui briser le cœur.

— Bonsoir, Matthew, dit-elle en refermant la portière.

— Bonsoir, dit-il en regagnant sa voiture.

Pas une Porsche ni une Ferrari. Pas une voiture de play-boy, mais un bon gros pick-up Chevrolet blanc.


Jud entra dans les locaux de King Design d'un pas résolu. Assise sur le bureau qui faisait face à la porte, un téléphone calé sur l'oreille, la fille de Laurel était en train de prendre des notes dans un carnet. Elle lui décocha un grand sourire en lui faisant signe qu'elle aurait bientôt fini.

Des canapés en cuir flanqués de tables de verre étaient à la disposition des visiteurs. Une rangée de spots lumineux diffusait une lumière douce, et une partie de la pièce prenait le jour par une fenêtre d'angle. Les murs couleur sable servaient de toile de fond à des reproductions encadrées de noir, diverses médailles et récompenses attribuées à King Design, et photos témoignant de l'excellence de ses réalisations : superbes comptoirs et meubles de cuisine en inox, réfrigérateurs et chambres froides pour collectivités, pianos de cuisson à foyer multiple. Certains de ces clichés mettaient en scène le chef cuisinier posant devant un espace de travail rutilant. Sur chaque cadre apparaissaient la date à laquelle avait été prise la photo, ainsi que le nom du chef et du restaurant.

Il y avait également un collage réalisé avec des photos et une interview de Laurel dans le magazine *Cuisine Pro*. Jud avait toujours pensé que l'absence de père avait fait d'elle une créature solitaire et tourmentée constamment en proie au doute. Tout le contraire en somme de la femme rayonnante et sûre d'elle qui s'offrait ici sans complexe à l'objectif du photographe.

— Monsieur Banning, dit Annalisa en s'approchant de lui, je suis désolée de vous avoir fait attendre.

— Appelez-moi Jud. « Monsieur Banning » me donne l'impression d'être vieux.

Vieux, il l'était suffisamment pour être son père.

— Oh, mais vous n'êtes pas vieux du tout.

Il y eut un moment de silence embarrassé tandis qu'elle posait sur lui un regard interrogateur.

— Aurions-nous manqué un rendez-vous ?

— Non, non.

Il fit un geste vague de la main et le mensonge sortit tout seul :

— J'ai rendez-vous avec votre mère pour déjeuner.

— Ah bon ? Je n'étais pas au courant. Quand la secrétaire est en vacances, tout part à vau-l'eau, et en particulier le planning de maman. Elle est dans son bureau. Suivez-moi.

Annalisa le mena dans un petit couloir. Ils passèrent devant un autre bureau, puis devant une salle garnie d'une table à dessin et d'étagères couvertes de livres et de dossiers, et une autre qui servait de coin cuisine et de salle de détente. Elle frappa et ouvrit la porte du bureau de Laurel.

— Maman ?

Debout derrière sa table de travail, la silhouette de Laurel se découpait dans la lumière qui entrait à flots par la fenêtre.

— Qu'y a-t-il, ma chérie ?

C'est alors que ses yeux rencontrèrent les siens. Dans les quelques secondes de silence qui suivirent, elle serra les mâchoires. Confus et bouleversé comme chaque fois qu'il la voyait, il resta figé, incapable de réagir.

— Jud est passé te prendre pour le déjeuner, dit Annalisa.

Puis elle se tourna vers lui et ajouta :

— J'ai été ravie de vous revoir. À plus tard, maman.

Laurel croisa les bras, raide comme la justice, et demanda, l'air butée :

— Qu'est-ce que c'est que cette histoire de déjeuner ?

— Comme tu ne m'as pas rappelé, j'ai décidé de venir te chercher. Au fait, merci pour le cactus.

— C'est grotesque, dit-elle en se laissant tomber dans son fauteuil.

Elle allait ajouter quelque chose mais, au même moment, elle aperçut Annalisa qui passait dans le couloir en lui faisant un signe de la main. Quelques secondes plus tard, ils entendirent la photocopieuse qui se mettait en marche dans le bureau voisin. Furieuse, Laurel se pencha au-dessus du bureau et murmura :

— Qu'est-ce qui te prend ?

— Que veux-tu dire ?

Annalisa passa la tête dans l'entrebâillement de la porte.

— Je file sur le chantier. Bon appétit à tous les deux.

Il attendit que la porte d'entrée se soit refermée.

— Je voulais t'inviter à déjeuner. Je sais que nous avons un vieux contentieux, toi et moi, mais dès lors que nous allons être amenés à travailler sur le même projet, nous devrions enterrer la hache de guerre.

— C'est drôle, mais j'ai plutôt l'impression que tu es en train de la déterrer.

— Paix, dit-il en levant une main.

— Je ne suis pas sûre de pouvoir te faire confiance.

— Et moi donc.

L'expression de son visage se figea comme s'il l'avait giflée en pleine figure. Mais, au lieu de s'excuser, il dit calmement :

— Que dirais-tu d'aller discuter de tout cela autour d'un sandwich ?

— Discuter de quoi ?

— De ton travail. De ta fille. De ta vie depuis 1970.

— Dois-je comprendre que tu n'as pas l'intention de partir ?

— En effet.

Elle posa sur lui un regard tendu tandis que ses doigts se mettaient à pianoter sur le rebord de son bureau. Un geste de colère ou de nervosité. Mais quelques secondes lui suffirent pour prendre sa décision.

— Allons-y, dit-elle en saisissant son sac à main.

Dehors, la lumière du soleil qui se réfléchissait sur les façades en verre des immeubles jetait des reflets dorés dans sa chevelure.

— Je t'aime bien en blonde, dit-il.

Elle s'arrêta pour passer une main dans ses cheveux. Elle portait une coupe mi-longue dont les pointes rebiquaient légèrement autour de son menton, faisant ressortir la douceur de ses traits.

— Le changement est salutaire, dit-elle sèchement. Il faut savoir tourner la page.

Il en fut ainsi tout au long du trajet jusqu'au restaurant. Elle parla peu et, voyant qu'elle répondait par monosyllabes à ses questions, il se demanda s'il arriverait un jour à retrouver la Laurel superbe et triomphante qu'il avait vue sur la photo.

Après quelques minutes de silence, elle eut l'air de se détendre.

— Je reconnais que je t'ai forcé la main, dit-il. Mais je te jure que ce n'était pas prémédité. Simplement, c'est la première réponse qui m'est venue à l'esprit quand Annalisa m'a demandé pourquoi j'étais là.

— Et pourquoi étais-tu là ?

— Parce que je voulais te voir. Et c'est alors que l'idée du déjeuner m'est venue.

— Et que tu as menti.

— Dans ce bas monde, quand on veut quelque chose, il faut savoir saisir sa chance.

— Tu es la deuxième personne à me faire cette remarque. Ai-je à ce point l'air de quelqu'un qui reste les bras croisés ?

— En l'occurrence, je ne parlais pas de toi, mais de moi.

Quand il se gara devant le restaurant, son humeur changea brusquement et elle se mit à rire.

— Tu viens souvent ici ?

— Pourquoi ? Tu n'aimes pas cet endroit ?

— Si, si, je l'adore. Ne laissons surtout pas passer l'occasion, dit-elle gaiement. On y va ?

Dès qu'il la vit entrer dans le restaurant, le maître d'hôtel s'exclama :

— Laurel !

Il la serra avec effusion dans ses bras, puis tous deux s'enquirent de leurs filles respectives, et ils se mirent à bavarder comme de vieux amis. Ils évoquèrent le menu dégustation et la préparation du homard, et Laurel le complimenta sur les arrangements floraux. Ne sachant que faire, Jud attendait, les bras ballants.

C'est alors que le maître d'hôtel l'aperçut.

— Monsieur Banning, je ne vous avais pas vu.

— Nous sommes ensemble, Thomas, dit Laurel sans lui laisser le temps de répondre.

— Dans ce cas, je vais vous donner notre meilleure table, leur dit Thomas en les menant jusqu'au recoin intime où, quelques jours plus tôt seulement, Kelly s'était levée de table et l'avait planté là.

À travers la baie vitrée, on apercevait l'étendue du Pacifique. Le ciel était d'un bleu encore plus intense. C'était une de ces journées éclatantes et trompeuses qui donnaient l'impression que l'amour était une chose facile.

Quelques secondes plus tard, un essaim de serveurs s'affairait autour d'eux. Tandis qu'on remplissait leurs verres d'eau fraîche et qu'on dépliait leurs serviettes, Laurel échangeait de menus propos avec le personnel.

Quand ils furent enfin seuls, Jud lui dit :

— Je crois que j'ai compris. Ce restaurant est un client de King Design ?

— C'est la première fois que je mets les pieds ici, dit-elle le plus sérieusement du monde.

— Je ne sais pas pourquoi, mais j'ai comme l'impression que c'est le chef en personne qui va venir prendre notre commande.

Au même moment, il jeta un coup d'œil au menu et tout devint limpide.

— Mais oui, bien sûr. Nous sommes dans un restaurant Beric King, comme dans King Design.

— C'est mon ex.

La nouvelle fit l'effet d'une bombe sur Jud, qui connaissait Beric King et fréquentait ses restaurants, mais qui était à mille lieues d'imaginer que Laurel avait été mariée avec l'énigmatique chef français. Une brusque flambée de jalousie s'empara de lui, qu'il s'efforça de refouler en commandant un double scotch.

— Tu sais que Matthew l'a engagé comme chef de tous les restaurants de Camino Cliff.

— Je sais, dit-elle sur un ton désabusé qui laissait supposer que les relations entre son ex et elle n'étaient pas au beau fixe.

Il en déduisit que c'était elle qui avait demandé le divorce et non l'inverse. Et si c'était le cas, il espérait qu'elle l'avait quitté parce que c'était un époux déplorable et non parce qu'elle était une personne qui passait sa vie à fuir. Bien qu'il ne fût pas du genre à chercher le réconfort dans l'alcool, il se félicita d'avoir commandé un scotch.

— Beric s'est empressé de venir nous l'annoncer en nous agitant ses contrats sous le nez. Et comme il ne fait jamais rien à moitié, tu peux être certain qu'il va chercher par tous les moyens à nous mettre des bâtons dans les roues. Non seulement il va exiger de superviser tout le projet, mais il va changer d'avis tous les quatre matins en clamant haut et fort que nous sommes des incapables.

Elle leva son verre de vin en feignant de trinquer.

— Bienvenue au pays du cauchemar !

—C'est Matt qui a la responsabilité du projet. C'est lui qui va devoir traiter avec Beric… dit Jud en laissant échapper un petit rire résigné. Mais c'est moi qui lui ai suggéré de l'engager.

—Tu aurais mieux fait de me confisquer mon couteau avant de me faire un tel aveu.

Il posa ses coudes fermement sur la table et la regarda droit dans les yeux.

—J'ai une idée, dit-il. Je vais te laisser commander mon déjeuner à ma place. Comme ça, tu vas pouvoir te venger.

—Bon sang, Jud, tu sais que je ne peux pas me servir de la nourriture comme d'une arme. Mon orgueil culinaire m'empêche de choisir autre chose que le nec plus ultra. Arrête de rire, sinon je te commande une cervelle de veau. C'est délicieux, cela dit. Et d'ailleurs une bonne ration de cervelle n'a jamais fait de mal à un homme.

—Aïe, dit-il en prenant une gorgée de whisky. Pas besoin de couteau, Petite, tes mots sont suffisamment tranchants.

Elle se pencha au-dessus de la table et murmura :

—Tu ne penses pas que tu devrais m'appeler autrement ?

Il haussa les épaules.

—Nous avons un passé commun, que cela te plaise ou non.

Elle mit un long moment avant de répondre.

—Je ne comprends pas ce que tu attends de moi.

—Ni moi non plus, mentit-il à nouveau.

Le garçon revint. Pendant que Laurel passait la commande, Jud se demanda pourquoi il était ici. La vérité, c'est qu'il n'avait jamais réussi à l'oublier. Certains jours, un seul regard en arrière suffisait à jeter un voile d'ombre sur l'instant présent. Toute sa vie durant, il avait traîné avec lui un sentiment d'inachevé.

Avant de s'en aller, le garçon fit une remarque amusante. Laurel laissa échapper un petit rire délicieusement sensuel. Jud se renversa dans son fauteuil et se détendit.

— Tu as passé la commande sans même jeter un coup d'œil à la carte. Bravo.

— La cuisine est ma spécialité.

Ses traits s'assombrirent, révélant une blessure intérieure impossible à dissimuler.

— Quand tu fais cette tête, je me dis que la vie n'a pas dû t'épargner, Laurel.

Elle ferma les yeux comme pour se cacher. Elle inspira profondément.

— Pourquoi es-tu revenu? demanda-t-elle. Pourquoi toutes ces fleurs?

Il prit le temps de réfléchir avant de répondre:

— Parce que je n'aime pas rester sur un échec.

— Tu aurais connu un échec bien plus cuisant si j'étais restée et que Cale et toi vous étiez fâchés définitivement.

— Il y a une chose que je ne comprends pas.

— Quoi donc?

— Le mal était déjà fait quand tu es partie.

Elle baissa les yeux, vida son verre et s'en resservit un autre.

— Combien de temps a-t-il mis à s'en remettre?

— Cale?

— Oui, Cale.

Jud haussa les épaules.

— Il a fait la tête pendant environ six mois, après quoi il a rencontré une autre fille.

Cale et lui avaient beau être proches, les querelles du passé avaient laissé des traces. La trahison n'était pas

372

chose facile à pardonner, elle s'élevait entre eux comme une barrière invisible depuis des années. La vie laissait parfois des plaies si profondes et si vives que rien, pas même les liens du sang, ne pouvait les effacer.

Laurel était manifestement sur ses gardes. Elle parlait par à-coups, avec un débit précipité, comme si elle avait cherché à combler les silences embarrassés qui suivaient chacune de ses questions. Buvant peu lui-même, il remplissait son verre et l'écoutait parler. Les entrées arrivèrent, puis les mets se succédèrent et le temps s'envola.

Le vin aidant, elle se mit à parler gastronomie, chantant les louanges des fines herbes et de la sauce piquante, comparant les saveurs des cuisines française et californienne. Et tout en l'écoutant, il se demandait ce qui l'avait poussée à s'expatrier.

— Quand on a vécu longtemps à l'étranger et qu'on revient ici, on découvre que tout a changé, dit-elle. Il y a une chose qui m'échappe. Comment se fait-il que dans un pays aussi riche et développé que le nôtre, on en soit encore à devoir prendre sa voiture pour aller manger un steak de bœuf aux hormones et à consommer des fruits qui ont poussé sous des lampes ? On aura beau les enduire de cire pour leur donner l'air appétissant, jamais ils n'auront le goût succulent du fruit cueilli sur l'arbre. Rien n'égalera jamais le goût des fraises sauvages qu'on peut manger sans avoir besoin de les laver. Et je ne te parle pas du goût du lait frais du matin, du beurre de baratte, de la baguette au levain tout juste sortie du four, des œufs de basse-cour d'un jaune éclatant.

Elle s'interrompit brusquement.

— Pourquoi ris-tu ?

— Un repas en ta compagnie n'est jamais ennuyeux.

Il remplit une dernière fois son verre avec ce qui restait de la seconde bouteille. Soudain, il se revit dînant en tête à tête chez elle, voilà très longtemps, et l'espace d'une fraction de seconde il se sentit rajeunir de trente ans. Il se souvint que ce soir-là aussi elle lui avait parlé de nourriture alors qu'il avait faim d'autre chose. Il leva son verre et dit :

— À une vieille amitié.

Il venait de comprendre que sa vie et la sienne étaient à jamais intimement liées. Elle avait été son premier amour, un amour dont il n'avait jamais réussi à faire le deuil pour la bonne et simple raison qu'il n'était jamais mort.

Elle trinqua en silence, puis baissa les yeux sur son verre vide. Sa nervosité, la défiance qui se lisait sur ses traits lui donnèrent à penser qu'elle ressentait la même chose que lui. Mais comment être certain qu'il n'était pas en train de foncer tête baissée dans un mur ? Estimant qu'il n'avait plus rien à perdre, il dit :

— Jamais je n'aurais imaginé que tu te cachais en France.

— Je suis partie sur un coup de tête.

— Et qu'est-ce qui t'a poussée à revenir ?

— L'ambition de Beric, Annalisa, s'empressa-t-elle de répondre, avant d'ajouter plus posément : Et puis ma mère, qui me suppliait de rentrer. Elle avait de bonnes raisons pour cela. Si bien que je l'ai écoutée.

Elle posa sa serviette sur la table et regarda autour d'elle.

— Il n'y a plus que nous dans le restaurant. Oh, mon Dieu… le soleil est en train de se coucher. Quelle heure est-il ?

— Cinq heures passées.

— Il faut partir.

Elle se leva brusquement de sa chaise, mais se laissa retomber aussitôt.

— J'ai beaucoup bu ? demanda-t-elle en posant une main sur son front.

— Presque deux bouteilles, mais c'est moi qui conduis.

Il la prit par le bras et la mena jusqu'à sa voiture. Lorsqu'il mit le contact, elle dit d'une voix atone :

— Je ne suis pas en état de conduire.

— Ce ne sera pas nécessaire. Nous sommes dans ma voiture.

— Je le sais. Tu n'as pas compris. J'ai laissé ma voiture au bureau.

— Je vais te ramener chez toi, Laurel. Dis-moi simplement comment m'y rendre.

À sa surprise, il découvrit qu'elle ne vivait qu'à une vingtaine de kilomètres de chez lui, à Balboa.

Par quelle étrange ironie du sort leurs chemins avaient-ils été à nouveau amenés à se croiser ? Combien de fois avaient-ils emprunté les mêmes rues, s'étaient-ils arrêtés dans les mêmes stations-service, avaient-ils fait leurs courses dans les mêmes magasins, fréquenté les mêmes cinémas ? Aujourd'hui, il avait découvert qu'elle et lui fréquentaient presque exclusivement les mêmes restaurants. Il avait même fait la connaissance de Beric sans savoir que c'était son mari. Assise à ses côtés, se tenait la femme qui, après lui avoir fait découvrir les douceurs de la vie, avait fait naître en lui une ambition aveugle qui lui avait permis de se tenir prudemment à l'écart des sentiments trente ans durant. Sans parler de son inclination pour les poètes du temps jadis dont les vers parlaient des femmes qui les avaient quittés.

*Mais nous, en un amour si raffiné*
*Qu'il est défi à nos personnes,*
*Mutuellement fermes dans l'esprit,*
*Peu nous importe l'absence des yeux, des lèvres ou des*
*mains.*

— Tourne ici... Jud?

Il émergea subitement de ses pensées.

— Comment?

— Trop tard. Il fallait tourner.

— Désolé.

Il fit demi-tour, puis, suivant les indications de Laurel, s'engagea dans une allée parallèle au front de mer et se gara sur l'arrière d'une maison donnant sur la plage.

— Je vais te raccompagner jusqu'à ta porte, dit-il en posant une main dans son dos.

Elle ne chercha pas à protester, ôta ses souliers pour parcourir la courte distance qui les séparait du porche. Pendant qu'elle cherchait ses clés, il attendit, les mains dans les poches, en contemplant au loin le spectacle des vagues déferlant sur la grève.

— Je parie qu'il y a un monde fou, ici, les fins de semaine et pendant les vacances.

— Exact. Beric avait horreur de ça. Il disait que c'était comme de vivre dans un bocal à poissons. Mais moi, je m'y plais. J'aime sentir le mouvement autour de moi. Il y a une équipe de volley professionnelle qui s'entraîne sur la plage. La plupart des gens qui viennent ici sont charmants. Quand on vit seule, on aime bien voir du monde. Le bruit, c'est la vie. Et puis je suis capable de faire le vide quand j'ai besoin de tranquillité. Les nuits ici sont toujours calmes.

Elle haussa les épaules, puis ajouta:

— Moi, ça me va très bien.

Il s'adossa à la balustrade pour l'observer.

Dans l'embrasure de la porte d'entrée, elle semblait sur la défensive.

— Merci pour le déjeuner… et le dîner, dit-elle en riant.

— Tu n'as besoin de rien, Petite ?

— Non, merci. Me voilà arrivée à bon port.

Elle franchit le seuil, puis se retourna.

— Bonsoir, dit-elle avant de refermer la porte.

Il descendit les marches de la véranda et se dirigea vers la plage pour faire quelques pas sur le sable. Le vent du large soufflait dans ses cheveux et rabattait son col de chemise. À quelques kilomètres de là, son appartement donnait sur une marina abritée, étale et paisible comme un miroir. Mais ici on sentait le tumulte des vagues, l'air était chargé d'embruns. Des surfeurs vêtus de combinaisons noires remontaient l'allée, leurs planches sous le bras. Un air de jazz montait d'un patio voisin où un couple était en train de prendre un verre en bavardant. Une jeune femme blonde promenait deux labradors sur la plage tandis que les mouettes tournoyaient en criant dans le soleil couchant.

Il se retourna pour contempler la maison de Laurel. La lune brillait dans un ciel qui commençait à perdre de sa couleur. Une lampe s'alluma à l'étage, lui procurant un étrange sentiment de paix intérieure.

*Nos deux âmes font une âme*
*Et, s'il me faut partir, ne subissent*
*Point de perte mais un accroissement :*
*C'est alchimie d'amour, l'or de l'âme dilaté, sublimé.*

Il faisait nuit lorsqu'il se décida enfin à rentrer chez lui. Ce soir-là, quand il se mit au lit, une question lui traversa l'esprit : Pourquoi elle ? Mais sa question resta sans réponse, car il n'y a pas plus grand mystère que les obsessions d'un homme.

# 28

Annalisa était en réunion avec le maître d'ouvrage lorsque Matt Banning et Beric King débarquèrent sans prévenir sur le chantier.

— Que faites-vous ici ? bredouilla-t-elle, stupéfaite.

— En voilà une façon d'accueillir ton père ! dit Beric, contrarié. Vous avez entendu comment elle me parle ? C'est l'influence de sa mère.

Trois courtes phrases avaient suffi pour la rabaisser au rang de gamine effrontée.

Beric se tourna vers Matthew.

— Vous l'avez entendue ?

— Oui, dit Mat, qui avait compris que la question d'Annalisa lui était adressée.

Elle prit le temps de poser son stylo et son bloc-notes avant de demander, sans chercher à s'excuser :

— Puis-je savoir ce qui vous amène ?

— Il faut absolument que nous discutions des plans du restaurant, répondit son père.

Matt s'avança.

— Il semblerait que Beric ait besoin de davantage d'espace.

Une requête étrange dans la mesure où les plans d'agencement de la cuisine n'étaient encore qu'à l'état d'ébauche.

—Il y en a plus qu'il n'en faut, dit-elle en s'adressant directement à son père.

—Non, non, rétorqua Beric en secouant obstinément la tête.

Contournant le bureau, il se laissa tomber dans un fauteuil pivotant en cuir.

—Cette cuisine est beaucoup trop petite.

—Nous n'avons même pas encore discuté des agencements. Le salon du design professionnel de Chicago n'ouvrira ses portes que la semaine prochaine. Ne me dis pas que tu sais à quoi va ressembler la cuisine alors que nous n'en sommes qu'au préprojet.

Faisant pivoter son fauteuil, il se pencha au-dessus des plans étalés sur le bureau.

—Il y a un hic. Je le sens. Regardez, dit-il en posant un doigt accusateur sur l'emplacement de la cuisine.

À peine avait-il dit « Je le sens » qu'Annalisa comprit qu'il était venu exprès pour lui mettre des bâtons dans les roues. Mais comment son propre père pouvait-il saboter son travail de façon aussi délibérée ? Elle le regarda droit dans les yeux et dit :

—Si tu ne nous expliques pas clairement où est le problème, nous ne pourrons rien faire pour toi.

Il continua d'examiner les plans en silence. Au bout d'un moment, voyant qu'il ne se décidait toujours pas à parler, elle réitéra :

—Si quelque chose ne te convient pas, dis-le.

Beric leva lentement les yeux vers elle.

—Je ne pense pas pouvoir l'exprimer avec des mots.

—Dans ce cas, montre-le.

Le chef de chantier toussota, mais elle continua de foudroyer son père du regard.

— Laisse-moi finir… s'il te plaît, dit Beric d'une voix pleine de condescendance. Je voulais dire avec des mots que tu pourras comprendre, *ma petite fille*.

Annalisa sentit la moutarde lui monter au nez. Encore une remarque comme celle-là et elle allait exploser.

Matt posa la main sur l'épaule de Beric.

— De vous à moi, Beric, j'ai rarement eu l'occasion de travailler avec une jeune personne aussi compétente qu'Annalisa. J'en faisais encore la remarque à Jim et Peter – notre architecte – il y a quelques jours. Je suis convaincu qu'elle saura apporter des solutions à tous vos problèmes.

Annalisa ne sut pas si elle devait gifler Matt ou le serrer dans ses bras, mais une chose était sûre : les hommes réunis dans ce bureau allaient devoir se faire à l'idée qu'elle était parfaitement capable de mener à bien la tâche qui lui avait été confiée.

— Jim ? dit-elle en se tournant vers le chef de chantier. Est-il encore possible de revoir la superficie de la cuisine à ce stade du projet ?

— Deux possibilités s'offrent à nous, dit Jim en étudiant les plans. Ou bien nous déplaçons la chambre froide. Ici. Ce qui nous permet de gagner une soixantaine de mètres carrés. Ou bien nous abattons ce mur et éliminons la cour qui sépare la cuisine et le local à poubelles. Ce qui nous permet de gagner quatre-vingts mètres carrés.

— Des deux options, laquelle est la plus onéreuse ? demanda-t-elle.

— L'élimination de la cour, parce que cela suppose de modifier la structure extérieure du bâti.

— Dans ce cas, nous déplacerons la chambre froide. Je vais en toucher un mot aux fournisseurs et faire plusieurs plans d'agencement lorsque j'aurai vu les dernières nouveautés à la foire du design industriel.

Elle ne demanda l'opinion de personne, et surtout pas de son père, calé dans son fauteuil, qui la regardait avec une expression indéchiffrable dans les yeux.

Il se leva brusquement.

— Je pense que ma fille a trouvé la solution idéale.

Sa fille. Pourquoi fallait-il qu'il ramène toujours tout à lui ? Elle eut envie de se prendre la tête entre les mains et de se mettre à rugir.

— Je vous laisse travailler, dit-il. Surtout, ne vous dérangez pas pour moi. Je peux trouver seul la sortie.

Avant de partir, il prit la peine de contourner le bureau pour embrasser sa petite fille chérie. Car Beric King ne manquait jamais une occasion d'apposer sa griffe sur ses possessions : devantures de restaurant, ustensiles de cuisine, mets surgelés, et jusqu'à sa fille qui essayait de voler de ses propres ailes.

Lorsqu'il eut quitté la pièce, Annalisa laissa passer quelques secondes de silence, puis déclara :

— Lorsqu'il s'agit d'attirer l'attention sur lui, mon père pourrait rivaliser avec Greta Garbo.

Sa main se crispa sur le rebord de la table et elle ajouta :

— Ma mère est une sainte.

— Je vous plains de tout mon cœur, dit Jim en éclatant de rire. Nous allons prendre un café. Ça vous dirait de vous joindre à nous ?

— Non, répondirent Matthew et Annalisa à l'unisson.

Quand les autres furent partis, Annalisa croisa les bras et dit :

— Vous savez, Matt, je suis assez grande pour me défendre toute seule.

— Je n'ai rien fait de plus que dire la vérité.

—J'ai été heureuse d'apprendre que mes collaborateurs me faisaient confiance, même si, comme vous n'avez
pas manqué de le souligner, je suis encore très jeune.

—Ils étaient réticents la première fois qu'ils vous ont
vue. Certains ont même pensé que je vous avais engagée
pour d'autres raisons.

—Il est vrai qu'il y en avait au moins trois qui vous
ont vu le jour du cocktail.

—Je n'ai pas l'habitude de me comporter aussi mal.
Mais toujours est-il que vous avez réussi à venir à bout
des plus réticents.

—Merci de m'en informer.

Elle se détendit.

—À toutes fins utiles, sachez que mon père a d'autres
projets en tête me concernant. Il veut faire de moi son
clone – une toque étoilée femelle. Mais j'ai choisi de
travailler avec ma mère plutôt qu'avec lui. D'où la scène
à laquelle nous venons d'assister.

—Je dois dire que vous vous en êtes brillamment sortie.

Matthew Banning se tenait si près d'elle qu'elle sentait
son eau de toilette. Il y avait des moments comme celui-
là où elle avait envie de tendre la main pour le toucher.
Baissant les yeux, elle épousseta un grain de poussière
imaginaire sur sa jupe, puis croisa les bras. Des gestes de
survie.

—J'ai été impressionné par l'habileté avec laquelle
vous avez circonvenu votre père.

—J'ai de la pratique, et puis j'ai vu faire ma mère
pendant des années. Ce que mon père ignore, c'est que je
vais devoir rogner sur un autre poste pour compenser le
surcoût des modifications qu'il souhaite apporter. Car il
est hors de question que je fasse un dépassement de devis

pour satisfaire son ego. Heureusement, je vais sûrement trouver des idées à la foire-expo de Chicago.

— Je ne suis nullement inquiet, Annalisa.

Son téléphone portable se mit à sonner. Il eut l'air contrarié, puis s'excusa et s'éloigna pour répondre.

Elle en profita pour prendre des notes dans son calepin. Elle l'entendit qui murmurait doucement « moi aussi » dans le téléphone.

Malgré elle, elle sentit son cœur se serrer dans sa poitrine. « Moi aussi » était la réponse universelle à « Je t'aime » ou « J'ai envie de toi ».

Au même moment, les autres revinrent dans le bureau avec leur café. Rempochant son téléphone, Matt lui jeta un rapide coup d'œil et dit :

— Je dois retourner au bureau. Nous parlerons plus tard.

Après son départ, elle resta un long moment à contempler la porte close. Elle entendit démarrer sa voiture et la regarda s'éloigner à travers les lattes du store métallique en se demandant si Matthew Banning était en train de chercher à la manipuler.

Cale retourna voir Rick Sachs plusieurs fois pour tenter d'apporter une réponse satisfaisante aux questions qui le taraudaient. L'art de la médecine et l'amour-propre avaient beau être liés, Cale ne plaçait rien au-dessus de la vie de ses patients. Et il ne se gêna pas pour le dire à Sachs.

Il avait beau comprendre tout ce que lui disait le psychiatre, une partie du problème continuait de lui échapper. Il n'arrivait plus à raisonner en termes d'efficacité – condition sine qua non pour surmonter ses angoisses quand on maniait le bistouri.

— Quand on opère et qu'on tombe sur un problème, expliqua Cale, on a beau ensuite relire toutes les notes et les comptes rendus d'analyses et refaire mentalement chaque geste, on ne trouve pas d'explication logique.

Rick posa ses lunettes sur le bureau.

— Les patients meurent de complications.

— Exact.

— Pour moi, c'est une évidence, Cale. Mais pour vous?

La question continua de résonner dans sa tête longtemps après qu'il eut quitté le cabinet de Sachs. Comment en était-il arrivé à douter à ce point de lui-même et de ses capacités? Au fond, il n'était pas différent de ses patients : il attendait de son médecin qu'il lui dise ce qu'il avait besoin d'entendre, des paroles magiques qui le guériraient comme par enchantement.

Il faisait nuit quand Cale regagna sa maison de Harbor Ridge. Il était frustré, angoissé et furieux contre lui-même.

— Papa, enfin! dit Dane en venant à sa rencontre.

Pas coiffé, pas rasé, il portait une chemise boutonnée de travers.

— Tu vas bien?

— J'ai opéré ma première patiente aujourd'hui. Une fillette de treize ans souffrant d'une communication interventriculaire.

Le visage rouge et les yeux humides, Dane se mit à faire les cent pas. Tandis qu'il lui relatait sa première opération à cœur ouvert en débitant des termes médicaux que Cale connaissait par cœur, il hoquetait d'excitation, revivant chaque minute passée dans la salle d'opération.

Cale songea à l'époque où ses fils étaient encore en âge de s'émerveiller à la vue d'un crabe, d'un coquillage, d'un pélican rasant la crête des vagues. Il revit un blondinet riant aux éclats en pourchassant un papillon à travers le jardin. À présent, le Dane qui se tenait devant lui était un jeune homme bouillonnant, passionné, habité par une flamme que Cale se rappelait vaguement avoir connue dans une autre vie. Il aurait donné n'importe quoi pour être à sa place.

— Au début, j'étais – comment dire ? – dans mes petits souliers. Et puis j'ai pris ce cœur palpitant entre mes mains, et c'était comme de tenir un oiseau captif. Après cela, tout s'est passé comme sur des roulettes. Je voudrais faire ce métier toute ma vie. Tu n'as pas idée de la chance que tu as, papa.

Soudain, Dane s'immobilisa. Levant les mains en l'air comme quelqu'un qui se rend, il posa sur son père un regard tellement admiratif que Cale eut l'impression d'être un imposteur.

— Je veux devenir chirurgien, moi aussi. Je veux faire de la chirurgie cardiaque.

Si on le lui avait demandé, Cale n'aurait su dire quand la vocation s'était révélée à lui. Il lui semblait qu'il l'avait toujours portée en lui, comme un murmure de Dieu, et quand Dane lui avait annoncé qu'il voulait faire médecine, il s'était demandé s'il s'agissait d'un choix mûrement réfléchi ou s'il le faisait parce qu'il se sentait obligé de perpétuer la tradition familiale. Mais à présent, en le voyant aussi ému, il ne pouvait plus douter de la sincérité de sa vocation. Il lui passa un bras autour des épaules et dit :

— Je suis sûr que tu feras mieux que moi.

Son fils le serra très fort dans ses bras.

— C'est impossible.

Deux jours plus tard, Kathryn appela Laurel pour lui proposer de dîner avec elle et Annalisa avant son départ pour Catalina. Naturellement, et bien que la tension entre elles fût encore palpable, elle ne fit aucune allusion à la querelle qu'elles avaient eue l'avant-veille au soir.

Annalisa arriva hors d'haleine au restaurant.

— Désolée d'être en retard, s'excusa-t-elle en prenant place entre sa mère et sa grand-mère. Quelle semaine de folie !

Laissant choir son sac à main à terre, elle balaya la salle du regard.

— Où est le garçon ? Il me faut un verre de vin. Tout de suite. Si je n'étais pas venue en voiture, je crois bien que j'aurais sifflé une bouteille entière.

— C'est donc si grave ? demanda Laurel.

— Papa a débarqué sans crier gare alors que j'étais en pleine réunion avec le maître d'ouvrage.

— Et voilà, c'est reparti.

— Qu'est-ce qui est reparti ? s'enquit Kathryn.

— Beric.

Annalisa commanda un verre de vin au serveur qui s'était approché, puis expliqua :

— À peine avions-nous signé le contrat avec Del Mar qu'ils ont proposé à papa la gérance de tous les restaurants du complexe.

— Mes pauvres chéries ! J'imagine sans peine votre contrariété. Beric n'a jamais supporté l'idée que vous montiez votre propre entreprise.

— Il veut faire de moi une cuisinière, dit Annalisa en buvant une gorgée de vin.

— Il a fait pareil avec ta mère.

— J'ai été chef pendant des années, dit Laurel. Jusqu'à ce qu'il me fasse fuir.

— Tu te souviens de ce repas de Thanksgiving où papa et toi vous étiez disputés et où il avait balancé ta dinde à travers la cuisine.

— La mémorable bataille rangée…

— Jamais je ne me pardonnerai d'être allée passer les fêtes chez Evie, cette année-là, dit Kathryn. J'ai raté une occasion en or de lui renvoyer en pleine figure tout ce qu'il nous avait fait endurer pendant des années.

— Il avait de la purée plein les cheveux, poursuivit Annalisa en riant, mais il était tellement survolté qu'il continuait de hurler des ordres en courant d'un bout à l'autre de la cuisine.

— J'avais bien visé, dit Laurel.

Elle avait découvert que Beric couchait depuis six mois avec la productrice de son show télévisé. C'est parce qu'il ne supportait pas d'avoir été démasqué qu'il avait piqué sa crise. La dinde n'était qu'un prétexte.

— Jamais je n'ai pris autant de plaisir dans une cuisine que ce jour-là, quand je lui ai jeté une pleine louche de purée au visage.

— Moi, c'est une marmite entière de patates que j'aurais voulu lui jeter à la tête, dit Annalisa. Papa a été odieux. Il a cherché à m'humilier devant mes collaborateurs. Puis, voyant que ça ne marchait pas, il a fait comme si toutes mes idées venaient de lui.

— Je reconnais bien là ton père.

— C'est lui tout craché, dirent-elles à l'unisson.

Kathryn regarda Annalisa.

— Je sens qu'une petite pause ne te ferait pas de mal. Il y a des mois que tu n'es pas venue à Catalina. Mon expo s'achève demain matin. Pourquoi ne viendrais-tu pas passer le week-end à la maison ?

— J'hésite, mamie. Ce projet est tellement prenant !

— Au point de devoir travailler pendant le week-end ?

— Non, mais…

— Annalisa, dit soudain Laurel, n'est-ce pas Matthew que j'aperçois là-bas ?

— Où cela ? demanda Annalisa.

Elle se retourna et l'aperçut debout à côté de la porte. Au même moment, une blonde tout en jambes s'approcha de lui et passa son bras sous le sien. Laurel leva la main pour le saluer puis se figea en voyant l'expression de sa mère. *Quelle idiote,* songea-t-elle. *J'aurais mieux fait de me taire.*

Matt lui rendit son salut puis, après avoir échangé quelques mots avec sa compagne, vint dans leur direction.

Annalisa vida d'un trait son verre de vin.

— Il faut que j'aille faire un tour aux toilettes, dit-elle en se levant précipitamment.

Mais trop tard. Il se tenait déjà devant elles.

— Laurel, dit-il avec un petit signe de tête. Annalisa.

Prise en sandwich entre lui et la table, la jeune fille n'avait pas l'air spécialement contente de le voir.

— Matthew, dit Laurel, je vous présente ma mère, Kathryn Peyton.

Kathryn lui sourit.

— Bonjour, Matthew… ?

— Banning, dit-il en lui serrant la main.

Kathryn devint livide, mais du moins eut-elle la présence d'esprit de ne pas retirer sa main.

— Matthew est le responsable du projet de Camino Cliff, maman, l'informa Laurel.

Annalisa, qui n'avait pas bougé, avait l'air contrariée.

— Je vous prie de m'excuser, dit-elle.

Puis, l'écartant sans ménagement, elle prit la direction des toilettes.

Il la regarda s'éloigner en fronçant les sourcils, puis se tourna à nouveau vers Kathryn et Laurel.

— Ce fut un plaisir de faire votre connaissance, madame Peyton, dit-il. Au revoir, Laurel.

Quand il se fut éloigné, Kathryn se pencha au-dessus de la table et murmura sèchement :

— Encore un Banning ?

— Le fils de Cale.

— Oh, mon Dieu, soupira Kathryn en posant une main sur son front.

— Nous travaillons avec lui. Il est responsable du projet. C'est lui qui nous a engagées.

Avant que sa mère ait pu ouvrir la bouche, Annalisa était de retour. Elle posa une main sur l'épaule de Kathryn.

— Mamie, tu as raison. Il y a une éternité que je ne suis pas allée dans l'île. Je vais t'accompagner demain. Nous prendrons le ferry de l'après-midi, si tu es d'accord, lorsque j'aurai expédié les affaires courantes.

— Nous partirons à l'heure qui te conviendra, répondit Kathryn.

— Voilà un revirement pour le moins rapide et inattendu, dit Laurel.

Annalisa haussa les épaules, fatiguée.

— Pourquoi ne viens-tu pas avec nous, maman ?

— Impossible, répondit-elle un peu trop vite.

Ne sachant quelle excuse invoquer, elle lança au débotté :

— J'attends une livraison d'érables du Japon samedi.

*Ne pas oublier d'appeler la jardinerie demain pour commander des arbres.*

Quand le garçon revint pour prendre la commande, elle se demanda si elle n'était pas en train de perdre la tête. Elle n'osait imaginer la réaction de sa mère si elle avait su que, trois heures plus tôt seulement, elle avait accepté une invitation à dîner avec Jud le samedi suivant.

Le vendredi soir, pour la première fois depuis le début de la semaine, Kathryn dormit à poings fermés. Lorsqu'elle se réveilla le lendemain matin, elle était fraîche et dispose, ses angoisses envolées. Entre sa petite-fille et elle il n'y avait ni tension ni rancœur, et la présence d'Annalisa à ses côtés l'aidait à oublier la querelle qu'elle avait eue avec Laurel. Comme le magasin était désert, elle accrocha la pancarte «Bientôt de retour» et sortit sur l'arrière de la maison. L'air chaud embaumait le gardénia. Un rayon de soleil éclaboussait la terrasse. Elle s'arrêta pour arroser les bougainvillées, les jardinières de fleurs et les citronniers miniatures. Entre les nichoirs en céramique qu'elle avait suspendus aux rebords du toit voletait un oiseau-mouche au plumage rouge vif. Des rires lui parvenaient depuis le jardin voisin.

Une odeur d'argile et de terre brûlée imprégnait l'atelier. Au sud, la pièce prenait la lumière par une vaste verrière. L'éclairage y était si intense qu'en pénétrant dans l'atelier on était aveuglé comme au sortir d'une caverne.

Sur les murs tapissés d'étagères s'étalaient ses dernières collections. Toutes vernissées et revêtant les couleurs chatoyantes de l'île, sa marque de fabrique : bleu-vert des eaux de l'océan, ambre profond des couchers de soleil, vert tendre des collines, rose vif des bougainvillées.

Annalisa sortit de l'atelier vêtue d'un gros tablier de toile marron, le visage constellé d'éclaboussures d'argile séchée, son épais chignon roux à demi affaissé.

Kathryn lui jeta un coup d'œil et dit:

—On dirait que l'argile a eu le dessus.

Annalisa haussa les épaules, découragée.

—Je suis un cas désespéré, dit-elle en s'essuyant le front avec le dos de la main. J'ai oublié tout ce que tu m'as appris.

—Quand je te disais que tu devrais venir plus souvent...

—Chaque fois que je fais tourner la girelle, l'argile se met à voler dans tous les sens au lieu de rester en place.

—Montre-moi comment tu t'y prends.

—D'accord, mais promets-moi de ne pas te moquer de moi.

Elle n'avait pas commencé sa démonstration que Kathryn éclata de rire.

—Oh non ! soupira Annalisa en cachant son visage entre ses mains terreuses.

—Assieds-toi.

Annalisa déballa une motte de terre de la taille d'un petit chou-fleur et la déposa au centre du tour.

—Voilà où est ton problème.

—Comment cela ? Je l'ai parfaitement centrée.

—Ce n'est pas un hasard si l'on parle de «jeter l'argile». Ramasse cette motte et recommence. En la jetant, cette fois.

Annalisa s'exécuta, mais d'un geste mou comme si elle avait le bras cassé.

—Tu es sûre que tu n'es pas malade ? demanda Kathryn en tâtant le front de sa petite-fille.

—Pourquoi ?

—Parce que tu as du jus de navet dans les biceps.

—Merci du compliment.

—Désolée, mais c'est la vérité.

—Que dois-je faire ?

—Y mettre du cœur. La création artistique, c'est avant tout de l'émotion, de la passion, bonne ou mauvaise, de l'euphorie ou de la colère.

Saisissant l'argile à pleines mains, Annalisa la jeta si fort sur la girelle que l'impact claqua comme un coup de feu dans l'atelier. Elle resta un instant interdite, puis éclata de rire.

C'était la première fois qu'elle exprimait une émotion vraie, songea Kathryn.

—C'est mieux, dit-elle. J'ignore quelle impulsion a guidé ton geste, mais le résultat est là.

—Il m'a suffi d'imaginer que son visage était là, sur la girelle.

—Le visage de qui ?

—De Matthew Banning.

À ces mots, Kathryn sentit le sol se dérober sous ses pieds. Elle tendit la main pour s'agripper à l'épaule d'Annalisa.

—Ne me dis pas que toi aussi.

—Mamie ? Tu ne te sens pas bien ?

Annalisa se leva brusquement et rattrapa sa grand-mère par le bras.

—Vite, assieds-toi avant de tomber. Bois, lui dit-elle en lui tendant une bouteille d'eau. Tu as les joues grises.

Kathryn se laissa choir sans rien dire sur le tabouret, anéantie. Le cauchemar était en train de recommencer. Un dieu mauvais et irascible avait décidé de détruire toutes les femmes de sa famille. Et les Banning étaient l'instrument qu'il avait choisi pour mener à bien son sombre dessein.

—Explique-moi pourquoi tu as dit « toi aussi », demanda Annalisa.

Kathryn n'était guère douée pour le mensonge, surtout quand il était question des Banning. Les mots jaillirent de sa bouche comme des serpents.

— Je hais ce nom. Je le hais de toute mon âme. Les Banning ont failli détruire ta mère.

— Je ne comprends pas.

— C'est à cause de Jud Banning que ta mère s'est enfuie en France.


Durant les deux jours suivants, Jud retrouva sa bonne humeur. Il arrivait en sifflotant au bureau, marchait d'un pas alerte. Le samedi, tôt le matin, il décida de sortir pour laver ses voitures : un 4 x 4 blanc, une Mercedes noire, et la MG. Ce soir-là, en prenant sa douche, il songea à la fête d'anniversaire de Victor. Pendant des années, c'était l'épouse de Cale, Robyn, qui s'était chargée de tout organiser, et après sa mort la tradition s'était perpétuée. La maison de Cale à Harbor Ridge, avec sa vue époustouflante, sa piscine et son terrain de basket-ball, continuait d'accueillir les fêtes de famille.

Voyant qu'il était en avance, il s'arrêta dans un bar de Huntington Beach avant de se rendre chez Laurel. Pour passer le temps, il regardait les gens jouer au cerf-volant ou promener leur chien sur la plage dans le soleil couchant. De temps à autre, il jetait un coup d'œil à l'horloge.

Chez Laurel, la lumière de la véranda était allumée bien qu'il fît encore jour. Une paire de gants de jardinier et de galoches en caoutchouc reposaient à côté du paillasson. Un gros matou gris se frotta à ses jambes en miaulant devant la porte.

— Salut, vieille branche, dit-il en grattant le chat derrière les oreilles. On ne veut pas te laisser entrer ?

Il se redressa, enfonça la sonnette, puis fourra ses mains dans ses poches et attendit.

À travers le verre dépoli de l'imposte, il vit se dessiner sa silhouette, et quand elle ouvrit la porte, il se dit qu'il avait eu une sacrée veine de l'avoir retrouvée.

— Salut, fillette.

— Je te rappelle que j'ai quarante-huit ans.

— Que suis-je censé dire, d'après toi ? Salut, femme entre deux âges ?

Elle rit.

— Je file chercher mon sac et j'arrive.

Il s'adossa à la balustrade et contempla la ligne d'horizon qui commençait à se fondre dans le bleu profond de la nuit ; un quartier de lune éclairait le ciel, l'air du soir avait un goût de sel et le battement régulier des vagues s'écrasant contre les rochers rappelait un battement de cœur.

— Je suis prête.

— Tu es à tomber à la renverse, Petite.

— Tu ne peux pas m'appeler autrement ? Qu'est-ce qui te déplaît, au juste, dans mon nom ?

— Je le trouve impersonnel, dit-il en l'entraînant doucement vers la MG.

— Tu as toujours cette voiture ?

— Je n'arrive pas à m'en défaire.

Quelques instants plus tard, ils filaient sur l'autoroute de la côte pacifique. Il réalisa qu'elle portait toujours le même parfum. C'était comme si la fragrance des années passées avait empli chaque recoin du petit habitacle et qu'à chaque inspiration elle pénétrait dans ses poumons. Ils roulèrent pendant un long moment en silence. Lorsqu'il s'engagea dans l'avenue où habitait Cale, voyant qu'elle avait l'air anxieuse, il dit :

— Je te trouve bien pensive.

— Je n'arrive pas à croire que tu as réussi à me persuader de t'accompagner à cette fête.

— C'est juste un dîner, dit-il en s'arrêtant à quelque distance des chasseurs qui étaient chargés de garer les voitures.

— Qui sont ces gens ? Il vaut mieux que tu me mettes au courant si tu ne veux pas que je passe pour une parfaite idiote.

Il hésita. Ses mains se crispèrent sur le volant et il dit :

— Ce soir, c'est la fête d'anniversaire de mon grand-père. Nous sommes chez Cale.

Elle pâlit.

— Quoi ? Mais tu m'avais dit que c'était juste un dîner entre amis.

— Et c'est la vérité. Aurais-tu accepté de venir si je t'avais dit de quel dîner il s'agissait et avec qui ?

— Non. Et sache que j'ai horreur qu'on me manipule.

Il y eut un moment de silence, puis il proposa :

— Je peux te ramener chez toi, si tu y tiens absolument.

— C'est bon, dit-elle sans le regarder. Allons-y.

Mais il ne bougea pas. Il attendit quelques instants pour lui donner le temps de réfléchir.

— Ça va bien se passer, dit-il enfin. Je suis sûr que tu vas t'amuser. Et puis il aurait bien fallu que tu les revoies à un moment ou à un autre. Alors, autant profiter de l'occasion.

— Je ne pense pas que je serai obligée de les revoir si je refuse de sortir à nouveau avec toi.

— Parce que tu t'imagines que je vais te laisser tranquille ?

— Me ficheras-tu la paix si je te dis que je ne veux plus te revoir ?

— Non. Et d'ailleurs, me dirais-tu une chose pareille ?

— Non.

— Allons, Petite, du cran, ils ne vont pas te manger.

Voyant qu'elle ne répondait pas, il dit :

— Je t'emmène dîner ailleurs.

Il passa la marche arrière.

Mais elle posa sa main sur la sienne.

— Non.

Avant qu'elle ait pu changer d'avis, il remonta l'allée et confia la voiture au chasseur.

# 29

Suprême ironie du sort, Laurel songea qu'après avoir passé trente ans à fuir son passé elle venait de se jeter dans la gueule du loup.

En pénétrant dans la maison de Cale Banning, elle s'attendait à trouver un intérieur élégant, dallage à l'ancienne, meubles sur mesure, tapis précieux, statues d'albâtre et œuvres d'art. Mais l'immense baie vitrée offrant une vue panoramique sur les lumières de Newport et, au-delà, sur le Pacifique qui s'étendait à perte de vue, était à couper le souffle. Elle donnait l'impression de flotter au-dessus du monde. Des couples dansaient au son d'un orchestre dans le vaste patio festonné de guirlandes lumineuses sous lesquelles on avait dressé des tables et un buffet. Jud était allé leur chercher à boire au bar.

— Laurel. Ça faisait un bail, dis donc.

Elle se retourna.

— Cale.

Trente ans s'étaient écoulés depuis la première fois qu'elle l'avait vu. À l'époque, il était l'incarnation même de la pétulance, la vitalité, l'ardeur et l'innocence de la jeunesse. En le voyant à présent, elle se demanda combien elle-même avait changé depuis lors, et se dit que si les épreuves avaient le pouvoir de ternir les couleurs de la vie, elle devait lui faire l'effet d'une photo en noir et blanc.

Bien qu'il fût encore plus séduisant avec ses cheveux parsemés de fils d'argent et les ridules qui plissaient les coins de ses yeux, le Cale qui se tenait devant elle aujourd'hui avait l'air égaré, sans relief.

— J'aime tes cheveux, lui dit-il.

— Merci, répondit-elle en riant. Tu sais que Jud ne m'a pas reconnue ?

Tous deux tournèrent la tête vers le bar où Jud se tenait de dos. Un pied posé sur le barreau d'un tabouret, il parlait et plaisantait avec un groupe de convives en attendant d'être servi.

— Il est myope comme une taupe ou quoi ? Dès que je t'ai vue entrer à son bras – Jud ne rate décidément jamais une occasion de surprendre son monde –, je t'ai reconnue. Puis-je t'offrir quelque chose ? Pepsi Blue, Bombay Sapphire ?

— Une place dans le prochain avion pour Mexico ?

— Tu ne te sens pas à ton aise ici ?

— Pas vraiment.

— Il faudra que j'aie une explication avec mon frère.

Curieusement, le courant passait bien entre eux. Ni lui ni elle n'avaient perdu leur sens de la repartie, alors que deux minutes passées en compagnie de Jud suffisaient à la mettre sur des charbons ardents et à lui donner envie de prendre ses jambes à son cou.

— Laurel ?

Matthew venait de les rejoindre.

— Quelle bonne surprise ! Annalisa n'est pas avec vous ?

— Tu connais mon fils ? s'étonna Cale.

— Laurel et sa fille s'occupent de l'agencement des cuisines de Camino Cliff, papa.

— Non, Matthew, Annalisa n'est pas venue.

Au même moment, Jud s'approcha et lui tendit un verre de vin. Puis il se tourna vers Cale et dit :

— Eh, comme au bon vieux temps !

Elle aurait voulu le gifler, mais Cale se contenta de rire.

— Je me demande comment tu as pu accepter de sortir avec un âne pareil.

— Je me le demande, moi aussi. Mais les ânes sont têtus. Ils ne se laissent pas facilement éconduire.

— J'ai l'impression que quelque chose m'échappe, dit Matthew.

— Nous sommes de vieux amis, lui dit Cale.

— Hep, vous, là-bas, qu'êtes-vous en train de mijoter dans votre coin ?

C'était Victor Banning. Il s'était tassé et amaigri, et il marchait en s'appuyant sur une canne ; un coin de sa bouche retombait légèrement et il avait une paupière à demi fermée. Sa diction était laborieuse. Malgré cela, il portait ses années avec panache. La conversation cessa brusquement.

Ils s'étaient figés autour d'elle comme des chats autour d'une souris, et elle se demanda lequel allait bondir le premier.

— Joyeux anniversaire, monsieur Banning.

— Merci. Je suis bien content d'être encore en vie. Je me souviens de vous. Vous êtes la petite Peyton.

Il se tourna vers Cale, puis Jud.

— En quelle année déjà ?

— Mille neuf cent soixante-dix, dit Jud.

— Votre mère habite toujours dans l'île ?

— Oui. Elle a son atelier là-bas depuis des années, dit-elle.

Se souvenant que Victor était capable de flairer la dissension à des kilomètres à la ronde, elle se garda

401

d'entrer dans les détails, de crainte de lui mettre la puce à l'oreille.

— Je connais bien son travail. Admirable. Sa dernière exposition a remporté un franc succès.

Elle se demanda comment sa mère aurait réagi si elle avait entendu Victor Banning chanter ses louanges ou l'avait vu débarquer dans l'une de ses expositions. Elle serait sans doute partie en courant. Encore un Banning sur lequel elle pouvait rejeter la faute de ses propres erreurs.

— Je n'en reviens pas, dit Matthew à mi-voix. Mais dites-moi, comment avez-vous fait connaissance ?

Cale leva une main.

— Stop. L'inquisition a assez duré. Il y a un buffet à côté de la piscine et un autre à côté du bar. Jud, si tu ne te décides pas à l'emmener dans le patio, c'est moi qui vais m'en charger.

— Trouve-toi une cavalière, répliqua Jud.

— Vous n'êtes pas la cavalière de Jud ? dit Matt à Laurel.

— Si, dit Jud.

— Qui est la cavalière de l'oncle Jud ? demanda un beau jeune homme qui s'était approché en grignotant une aile de poulet. J'espère que c'est un super canon.

— Tu es bien comme ton père, dit Victor.

— Pourquoi dis-tu cela, grand-papa ?

— J'ai horreur que tu m'appelles comme ça.

— Je sais, dit-il en décochant un sourire espiègle à son grand-père.

Puis il se tourna vers Laurel et lui dit :

— Bonsoir, je suis Dane.

— Bonsoir, Dane. Désolée de ne pas être un canon.

402

—Je te présente Laurel, dit Jud. Et maintenant, si vous pouviez arrêter de l'asticoter, vous autres ? C'est une vieille amie.

—Amie de qui ? demanda Dane. De Jud, de grand-papa ou de papa ?

—Va-t'en savoir, dit Matt. Je croyais qu'elle était notre associée et rien d'autre.

—Forcément, frérot. Pour toi, il n'y a que les affaires qui comptent.

Jud se tourna vers son frère et lui dit :

—Ce sont tes fils, Cale. Fais quelque chose.

Cale regarda Laurel et tous deux éclatèrent de rire.

—Tu as bien fait de venir, non ?

—En tout cas, la glace est brisée.

—Tant mieux, dit Jud. Quand je pense à la façon dont tu m'as fusillé du regard quand je t'ai dit où nous étions.

—Ne t'imagine surtout pas que tu es tiré d'affaire, dit-elle en posant un doigt accusateur sur son épaule. Il m'a dit que nous étions invités à un dîner.

Jud lui prit la main et enlaça ses doigts avec les siens. Un geste qui n'était pas anodin, à en juger par la façon dont les autres les regardaient.

—C'est la vérité. Nous sommes à un dîner. Et d'ailleurs tu as reconnu toi-même que tu n'aurais jamais accepté de venir si tu avais su où je voulais t'emmener.

—Et pourquoi ai-je accepté, d'après toi ?

—Parce que je ne t'ai pas laissé le choix.

—Au fait, où est ta copine ? demanda Matt à son frère.

—Elle n'a pas pu se libérer, répondit Dane.

Il haussa les épaules en piochant une aile de poulet sur un plateau qui passait par là.

—Je suis bien parti pour passer la soirée tout seul.

— Et moi aussi, dit Matt. La dame de mes pensées refuse de sortir avec moi.

— Et peut-on savoir qui est cette perle rare ? demanda Dane.

— Une copine de ta copine, probablement – celle qui a prétendu qu'elle ne pouvait pas se libérer.

— Voilà qui est bien triste, dit Victor. Jud est le seul à avoir une cavalière.

— En tout cas, nous savons tous que papa n'en a pas, dit Dane.

— Riez, mes enfants, dit Cale. Il se pourrait bien que je chipe celle de Jud cette année. Hein, Laurel, qu'est-ce que tu en dis ?

— Tu peux rêver, dit Jud.

— Je te trouve bien sûr de toi, dit Laurel.

— Vous me plaisez, dit Dane. Vous seriez parfaite pour mon père. Belle, intelligente, et capable de remettre oncle Jud à sa place.

— Elle est géniale, renchérit Matt. Et si tu voyais sa fille !

— Quelle fille ?

— Peu importe, petit frère. C'est moi qui l'ai vue le premier.

— Allons dans le patio, proposa Jud. Il y a plein de bonnes choses à manger et un orchestre. Là-bas, au moins, je pourrai t'avoir pour moi tout seul et te protéger de ma turbulente famille.

Joignant le geste à la parole, il l'entraîna vers la terrasse, où Victor Banning était en train de rire aux éclats.

Mais plus tard Victor ne riait plus quand Laurel l'aperçut, assis seul dans un coin, à l'écart de la foule. La voyant qui passait, il lui dit :

— Venez donc tenir compagnie à un vieil homme le jour de son anniversaire.

— Vous n'avez pas l'air de beaucoup vous amuser.

— Est-ce si évident ? Je ne sais plus cacher mes sentiments.

— Vous avez pourtant beaucoup d'entraînement.

— Fine mouche, hein ? Robyn aussi était une fine mouche. Ces fêtes de famille n'ont plus le même attrait depuis qu'elle n'est plus là.

— La femme de Cale ?

Il acquiesça.

— Vous l'aimiez bien, n'est-ce pas ?

— C'était exactement celle qu'il lui fallait. Elle savait le tenir. Elle nous menait tous à la baguette.

— Je n'arrive pas à imaginer quiconque vous menant à la baguette.

Il rit.

— Moi non plus. Matthew m'a dit le plus grand bien de votre entreprise. Il m'a également parlé de votre fille.

— Annalisa a fait des pieds et des mains pour décrocher ce marché. Elle est beaucoup plus intelligente que moi, quoique encore très jeune. Elle n'a que vingt-deux ans. Mais elle veut prouver à ses aînés qu'elle est à la hauteur.

— La motivation est une excellente chose.

— Sans doute, mais ce n'est pas une fin en soi. Il y a d'autres choses plus importantes.

Il haussa les épaules.

— Pour réussir, il faut savoir faire des sacrifices et des choix parfois difficiles. Il faut être prêt à tout ou presque.

Victor, tout comme Beric, avait l'ambition chevillée au corps.

— Te voilà, dit Jud en s'approchant. J'ai cru que tu t'étais sauvée. Nous n'avons pas encore dansé !

— Merci d'avoir pris le temps de me tenir compagnie, dit Victor.

Puis il leva les yeux vers Jud et ajouta :

— Cesse de me foudroyer du regard. Je te la laisse, elle est à toi.

— Oh, mais non, dit Dane en la prenant par la main et en l'entraînant au loin.

Laurel le suivit en riant jusqu'à la piste de danse.

— Je suis le cadet. J'ai horreur de me sentir laissé de côté. Et puis vous avez vu la tête de l'oncle Jud ? Il ne l'avouera jamais, mais il a l'impression que nous vous avons monopolisée toute la soirée.

— Il était passablement entêté, jadis, quand j'ai fait sa connaissance.

— Jud ? Sans blague ?

Dane sourit.

— Matt et moi avons fait un pari. C'est à qui le fera craquer le premier.

— Vous cherchez à le faire tourner en bourrique ?

— Bien sûr. Ces réunions de famille deviennent vite lassantes si on ne fait rien pour les égayer.

— Vous devriez avoir honte.

— Vous avez sans doute raison. Mais chez les Banning c'est une habitude. Nous ne voyons jamais nos propres défauts, juste ceux des autres. Et puis nous sommes un peu entêtés. Mais moi, je suis le plus charmant de tous.

— C'est vrai.

— Ah, zut. La musique s'est arrêtée.

Se penchant vers elle, il lui murmura au creux de l'oreille :

— Attendez de voir ce qui va se passer quand nous allons nous rapprocher de Jud.

Ils étaient à trois mètres à peine de Jud quand Matthew fit son apparition.

— C'est mon tour, dit-il en décochant un clin d'œil à Laurel et en l'entraînant vers la piste.

— Vous êtes redoutable.

— Moi ? Qu'ai-je fait ?

— Peut-on savoir combien vous avez parié ?

— Parié ? Je ne comprends pas.

— Avouez. Dane m'a tout dit.

— Ça ne m'étonne pas. Ce garnement n'a jamais su tenir sa langue. Cent dollars, dit Matthew en souriant de toutes ses dents.

Puis il ajouta :

— Deux cents si Jud provoque papa en duel.

Comme elle avait l'air de ne pas comprendre, il expliqua :

— Une partie de basket à deux. C'est ce qu'il fait quand il est en colère. C'est une vieille tradition chez les Banning. En cas d'orgueil bafoué, tous les coups sont permis.

Il la fit tournoyer sur la piste. Elle rit.

— Vous avez le même rire que votre fille, dit-il. Au fait, comment va Annalisa ?

— Elle est allée passer le week-end chez sa grand-mère à Catalina pour décompresser un peu. Elle a travaillé comme une forcenée ces derniers temps. Et puis la grande foire expo de Chicago démarre la semaine prochaine. Aussitôt après, nous allons vous soumettre les premiers projets d'agencement.

— C'est ce qu'elle m'a dit.

Il sembla hésiter.

— Qu'y a-t-il ?

— J'ai eu l'impression que son père l'avait contrariée, l'autre jour.

— C'est un de ses passe-temps favoris.

— Mais elle aurait tort de s'inquiéter. Vous savez, j'ai été conquis dès notre premier entretien. Elle m'a beaucoup impressionné.

— Je tiens à ce que vous sachiez que j'ignorais qu'elle était allée vous voir pour essayer de décrocher le contrat.

— Elle n'a commis aucune entorse à la déontologie, dit Matthew en la faisant tournoyer sur la piste.

Soudain, il s'arrêta et demanda :

— Mais dites-moi, comment avez-vous fait la connaissance de mon père ?

— Je l'ai rencontré sur l'île de Catalina, un été. Il y a très longtemps.

Il s'arrêta de danser.

— Tiens, papa. À ton tour, dit-il en lui tendant la main de Laurel.

Puis il s'empressa d'aller rejoindre Jud pour l'occuper.

Laurel aurait presque eu pitié de lui s'il ne lui avait forcé la main. Après tout, il n'avait que ce qu'il méritait. Et d'ailleurs, elle s'amusait comme une folle.

— Tu as une maison splendide. Et quelle vue !

— Elle est devenue trop grande pour moi, maintenant que Dane est interne et que Matthew est parti vivre de son côté. J'ai bien songé à la mettre en vente, mais je suis trop paresseux.

— Tu es sévère avec toi-même. Les médecins sont tout sauf paresseux. Mais dis-moi, es-tu content d'avoir fait médecine ? Le jeu en valait-il la chandelle ?

— Je pense que oui. Je suis chirurgien.

— Je sais. Je n'en ai pas cru mes oreilles quand Jud m'a dit que tu t'étais spécialisé dans la chirurgie cardio-thoracique. La vie est vraiment pleine de coïncidences, Cale. Je n'en parle pas souvent, mais figure-toi que j'ai subi un remplacement valvulaire il y a sept ans.

Cale rata un pas de danse.

— Comment ?

Elle hocha la tête.

— À la suite d'un rhumatisme articulaire que j'ai fait quand j'étais bébé. Mon problème cardiaque ne s'est révélé qu'à quarante ans.

— Qui t'a opérée ?

— Sussmann, de UCLA.

— C'est un bon chirurgien, je le connais. Qui est ton cardiologue ?

— Karl Collins.

Cale éclata de rire à nouveau.

— Tu le connais, je parie ?

— J'ai fait mes études avec lui. Et nous jouons au golf ensemble une fois par mois. Sa femme et Robyn étaient amies.

Elle vit l'expression de son visage se refermer d'un seul coup, comme si prononcer son nom lui était insupportable. Elle chercha quelque chose à dire.

— Robyn était ta femme ?

— Oui, elle est morte d'un cancer du sein il y a deux ans.

— Je suis désolée, dit-elle en regrettant d'avoir abordé le sujet. Tes fils sont des jeunes gens adorables. Dane est un charmeur et un sacré farceur.

Cale rit.

— Allons bon. Qu'est-ce qu'il a encore manigancé ?

— Je ne peux pas te le dire.

—Il passe sa vie à faire des blagues aux uns et aux autres.

—Il est très sûr de lui. Et Matthew est épatant.

Elle songea que ces deux garçons étaient un don du ciel. Si elle était ici ce soir, c'était grâce à eux.

—Tu peux être fier de tes fils.

—Je le suis. Mais c'est à mon épouse qu'en revient tout le mérite. Ils étaient très proches de leur mère.

La chanson s'arrêta avant qu'elle ait eu le temps d'ajouter quoi que ce soit. Puis l'orchestre salua le public.

—Et voilà, dit Cale.

Il n'y avait plus qu'eux sur la piste de danse. La plupart des convives étaient déjà partis. Laurel tourna la tête juste au moment où Jud franchissait les portes donnant sur le patio, contrarié.

—Il semblerait que la soirée s'achève là, dit Cale.

—Victor est en train de raccompagner les derniers convives, dit Jud. Où sont passés tes fils, que je leur torde le cou ?

—Papa ! Oncle Jud ! On est là, cria Dane.

Puis on entendit un ballon de basket rebondissant sur l'asphalte quelque part au bout du jardin. Matt alluma toutes les lumières et Dane apparut, en train de dribbler au centre du terrain.

Cale poussa Jud du coude.

—Cent dollars que Dane gagne la partie, dit-il en se mettant à détaler vers le terrain de basket.

—Pari tenu ! Matt va le battre à plates coutures.

Une fois sur le terrain, Jud se débarrassa de son blouson.

—Allez, Matt, prends-lui ce ballon, tu veux ! Ne joue pas les poules mouillées !

Dane marqua et Cale applaudit en criant :

— C'est ça, fiston ! Surtout, ne relâche pas la pression !

Jud faisait les cent pas comme un lion en cage.

— Matthew, qu'est-ce qui te prend ? Tu ne vas tout de même pas te laisser faire par ce morveux ?

— La ferme ! lui cria Matt en prenant le ballon à son frère et en le lançant dans le panier.

— Oui ! Bien joué !

Jud siffla si fort que Laurel grinça des dents.

— Vas-y, Dane ! Fonce ! La balle est à toi !

Dane marqua deux autres points et son père hurla :

— Bien joué ! Ça, c'est mon fils !

Matt s'interrompit, cala le ballon sous son bras et regarda son père.

— Aux dernières nouvelles, j'étais ton fils, moi aussi. Serais-tu en train de chercher à me dire quelque chose ?

— Ne le prends pas personnellement. J'ai parié cent dollars sur ce jeu.

Cale mit ses mains en porte-voix et hurla :

— Vas-y, Dane ! Mets-lui la pâtée !

Victor vint se poster à côté de Laurel. Il regarda le jeu pendant une minute, puis demanda :

— Qui perd ?

— Jud et Cale, répondit-elle sèchement.

Un vieil homme du nom de Harlan avait apporté des chaises pliantes pour eux.

Jud criait en accompagnant Matthew dans tous ses déplacements.

— Détends-toi, tu es trop raide ! Il a le ballon, bon Dieu ! Arrête-le, Matt ! Tu m'écoutes ?

Dane marqua un nouveau panier.

— Et merde ! pesta Jud tandis que son poing fendait rageusement les airs.

411

Cale, qui s'était approché de son frère, lui donna une bourrade.

— Je sens que tu vas perdre.

Jud desserra sa cravate, déboutonna sa chemise, puis retroussa ses manches et se pencha en avant, les mains sur les genoux.

— Non. Vas-y, Matt, mon vieux. Mets la gomme !

— Attention, Dane, il arrive !

Cale agita une main en l'air.

— Garde-le à l'œil ! Ne le lâche pas, surtout ! File-lui le train !

Matt marqua et Jud siffla, encore plus fort cette fois.

— Tu te laisses aller, Dane. Qu'est-ce qui se passe ? hurla Cale. Il ne fallait pas quitter le ballon des yeux !

Matt et Dane avaient l'air bien plus agacés par les remarques de Jud et Cale que par le jeu lui-même.

Laurel se tourna vers Victor.

— Est-ce normal ?

— Non. D'habitude, ils sont beaucoup plus excités. C'est probablement parce que vous êtes là.

Laurel songea qu'ils n'avaient pas l'air de se souvenir qu'elle était là.

Le jeu qui prenait place sous ses yeux était un duel impitoyable, une compétition acharnée qui se poursuivit jusqu'à ce que Jud traite Matt de mauviette. Furieux, Matt se tourna vers son oncle et lui jeta le ballon à la tête.

— Hep, du calme. Ce n'est pas moi qu'il faut viser… c'est lui, dit-il en désignant Cale. Moi, je suis avec toi.

— Avec moi ? Tu n'as qu'à venir prendre ma place, puisque tu es tellement fort, lança Matt, écœuré.

Une minute plus tard, Jud et Cale étaient sur le terrain. Cale et Dane jouaient contre Matt et Jud. La partie ne dura que cinq minutes. Après quoi Matt quitta le terrain, Dane sur ses talons. Saisissant sa chemise pour s'essuyer le visage et le cou, Matt dit à son frère :

— Tu me dois deux cents dollars. Jud a été le premier à perdre son sang-froid.

— Ouais, j'ai vu ça. J'aurais pourtant cru qu'il allait tenir plus longtemps.

Il se retourna pour jeter un coup d'œil au terrain.

— Je rêve, ou papa vient de lui piquer la balle ?

— Tu ne rêves pas. Mince, il l'a perdue…

Matt enfila son tee-shirt.

— Jud ! Ne le lâche pas, surtout ! Et garde ce ballon à l'œil ! Tu peux faire mieux que ça, bon sang !

Jud lui fit signe de se taire puis se rua sur Cale pour lui faucher le ballon et marquer.

— Je n'ai jamais rien vu de semblable, dit Laurel.

Dane se tourna, surpris.

— Vraiment ?

— C'est une façon de parler, rectifia-t-elle. Disons que je n'ai jamais vu ça ailleurs qu'à la télévision, à l'occasion du championnat mondial de catch.

Les regarder jouer l'avait épuisée. Elle réprima un bâillement. Ce n'était pas ainsi qu'elle avait imaginé finir la soirée – sa première vraie sortie depuis deux ans.

Matt lui dit :

— Ça risque de durer encore un petit moment, mais je peux vous raccompagner.

Au même moment, Jud lança le ballon de toutes ses forces et toucha Cale entre les omoplates.

— C'est insupportable, dit-elle. Vous devriez avoir honte de les avoir provoqués exprès.

— Pensez-vous, ils adorent ça, dit Dane. Je vais rentrer, moi aussi. Je dois prendre mon service de bonne heure demain matin.

Elle prit congé de Victor, puis suivit Matt et Dane jusqu'à la maison. Une fois dans le patio, elle se retourna une dernière fois pour regarder du côté du terrain. Jud n'avait même pas remarqué qu'elle n'était plus là.

Le trajet du retour fut rapide et joyeux. Arrivés à destination, les deux garçons firent mine de se quereller pour savoir lequel des deux aurait l'honneur de la raccompagner jusqu'à sa porte. Puis ils prirent congé et regagnèrent la voiture en se chamaillant gentiment. Plus tard ce soir-là, lorsqu'elle monta dans sa chambre, elle n'alluma pas la lumière. Après s'être débarrassée de ses chaussures, elle alla se pelotonner dans un fauteuil à côté de la fenêtre pour méditer. Cette fois, elle ne s'était pas sauvée en courant. Elle avait tenu bon face à son passé, face à Jud et à Cale, tout en gardant constamment à l'esprit qu'en réalité Cale avait non pas deux, mais trois fils.

Affalé au milieu du terrain de basket, Cale gisait de tout son long sous la lumière crue des projecteurs. Son cœur battait violemment dans sa poitrine, ses vêtements étaient déchirés et la sueur dégoulinait de ses tempes jusque dans ses oreilles. Tous ses os lui faisaient mal, comme s'il avait été roué de coups. Il inspira longuement, deux fois de suite, et sentit peu à peu revivre ses membres engourdis.

— Je suis trop vieux pour ce genre de sport, grogna Jud à ses côtés. Je crois que j'ai besoin d'assistance respiratoire.

— Tu n'as qu'à appeler le SAMU. C'est à peine si j'arrive à respirer moi-même.

— Au fait, c'est moi qui ai gagné ? Je n'ai pas vu la fin du match.

414

— Tu ne l'as pas vue ? Alors, c'est moi qui ai gagné.

— Foutaises.

Cale trouva juste assez d'air pour rire.

— Qui a gagné le pari ?

— Tu as vraiment besoin de cet argent ?

Jud rit.

— Non. Et toi ?

— Non.

Jud ramena un bras au-dessus de ses yeux.

— Cette lumière me tue.

Cale grommela, puis releva la tête.

Victor était assis tout seul sur une chaise. Cale se redressa et posa ses bras sur ses genoux repliés. Il jeta un coup d'œil à Jud, qui n'avait pas bougé.

— Tu peux éteindre, grand-père. La fête est finie.

Jud agita un bras au-dessus de sa tête.

— Joyeux anniversaire, Victor !

— Mince !

— Qu'y a-t-il ? demanda Jud.

— Ta cavalière est partie.

En moins d'une seconde, Jud était sur ses pieds.

— Laurel ?

Victor, qui avait commencé à s'éloigner, s'arrêta.

— Matthew l'a raccompagnée il y a environ trois quarts d'heure.

Cale quitta le terrain en boitillant à la suite de Jud, devenu subitement taciturne.

Ils regagnèrent la maison en silence, et trouvèrent Dane et Matt qui les attendaient avec chacun une bière à la main.

— Tenez, leur dit Dane, ça vous fera du bien. Est-ce que je peux vous emprunter deux cents dollars ?

— Pour quoi faire ?

— J'ai perdu mon pari contre Matt.

Cale se tourna vers Jud.

— Allonge le fric. Moi j'ai gagné. Tu me dois deux cents dollars.

Jud ouvrit son portefeuille et tendit l'argent à Cale, qui le donna à Dane, qui le remit à Matt. Ce dernier plia la liasse de billets et la rangea dans sa poche de chemise. Dane dit à Jud :

— Tu nous dois une fière chandelle. C'est nous qui avons raccompagné ta cavalière chez elle.

— La cavalière que vous avez monopolisée pendant toute la soirée ? Vous êtes encore pires que votre père, dit Jud en se laissant tomber dans un fauteuil.

Cale se dit qu'avec un peu de chance Laurel avait définitivement tiré un trait sur Jud. Mais, au même moment, Dane rétorqua :

— Ne t'en fais pas. Elle était simplement fatiguée. Elle n'avait pas l'air contrariée.

— Juste époustouflée par ton adresse sur le terrain, s'esclaffa Matt.

— Qui cela ? demanda Victor en sortant de la cuisine.

— Mme King.

Cale n'était pas sûr d'avoir bien entendu.

— Qui cela ?

— Mme King. Laurel, dit Matt.

— Elle a été mariée avec Beric King, expliqua Jud en sirotant sa bière.

*Le dossier médical de Mme King… Vous programmerez une échocardiographie pour Mme King… Je n'en parle pas souvent, mais j'ai subi un remplacement valvulaire il y a sept ans.*

Des bribes de conversation défilaient dans sa tête. Laurel était donc la patiente dont Super lui avait parlé.

— Papa ?

Lui faisant signe de venir le rejoindre à la cuisine, Dane lui dit tout bas :

—N'est-ce pas le nom de la patiente dont tu m'as montré le dossier, l'autre jour ?

—Si, mais il ne faut pas le dire.

—Je sais. Pourquoi crois-tu que je t'ai fait venir ici ? rétorqua son fils.

—Désolé.

—Que vas-tu faire ?

—Tout mon possible pour l'aider.

—Qu'est-ce que vous êtes en train de traficoter ici, tous les deux ? demanda Matt en entrant à son tour, Jud sur ses talons.

—Je parie qu'ils sont encore en train de faire un pari. Jud jeta sa canette de bière vide à la poubelle.

—Comme si ton père ne gagnait pas suffisamment d'argent.

—Et toi non plus.

—Allez, rentrez chez vous tous les deux, dit Cale en ne plaisantant qu'à moitié. Et raccompagnez Victor. Il n'en peut plus et moi non plus.

Il lui fallut un bon moment pour convaincre Matt et Victor de rentrer, Jud d'arrêter de faire les cent pas et de s'en aller, Dane d'aller se coucher. Il était deux heures et demie quand Cale put s'enfermer dans son bureau. Il contempla le téléphone pendant une minute, puis décida d'appeler Super Collins malgré l'heure avancée.


On était dimanche soir, il était six heures moins le quart et dehors il faisait froid et humide. Devant la porte ouverte du réfrigérateur, Laurel parlait à Henry, son chat, qui se frottait contre ses jambes.

— Qu'est-ce qui te ferait plaisir ? dit-elle. Du poulet satay ? Des côtelettes d'agneau ? Une assiette de pâtes aux tomates séchées, épinards et fromage de chèvre ?

Elle ouvrit la porte du congélateur.

— Et que dirais-tu de ce merveilleux pot de crème glacée Ben & Jerry ?

Henry miaula.

— Bonne idée. Pas de vaisselle à faire. Juste une cuillère et ton bol. On va aller s'installer devant la cheminée.

Juste au moment où elle saisissait une cuillère et un bol en Pyrex, la sonnette de la porte d'entrée retentit.

— En plein à l'heure du dîner, évidemment. Je me demande ce qu'ils vont essayer de nous refourguer cette fois. Du papier-cadeau ? Des bons de réduction ? Du chocolat ? Henry, prépare-toi à attaquer. Quelqu'un cherche à nous empêcher de déguster notre Chunky Monkey.

Laurel ouvrit tout grand la porte et se retrouva face à Jud. Elle poussa un long soupir.

— Je n'aurais jamais dû te montrer où j'habitais.

Il se recula, regarda par-dessus son épaule.

— Je t'ai entendue parler avec quelqu'un. Je vous dérange ?

— Oui, dit-elle en désignant Henry, qui, au lieu d'attaquer, se frotta voluptueusement contre la jambe de Jud. J'avoue, ajouta-t-elle en agitant la cuillère qu'elle tenait à la main. Je fais partie de ces femmes qui vivent seules et qui parlent avec leurs chats. Demain je m'habille en noir.

Jud se pencha pour gratter Henry derrière les oreilles.

Laurel s'adossa au chambranle, bras croisés, sur la défensive.

— Pourquoi es-tu venu ?

— Pour te faire des excuses. Je n'ai pas l'habitude de laisser mes cavalières en plan.

— Mais tu étais trop occupé, apparemment, dit-elle, faussement détachée.

— Oui, occupé à me couvrir de ridicule.

Il avait l'air sincèrement désolé.

— C'est vrai. Mais tu as au moins le courage de le reconnaître. D'autres rejetteraient la faute sur autrui.

— Comme qui ?

— Mon ex. Il ne pouvait jamais avoir tort.

— Plus je vieillis, plus je m'aperçois que j'ai tort, dit-il en riant. Bon sang. J'ai bien senti que le match était en train de prendre le dessus. Mais on ne se défait pas comme ça de ses vieilles habitudes.

Elle hésita une seconde, regarda son chat – une créature sensée, qui savait ignorer royalement les inconnus et son ex – puis ouvrit la porte en grand.

— Entre, dit-elle.

— Attends, une seconde.

Jud tourna les talons et descendit l'allée en courant.

Elle jeta un coup d'œil à ce qu'elle portait : pantalon de yoga noir, brassière de gym blanche, sweat-shirt gris à fermeture éclair. Elle se débarrassa de ses vieilles tongs roses usées jusqu'à la corde et les jeta dans un coin derrière la porte. Henry était assis sur la barre de seuil en laiton. Tous les deux attendaient docilement.

Une portière de voiture claqua, et Jud revint avec une bouteille de vin et un sac en plastique de chez Chang. Il lui tendit les victuailles et dit :

— Des offrandes de paix.

— Bah, ça valait le coup d'attendre. Je meurs de faim. Ça sent divinement bon, dit-elle en refermant la porte derrière lui.

Il la suivit jusqu'à la cuisine et déposa le sac sur le comptoir tandis qu'elle disposait des assiettes et des couverts sur un plateau. Elle lui lança le tire-bouchon, puis plaça deux verres à pied au centre et commença à déballer les cartons de nourriture : bouchées de laitue au poulet, raviolis de légumes à la vapeur, crevettes grillées au miel, riz complet et haricots sauce piquante.

— Ouah ! s'exclama-t-elle. Tous mes plats préférés. Je suppose que ce n'est pas un hasard.

— J'ai appelé Chang.

— Comment as-tu deviné que je mangeais là-bas ?

Il se tapota le crâne avec l'index.

— Il y en a là-dedans.

— Je ne te crois pas. Je ne suis pas née de la dernière pluie, Jud.

Il lui tendit un verre de vin.

— Il y avait des cartons de chez eux dans ta cuisine, au bureau, le jour où nous avons déjeuné ensemble.

— Tu es resté combien de temps ? Cinq minutes à tout casser ?

— À peu près.

Elle s'empara du plateau et se dirigea vers le séjour.

— Bon sens de l'observation, cria-t-elle par-dessus son épaule.

— Comme toujours.

Elle posa le plateau sur la table basse, puis jeta deux coussins de sol à terre.

— Oui, bon sens de l'observation. À tel point que tu n'as même pas remarqué que j'étais partie avec Matt.

— C'est vrai. Mais il n'empêche que ça m'a permis de découvrir un tas de choses te concernant.

— Comme quoi, par exemple ?

— Mmm, ce vin est délicieux.

—Tu changes de sujet.

—Absolument.

—Eh bien?

—J'adore le pouilly-fuissé.

D'un seul coup, les années s'envolèrent, faisant place à une image oubliée : celle d'une caisse de vin français déposée devant la porte d'entrée d'un petit appartement de L.A., avec une lettre commençant par : *Chère Petite.* Laurel sentit monter en elle une émotion si vive et si brutale qu'elle fut incapable de détourner la tête pour cacher son trouble.

Elle avait oublié la caisse de vin mais pas ce qui s'était passé ensuite. Elle réalisa soudain que ce détail était resté gravé en elle, mais qu'elle l'avait refoulé dans les tréfonds de sa mémoire, là où elle était sûre qu'il ne referait pas surface.

Il remplit à nouveau son verre.

—Merci, dit-elle.

Et lorsqu'elle leva les yeux, elle se souvint que l'homme qui se tenait devant elle était un impulsif qui marchait à l'instinct et aux sentiments. C'était Jud.

—Ils t'ont fait marcher, tu le savais ? Dane et Matthew, ils t'ont fait marcher hier soir. Ils t'ont tendu un piège et tu es tombé dedans à pieds joints.

Il la regarda sans rien dire.

—Ils avaient fait un pari. C'est pour ça qu'ils n'ont pas arrêté de faire tampon entre toi et moi.

Soudain, elle vit que la lumière se faisait dans sa tête.

—Les petits monstres, ils vont me le payer !

Il n'avait pas l'air en colère, il donnait plutôt l'impression de quelqu'un qui va se mettre à rire, et elle se rappela pourquoi, il y a trente ans, elle était tombée éperdument amoureuse de cet homme.

— C'est qu'ils sont malins, ces deux lascars. Je ne sais pas pourquoi, mais j'ai comme l'impression que ce n'est pas la première fois.

Cette fois, il éclata de rire.

— Je commence à comprendre.

— Quoi ?

— Pourquoi tu m'as laissé si facilement entrer chez toi ce soir.

— J'ai toujours eu pitié des victimes.

Ils rirent, puis Laurel se leva et commença à débarrasser en silence. Il rapporta le plateau à la cuisine et revint avec une autre bouteille. Elle s'était assise sur le canapé, les genoux repliés, ses pieds ramenés sous elle.

Le plus naturellement du monde, comme si c'était un geste qu'il faisait chaque jour, il s'accroupit devant l'âtre pour attiser le feu et ajouter des bûches, puis vint s'asseoir à côté d'elle.

— Ta maison est vraiment magnifique, dit-il en leur servant un verre de vin. Ces plafonds immenses et ces moulures… Des cheminées comme celle-là, on n'en trouve plus nulle part.

— Je sais, j'ai été conquise quand je l'ai vue.

— Je m'étonne que ton ex n'ait pas cherché à garder la maison.

— Il n'a pas osé.

— À ce point ?

— C'est une longue histoire. Je n'ai pas envie de la raconter.

— Nous avons toute la nuit.

À ces mots, des images de corps enlacés se mirent à défiler dans sa tête. Cet homme avait encore le pouvoir de l'émouvoir comme au premier jour.

— En tout cas, il a l'air de savoir ce qu'il veut.

— Oui, et il finit toujours par l'obtenir. Il ne manque pas de culot.

— Toi aussi, tu es une femme têtue.

— J'ai passé douze ans en France. Crois-moi, il n'y a rien de plus entêté qu'un Français quand il sait qu'il a tort.

— Mais ça ne t'a pas empêchée de l'épouser.

— C'est vrai, dit-elle en contemplant le fond de son verre. C'est un affreux cabotin, mais c'est aussi un chef extraordinaire.

Beric n'était pas facile à vivre. Son besoin d'attirer constamment l'attention sur lui avait fini par avoir raison de leur couple. Sans parler de toutes les fois où il l'avait sommée de choisir entre lui et Annalisa. Trop souvent il était allé se réfugier entre les bras d'une autre femme, invoquant chaque fois comme excuse que Laurel était incapable de lui donner ce dont il avait besoin.

— Il était professeur de sauce.

Jud rit.

— Prof de sauce ?

— Beric est un maître saucier inégalable, dit-elle en souriant. À l'entendre, il est maître en tout.

— Est-ce pour cela que tu l'as épousé ?

— Non, bien sûr. Je plaisantais… à moitié. J'étais sa protégée. Il était mon prof de cuisine. Tout est devenu très vite compliqué entre nous. Mais à bien des égards, ce fut une expérience extraordinaire. Sa famille m'a adoptée. C'était une grande tribu, des personnalités fortes en gueule, aux antipodes de ma famille à moi. À l'époque, j'étais encore jeune et libre, et la vie en France avait quelque chose de terriblement romantique.

— Combien de temps es-tu restée mariée ?

— Trop longtemps. Mais je serais prête à recommencer pour avoir Annalisa.

— Si tu savais le nombre d'erreurs que j'ai commises dans ma vie, Petite.

Elle comprit qu'en disant cela il se référait à elle.

Il haussa les épaules.

— Y a-t-il quelque chose que tu voudrais savoir ?

— As-tu été marié ?

Il secoua la tête.

— Y as-tu songé ?

— J'ai eu quelques relations durables. J'ai vécu en couple. Une fois pendant plus de quatre ans.

— Et que s'est-il passé ?

— Elle voulait qu'on se marie. C'était une fille géniale, elle travaillait dans la finance. Intelligente comme tout. Je crois vraiment que je l'ai aimée.

— Et alors ?

— Je n'ai jamais pu me décider à l'épouser. J'ai essayé, mais chaque fois je repoussais la date du mariage.

Il prit une gorgée de vin, puis dit le plus naturellement du monde :

— BanCo a été toute ma vie pendant des années. Elle le savait, je le lui avais dit. Un beau jour, elle a fini par se lasser et par épouser un prof de lettres qui écrivait des poèmes. J'ai assisté à une de ses conférences, une fois, à Westwood. Je pense qu'elle avait envie de prendre ses distances avec le monde de la finance. Chaque Noël, je reçois une carte de vœux. Aujourd'hui, Jan est directrice de banque dans une petite ville de l'État de Washington et apparemment heureuse.

— Tu as des regrets ?

— Une pleine hotte, dit-il en riant. Le dernier en date étant que je n'ai pas été fichu de te raccompagner hier soir.

— Tu es pardonné.

—Tant mieux.

Il vida son verre puis se tourna vers elle et plongea ses yeux dans les siens. Mal à l'aise, elle chercha quelque chose à dire, quelque chose de drôle, pour briser le silence et la spirale compliquée des sentiments.

Mais elle n'en fut pas capable. Pas quand il la regardait comme ça. Mais n'était-ce pas ce qu'elle désirait, au fond ? Sinon, pourquoi l'avait-elle laissé entrer ?

—Je ne veux pas avoir de regrets, lui dit Jud en étirant le bras vers elle.

Ce n'est que lorsqu'elle sentit sa main sur sa nuque qu'elle reprit son souffle. Il l'attira doucement vers lui, jusqu'à ce que leurs lèvres se touchent. Puis sa langue enlaça la sienne et ils échangèrent un baiser profond, dévorant et sensuel qui semblait ne jamais devoir s'arrêter.

Elle avait oublié combien cet homme exerçait d'attraction sur elle.

Cale avait quelque chose de désespéré dans sa façon d'aimer, raison pour laquelle elle n'avait jamais trouvé le courage de lui dire qu'elle lui préférait son frère. Mais Jud était différent – libre, énergique et sûr de lui. Il ne restait pas les bras croisés à attendre qu'elle se décide. Il la regardait puis prenait ce qu'il était venu chercher.

—Tu as l'air tellement sérieux, dit-elle lorsqu'ils se séparèrent. À quoi penses-tu ?

—J'étais en train de me dire que j'avais envie de recommencer à t'embrasser.

—Tu ne m'as jamais fait l'effet d'un homme hésitant.

Elle avait dit cela avec aplomb, comme si tout avait été clair et limpide dans sa tête. Alors que ce n'était vraiment pas le cas.

—Je n'ai pas envie de t'effrayer, dit-il, laissant ainsi entendre que la balle était dans son camp.

Il avait eu la même réaction jadis. Il était monté à la charge, l'avait poussée dans ses derniers retranchements, et pour finir l'avait laissée décider. Trente ans s'étaient écoulés depuis, et elle réalisait que son attirance pour cet homme n'avait jamais faibli. Laurel savait qu'il allait devoir partir maintenant que le feu était presque éteint et que les bouteilles étaient vides. Mais elle sentait encore son goût sur sa langue. Elle se demanda par quelle force mystérieuse, par quelle volonté suprême sa vie se trouvait ramenée trente ans en arrière. Sans lever les yeux, elle dit :

— Je crois que tu devrais partir.

— Tu as raison, dit-il. Je devrais.

Mais il ne fit aucun geste pour s'en aller. Voyant qu'elle se levait, il l'imita, une expression de regret dans les yeux.

Tandis qu'elle se dirigeait vers la porte avec lui à sa suite, une vie entière de « si » se mit à défiler dans sa tête. Arrivée dans le vestibule, elle eut une seconde d'hésitation, puis bifurqua subitement.

— La chambre est là-haut, dit-elle en commençant à gravir l'escalier.

# 30

Comme s'il avait été envoûté par une sirène, Jud la suivit sans la moindre appréhension. Quand il était avec Laurel, plus rien n'avait d'importance, pas même les liens de confiance entre deux frères.

Une fois en haut de l'escalier, elle sembla hésiter, comme si elle était revenue sur sa décision. L'attirant contre lui, il l'embrassa passionnément, jusqu'à sentir son corps ployer entre ses bras, ses réticences envolées, son désir égal au sien. Tout en la guidant vers la chambre à coucher, il fit passer son pull et sa chemise par-dessus sa tête sans presque relâcher son étreinte, tandis qu'elle se débarrassait de ses vêtements pour s'abandonner à ses caresses.

*Les amants font bien deux*
*Mais comme font deux les branches du compas :*
*Ton âme, c'est la pointe fixe qui bouge*
*Imperceptiblement quand bouge l'autre branche.*

Dans le cocon rassurant de la chambre éteinte, on devinait les silhouettes sombres des rayonnages et du mobilier. Seule la lumière d'un réverbère lointain filtrait par les fenêtres, baignant sa peau d'une lueur ambrée tandis qu'elle l'attirait sur le lit et s'abandonnait à lui. Sous ses

mains insatiables, son corps était plus doux, plus enveloppé, ses cuisses et son ventre plus attirants et soyeux
que dans ses souvenirs. Ce soir-là, il l'aima lentement,
posément, s'interrompant à chaque instant pour savourer
pleinement ces retrouvailles – entre eux le feu de la passion
avait fait place à une immense tendresse dont même le
temps n'aurait pu venir à bout. Et quand ce fut fini, quand
les derniers soupirs de l'extase se furent tus et que les
battements de leurs deux cœurs eurent repris un rythme
normal, il ferma les yeux et, en ce dernier instant de
conscience qui brouille les frontières du réel et précède
le sommeil, il songea combien leur relation était inhabi-
tuelle.


Laurel était en train de préparer le petit déjeuner quand
Jud descendit la rejoindre. Il avait les cheveux humides
après être passé sous la douche. Voyant qu'il n'était pas
rasé, elle dit :
    — Il y a des rasoirs jetables dans le meuble sous le
lavabo.
    — C'est inutile. Je me raserai à la maison. Je ne vais
pas au bureau ce matin. Je prends l'avion pour Denver cet
après-midi. Un conseil d'administration. Je serai de retour
jeudi.
    Il alla se servir une tasse de café, puis s'approcha pour
voir ce qu'elle était en train de préparer.
    — Qu'est-ce qui sent si bon ?
    — Des crêpes soufflées aux épinards, bacon rôti au
miel et fromage fondu.
    Elle mit deux assiettes sur la table avec des tranches
de melon et des framboises.
    — Il ne fallait pas te donner tout ce mal pour moi.

Laurel rit.

— Je ne l'ai pas fait spécialement pour toi. Je prends tous les jours un solide petit déjeuner. C'est bon pour le tonus cardiaque.

— Du tonus cardiaque, j'en ai fait le plein hier soir, grâce à toi, ma chérie.

Elle lui sourit, puis l'enlaça de ses bras, et leurs lèvres se joignirent aussi naturellement que s'ils avaient passé les trente dernières années ensemble.

— Maman !

Ils se séparèrent, confus comme deux adolescents pris sur le fait.

— Annalisa ! Que fais-tu ici ?

Sur le seuil de la cuisine, sa fille la regardait comme si elle venait de recevoir une claque.

Laurel se tourna vers Jud, qui serra doucement sa main dans la sienne.

— Bonjour, Annalisa.

— Jud. Monsieur Banning, répondit celle-ci d'une voix glaciale. Puis-je savoir ce que vous faites chez ma mère à huit heures du matin ?

— J'ai passé la nuit ici.

— Vous m'en direz tant.

— En voilà assez, Annalisa, dit Laurel, contrariée.

— Je suis épris de votre mère. Ce n'est pas une passade, si c'est ce que vous laissez entendre. Elle et moi nous connaissons depuis très longtemps.

Le regard d'Annalisa passa de l'un à l'autre, puis soudain son visage se crispa. Elle fondit en larmes et s'enfuit en courant.

— Qu'est-ce qui lui prend ? demanda Laurel, abasourdie.

— Tu ne penses pas que tu devrais aller la voir ?

—Si.

Mais elle ne bougea pas d'un pouce.

Il la prit par la taille et l'attira à lui.

—Tu es sûre que ça ira ?

—Non. Mais je n'ai aucun regret pour hier soir.

—Merci.

Elle sourit, ses lèvres frôlant les siennes.

—Tout le plaisir est pour moi.

—Tu veux que je reste pendant que tu vas lui parler ?

—Non. Ne te mets pas en retard pour moi.

—Je t'appellerai plus tard.

Il l'embrassa.

Laurel le raccompagna jusqu'au bas des marches de la véranda. Une fois dans l'allée, il fit une pause avant de monter dans sa voiture. Elle attendit qu'il démarre, puis lui fit au revoir de la main. Lorsqu'elle se retourna, elle aperçut sa fille au bord de l'eau, le regard fixé sur l'horizon.

Laurel commença à marcher sur le sable frais jonché d'algues verdâtres et de coquillages rejetés par la marée. Ses pas crissaient sur le sable humide, trahissant sa présence, mais Annalisa ne se retourna pas.

—Annalisa ? Je ne comprends pas. Pourquoi es-tu si contrariée alors que tu m'exhortes depuis des années à me trouver un petit ami ?

—Tu ne m'avais pas dit que vous vous connaissiez, répondit Annalisa d'une voix pleine de reproches. C'est lui qui t'a envoyé toutes les fleurs, n'est-ce pas ?

—Oui.

—Tu aurais pu me le dire.

—C'est une longue histoire.

—Mamie m'a tout raconté.

—Que t'a-t-elle dit, au juste ?

430

— Que c'est à cause de lui que tu t'es enfuie en France, il y a des années.

— Ce n'est pas vrai. Et quand bien même c'eût été le cas, quelle importance cela peut-il avoir aujourd'hui ? Lui et moi avons eu une histoire compliquée.

— Es-tu amoureuse de lui ? L'as-tu été ?

Après la soirée délicieuse qu'elle avait passée, ce face-à-face avec Annalisa la mettait mal à l'aise. N'étant pas certaine de la vraie nature de ses sentiments pour Jud, elle n'osait pas se livrer à sa fille. C'est pourquoi elle mit un certain temps avant de répondre :

— Il est revenu dans ma vie. J'ai de l'attachement pour lui. Est-ce là ce qui te dérange ?

— Non, répondit Annalisa en baissant les yeux. Ou plutôt, si. Oh, et puis je n'en sais rien. Mamie m'a dit que les Banning avaient détruit notre famille. Elle m'a raconté l'accident. Elle m'a dit de fuir Matthew, qui ne pouvait m'attirer que des ennuis.

Une conversation que Laurel avait eue des années auparavant lui revint subitement à l'esprit avec une netteté presque douloureuse. Elle revoyait sa mère lui disant que le père de Cale et de Jud avait tué le sien. Qu'elle n'était pas en sécurité avec eux. La voix maternelle, jadis si douce et apaisante, était devenue stridente sous l'effet de la colère et du chagrin, de l'angoisse et de l'amertume.

Laurel se dit que si Annalisa était un tant soit peu amoureuse de Matthew, les paroles de sa mère avaient dû la blesser et jeter le trouble dans son esprit. Elle passa un bras autour des épaules de sa fille.

— Je suis désolée, ma chérie.

Annalisa se mit à pleurer et à déballer tout ce qu'elle avait sur le cœur :

— Mamie avait raison. Matthew m'a déjà brisé le cœur. Quand je pense qu'il m'avait dit : «Je suis patient, Annalisa. J'attendrai. Je ne veux personne d'autre», et que je l'ai croisé au restaurant avec une blonde. Tu étais là, d'ailleurs, tu l'as vue, toi aussi. Les hommes sont des menteurs.

— Oui, enfin, pas tous. Il faut dire que nous leur faisons facilement perdre les pédales, nous autres, les femmes, ajouta-t-elle pour essayer de la dérider.

Mais Annalisa ne rit pas.

— Écoute, l'important c'est que tu ne sois pas sortie avec lui.

— Non, bien sûr, je n'ai fait que rêver de lui chaque nuit, et travailler comme une forcenée pour essayer de l'impressionner. Te rends-tu compte que j'ai même failli renier mes principes pour lui ?

— Quels principes ?

— Je lui ai dit que j'avais pour règle de ne jamais sortir avec un collègue de travail.

— Il est bon d'avoir des principes, dit-elle en ramenant une mèche de cheveux derrière l'oreille de sa fille. Mais ce ne sont pas tes principes qui te tiendront chaud la nuit.

— Tu penses que je suis stupide ? Mais bien sûr puisque tu couches avec Jud Banning.

Il y avait des jours, comme celui-là, où le rôle de mère n'avait rien de plaisant. Des jours où l'on avait envie de gifler son enfant. À la place, elle prit une longue inspiration avant de répondre :

— Il est déjà bien assez difficile de trouver l'amour sans qu'en plus il faille s'imposer des restrictions. Le travail fait partie de la vie, et c'est une façon de nouer des contacts. Tomber amoureux au travail n'est peut-être pas l'idéal, mais c'est ce que font les gens depuis des siècles.

432

Annalisa ne répondit rien. Elle avait l'air triste.

— Tu ne serais pas de ce monde, ma chérie, si j'avais appliqué de tels principes.

— C'est vrai, mais il n'empêche que c'est parce que vous travailliez ensemble que papa et toi avez divorcé.

— Tu le penses vraiment ?

— C'est la vérité.

— La vérité, c'est que ton père m'a trompée à tour de bras. J'ai consenti à lui pardonner, une fois, deux fois. Mais à chaque fois il recommençait. Même quand j'ai été opérée du cœur, il m'a trompée.

— Papa ?

Elle n'avait jamais dit la vérité à sa fille, préférant lui épargner les détails sordides du divorce. À l'époque, Annalisa n'était encore qu'une adolescente, révoltée de toute façon, et qui ne supportait pas de voir ses parents se déchirer. Mais Laurel réalisait à présent qu'en se taisant elle n'avait fait que protéger Beric. Ignorant la vérité, sa fille avait tiré toute seule ses propres conclusions, erronées et néfastes.

Sans doute le moment était-il venu de faire éclater la vérité au grand jour, mais Laurel hésitait. Comme tous les gens qui ont trop de secrets, elle savait que toutes les vérités n'étaient pas bonnes à dire. Pour finir, elle renonça à livrer à sa fille son plus grand secret.

Prenant la main d'Annalisa dans la sienne, elle lui dit :

— Après l'opération, en rentrant de l'hôpital, j'ai décidé de tirer un trait sur mon mariage. Je ne pouvais plus supporter de vivre un jour de plus avec un homme qui me rendait malheureuse. Même pour toi, je n'aurais pas pu.

— Et tu as bien fait. Papa est insupportable. Si tu savais le nombre de fois où il est venu pleurer dans mon giron après votre divorce… Il ne cessait de répéter qu'il

433

t'aimait, mais que la pression au travail était trop forte et qu'elle avait fini par vous éloigner l'un de l'autre.

— Ton père a la tête près du bonnet. Quand les choses ne vont pas comme il veut, c'est la crise.

— Mais c'est entièrement sa faute.

— Non, non. Pas entièrement. Quand on divorce, les torts sont généralement partagés.

— Quels étaient tes torts à toi ?

Laurel tourna les yeux vers l'horizon.

— Je me demande parfois si j'ai su l'aimer suffisamment.

— Mais tu es la personne la plus aimante que je connaisse, dit Annalisa en enveloppant sa mère de ses bras. Je n'ai jamais douté de ton amour pour moi.

— Il faut dire que tu es facile à aimer. Matthew a raison.

— Je ne veux pas parler de lui.

— Pourquoi ? À cause de la blonde ?

— Oui.

— Annalisa.

— Quoi ?

— Tu lui as dit que tu ne voulais pas sortir avec lui.

— Oui.

— Une seule fois ?

Elle secoua la tête, penaude.

— Au moins vingt fois.

— Dans ce cas, peux-tu lui en vouloir d'être sorti avec une autre fille ?

— Ce n'est pas à lui que j'en veux, maman, c'est à moi.

Elle sourit timidement, puis passa un bras sous le bras de sa mère.

— Je suis désolée pour tout à l'heure. Mais j'ai été… comment dire… tellement surprise de trouver Jud à la maison. Surtout après ce que m'avait raconté mamie.

— Oui, eh bien, il va falloir que j'aie une explication avec ta grand-mère. Elle n'a jamais compris ce qui s'était passé entre lui et moi à l'époque. À la simple évocation du nom de Banning, elle se met dans tous ses états.

— Il ne faut pas lui en vouloir.

— Je ne lui en veux pas, mentit Laurel.

En réalité, elle lui en voulait à mort d'avoir dit à Annalisa des choses qu'elle aurait préféré que sa fille entende de sa bouche à elle. Sa mère ne savait pas parler des Banning autrement que sur le ton de la colère. Elles commencèrent à remonter vers la maison bras dessus, bras dessous. Elles étaient presque dans la véranda quand le téléphone se mit à sonner. Elle courut décrocher. C'était la secrétaire du Dr Collins qui l'appelait pour lui dire que la date de son rendez-vous était erronée et que le médecin voulait la voir le lendemain.

— Je suis censée prendre l'avion pour Chicago demain, l'informa Laurel. Mais mon avion ne décolle qu'à seize heures trente. Entendu. Je serai là à dix heures.

Elle raccrocha puis alla rejoindre sa fille à la cuisine. Annalisa s'était servi une tasse de café et picorait des fruits. Les crêpes refroidies trônaient intactes sur le comptoir.

— Tu veux déjeuner ?

— Non, je dois passer prendre des plans à Laguna puis rentrer faire ma valise. Tu penses aller au bureau ?

Laurel consulta sa montre.

— J'y serai dans une heure.

Voyant que sa fille la regardait avec un air de chien battu, elle lui demanda :

— Tu es sûre que ça va aller ?

435

— Oui, maman, ne t'en fais pas, dit Annalisa en la serrant dans ses bras. Et d'ailleurs, à quoi bon pleurer sur un amour qui n'a jamais existé ?


Quand le téléphone sonna, Kathryn n'eut pas besoin de consulter la présentation de numéro pour deviner que c'était Laurel.

— Maman, te rends-tu compte de ce que tu as fait ?

Sa fille était aussi courroucée que le soir de leur querelle.

— Elle était en train de tomber dans le même piège que toi, riposta Kathryn. Il fallait que quelqu'un la mette en garde.

— Tu n'avais pas le droit de lui parler de moi. Je suis sa mère. C'est à moi de lui dire ces choses-là. Tu ne sais rien, absolument rien, de ce qui s'est passé entre Jud et moi.

— Je sais que c'est à cause de lui que tu es partie. À cause de lui et de son maudit frère. Crois-tu que je puisse jamais leur pardonner ? Ils se sont servis de toi, mais toi, tu préfères oublier.

— Je n'ai rien oublié du tout.

— Je ne peux pas t'empêcher de retomber dans tes erreurs passées, soit. Mais je veux protéger Annalisa. D'ailleurs, elle était déjà dans tous ses états à cause de Matthew. Il fallait qu'elle sache ce qui s'est passé. Il faut qu'elle comprenne ce que ces gens nous ont fait. Je refuse de la laisser courir à sa perte sous prétexte que tu refuses de parler du passé.

— Et toi, c'est encore pire, maman, tu vis enfermée dans le passé.

Ces paroles amères restèrent un instant en suspens, puis Laurel reprit, en baissant le ton, cette fois :

— Tu as fait du mal à Annalisa, maman.

— Matthew Banning l'a blessée.

— Je ne suis pas sûre de pouvoir te pardonner un jour.

— Tu ne m'as jamais pardonné, Laurel.

— Dans ce cas, nous faisons la paire, toi et moi. Je sais mieux que personne tout le mal que tu te donnes pour garder intacts ton chagrin et ta rancœur.

— Je pense que nous nous sommes dit assez d'horreurs pour aujourd'hui.

— Au revoir, maman.

Quand Laurel eut raccroché, Kathryn resta figée, le téléphone à la main. Les paroles blessantes et pleines de rancœur qu'elles avaient échangées la brûlaient intérieurement. Mais elle ne pouvait pas pleurer. Il y avait déjà longtemps qu'elle avait versé toutes les larmes de son corps.


Mardi matin, Laurel se présenta chez son cardiologue à dix heures cinq précises. Bien que d'âge mûr, Karl Collins avait gardé un côté dégingandé et débraillé d'adolescent. Sa chevelure brune, ses yeux pleins de douceur et ses mains puissantes étaient des qualités appréciées de ses patients, tout comme son sens de la repartie, sa grande simplicité et sa propension à manier l'humour, y compris dans les cas difficiles. Il avait, non sans raison, la réputation d'être le meilleur dans sa spécialité.

Dès que Laurel entra dans son bureau, il se leva et lui sourit, mais celle-ci l'ignora, portant son regard sur une silhouette qui se tenait à côté de la fenêtre.

— Cale ? s'étonna-t-elle. Que fais-tu ici ?

— Bonjour, Laurel.

— Asseyez-vous, lui dit Karl.

437

Sentant ses jambes se dérober sous elle, elle se laissa tomber dans le fauteuil qu'il lui désignait, face à son bureau.

— J'ai consulté Cale pour avoir son avis après votre dernière consultation.

— Pourquoi ? Que se passe-t-il ?

— Vous souffrez d'arythmie cardiaque.

— Y a-t-il un problème avec la valve ?

— Nous n'en sommes pas certains.

Posant une main sur son épaule, Cale lui dit :

— Nous aimerions te faire passer un échocardiogramme afin d'examiner l'état de ton cœur et de tes artères.

— Il faut que nous sachions précisément ce qui ne va pas, ajouta Karl.

— Mais que craignez-vous, au juste ?

Elle voyait bien que ni l'un ni l'autre ne souhaitait se livrer à des spéculations.

— Oh, pour l'amour du ciel, cessez vos cachotteries et dites-moi ce qui ne va pas.

Cale parla le premier.

— Il se peut que ce soit la valve. Ou une infection.

Karl demanda :

— Êtes-vous allée chez le dentiste récemment ?

— Oui, pour un détartrage et un remplacement d'amalgame. Mais j'ai pris des antibiotiques. Est-il possible que la valve soit défectueuse ? Je ne l'ai que depuis sept ans.

Elle parlait d'une voix paniquée, avec un débit accéléré.

— Calme-toi, lui dit Cale. Nous ne savons pas quel est le problème, mais nous allons faire en sorte de le savoir et d'y remédier.

Elle se sentit subitement envahie par un tel sentiment de faiblesse et de fragilité qu'elle crut qu'elle allait se mettre à pleurer.

— J'aimerais vous faire passer un petit examen, Laurel, dit Karl en contournant son bureau pour s'approcher d'elle.

Se levant de son siège avec des gestes d'automate, elle suivit l'infirmière jusqu'à la salle d'examen. Après avoir pris sa température et sa tension, celle-ci lui remit une blouse de papier stérile et lui dit :

— Ôtez le haut. Vous connaissez le protocole.

Laurel passa la blouse en papier puis alla s'asseoir sur le bord de la table d'examen. Elle avait l'impression de sentir chaque battement de son cœur dans sa poitrine. Après avoir frappé un petit coup sec à la porte, Cale et Karl entrèrent, leurs stéthoscopes autour du cou. Tous deux arboraient un de ces sourires factices censés mettre le patient à l'aise mais qui produisent généralement l'effet inverse.

Karl jeta un coup d'œil à la feuille de température.

— Il semblerait que vous ayez un peu de fièvre.

Il tendit la feuille à Cale.

— Trente-sept cinq. Comment vous sentez-vous ?

— Un peu fatiguée, mais je dors mal depuis une semaine.

Abaissant la blouse de papier, Karl appliqua son stéthoscope entre ses omoplates pour l'ausculter, puis se recula pour laisser Cale l'examiner à son tour.

— J'ai peur, murmura-t-elle doucement.

Elle se sentait au bord des larmes.

Cale lâcha son stéthoscope et lui prit la main.

— Tout va bien se passer, Laurel.

— Je n'avais pas d'appréhension la première fois qu'on m'a opérée, parce que je ne savais pas à quoi m'attendre.

Mais maintenant je sais qu'une deuxième opération comporte plus de risques.

— Notre ami ici présent est le meilleur, dit Karl.

Il s'éclipsa quelques instants avec l'infirmière pour décider d'un rendez-vous.

— Tu penses que c'est faisable ? demanda-t-elle à Cale.

— Que veux-tu dire ?

— Est-il raisonnable que ce soit toi qui m'opères, alors que nous avons été amis ?

— Ça ne l'est peut-être pas pour toi, mais tu as besoin de moi, et je veux t'aider. Cela étant, la décision t'appartient.

— Je m'en suis toujours voulu de t'avoir traité comme je l'ai fait.

Il rit.

— Et maintenant, tu as peur que je me venge sur la table d'opération ?

L'idée était tellement saugrenue qu'elle rit aussi, malgré elle.

— C'était il y a très longtemps. J'étais jeune et amoureux. Tu m'as blessé. Jud m'a humilié. Je me suis senti tellement trahi que j'ai décidé de tirer un trait sur l'amour et de me concentrer sur mes études. Et en fin de compte, je suis sorti gagnant de cette histoire. Car j'ai compris ce que je voulais vraiment, et après cela j'ai rencontré une femme que j'ai aimée autant que la médecine pendant presque trente ans.

Il essaya de dissimuler son chagrin sous un sourire forcé, mais Laurel voyait qu'il était ému.

— Je suis désolée pour ta femme.

— Pour rien au monde je n'échangerais les années que j'ai passées avec elle. C'est pourquoi, d'une certaine façon, j'estime de mon devoir de t'aider. Tu as déjà été opérée du cœur et il se peut qu'on doive recommencer. Et il se trouve que je suis justement chirurgien. J'ai un peu l'impression que cela était destiné à arriver un jour.

— L'examen est prévu pour demain onze heures au Centre médical de l'UCI, dit Karl en revenant dans la salle d'examen.

— Demain ? s'étonna Laurel. Si vite ?

— Il y a déjà dix jours que nous aurions dû le faire.

— Il faut que nous sachions ce qui cloche, dit Cale. Et le plus tôt sera le mieux.

— Je suis censée me rendre à Chicago demain pour l'inauguration du salon de design industriel, expliqua Laurel.

— C'est impossible, dit Karl.

Lorsqu'elle quitta le cabinet, elle était complètement abasourdie.

Juste au moment où elle allait sortir dans la rue, elle entendit Cale qui l'appelait au loin. Il arriva en courant dans sa direction.

— Tu es sûre que ça va aller ?

Elle commença par faire oui avec la tête, puis non, craignant de se mettre à pleurer si elle ouvrait la bouche. Il la prit dans ses bras.

— Tout ira bien, lui dit-il pour la rassurer.

Elle pleurait à chaudes larmes quand ils allèrent s'asseoir dans l'atrium au bord de la fontaine. Entourée d'une luxuriante végétation exotique, la cascade se déversait dans un bassin de granit garni de poissons mouchetés et de carpes koi de la couleur du soleil couchant.

— Parle-moi, dit-il.

— Depuis toute petite, j'ai vécu avec un souffle au cœur sans même le savoir. Jusqu'au jour où j'ai commencé à ressentir une fatigue chronique, lorsque Annalisa avait treize ans. Monter les escaliers était devenu pour moi un problème. Je suis allée voir mon médecin, qui m'a adressée à un spécialiste, lequel m'a dit qu'il devait m'opérer. J'ai suivi ses conseils sans me poser de questions. Était-ce de la naïveté de ma part, ou une incapacité à regarder la réalité en face ? Toujours est-il que ce n'est qu'après coup que j'ai réalisé ce qui s'était passé. Ce jour-là, j'ai pris conscience que j'étais mortelle. Et depuis lors j'ai peur. Car je connais désormais les risques que comporte une deuxième opération à cœur ouvert.

— Allons, Laurel, il ne faut pas brûler les étapes. Je ne peux pas te dire qu'il ne s'agit que d'un souffle au cœur. Mais je te promets de faire tout ce que je peux pour te guérir. Si tu ne veux pas que ce soit moi qui t'opère, je peux t'adresser à un de mes confrères.

— Je ne veux personne d'autre que toi.

— Commence déjà par passer cet examen, et nous aviserons ensuite. Chaque chose en son temps.

Ils se levèrent et il la raccompagna jusqu'au parking.

— Merci, Cale, dit-elle avant de monter dans sa voiture.

Il tendit la main pour repousser une mèche de cheveux que les larmes avaient plaquée sur son visage.

— Je serai là demain, et nous verrons ensemble quel est le problème.

— Je n'arrive pas à croire que tu sois de retour dans ma vie juste au moment où j'ai besoin de toi.

— C'est peut-être parce que nous avons tous les deux besoin l'un de l'autre.

— Naturellement, dit-elle en riant. Car j'imagine que tu n'as que moi comme patiente.

Il ne rit pas, se contentant d'ajouter :

— À demain, Laurel.

Invoquant un vague rendez-vous oublié et qu'elle ne pouvait remettre, Laurel promit à Annalisa de la rejoindre à Chicago le lendemain. Le mardi soir, elle laissa son répondeur prendre les deux coups de fil de Jud en déplacement à Denver. La seule personne qu'elle avait mise au courant, sachant qu'elle pouvait compter sur son entière discrétion, était sa secrétaire, Pat, qui passa la prendre le mercredi matin pour la conduire au service de chirurgie ambulatoire.

Cale et Karl étaient tous deux présents pour l'examen. Elle avait beau leur faire entièrement confiance, elle tremblait quand elle prit place sur la table d'examen. Devoir avaler un tube tout au fond de la gorge n'avait rien de plaisant. Heureusement, l'infirmière lui administra des sédatifs et un anesthésiant local qui l'aidèrent à se détendre. Comme souvent avec ce genre d'examen, l'idée que l'on s'en faisait était pire que l'examen lui-même. Allongée sur la table, elle s'efforçait de respirer calmement malgré le tube qui lui obstruait la gorge. Penchée au-dessus d'elle, une infirmière essuyait la salive qui s'échappait de ses lèvres, tandis que le radiologue lui parlait d'une voix calme pour essayer de la rassurer. Voyant qu'elle scrutait leurs visages avec anxiété, Cale posa une main sur son épaule et lui dit :

— Ferme les yeux et détends-toi. Ce ne sera plus très long.

Mais chaque minute passée dans la salle d'examen lui semblait une éternité, et une heure s'était presque écoulée lorsqu'ils l'installèrent en salle de réveil. Une heure plus tard, l'infirmière entra avec un jus de fruit et du riz au lait, suivie de près par Cale et Karl.

— Ma parole, lança gaiement Laurel, on croirait voir les Blues Brothers. Vous pourriez au moins sourire, pour me rassurer, avant de m'asséner le coup de grâce.

Cale esquissa un demi-sourire.

— Trop tard, lui dit-elle en baissant les yeux sur ses mains crispées. J'ai bien vu que ça n'allait pas comme vous le vouliez.

— Comment te sens-tu ? lui demanda-t-il en s'asseyant sur un tabouret à roulettes.

— Bien.

— Nous avons apporté l'enregistrement vidéo de l'échographie, dit Karl en glissant le disque dans le lecteur. Je vais vous le montrer afin que vous puissiez voir par vous-même ce que nous avons découvert.

Cale pointa un stylo sur les images en noir et blanc des battements de son cœur.

— La valve greffée présente une déchirure, ici. Il y a une fuite.

— Ce qui signifie ? Un remplacement de la valve ? Une seconde opération ?

— Globalement, la valve a l'air solide et elle fonctionne bien, mais nous en saurons davantage au moment de l'opération. Dans le meilleur des cas, il nous suffira de réparer la déchirure.

— Est-ce une opération complexe ?

— La chirurgie cardiaque est toujours délicate.

— S'il te plaît, ne prends pas de gants avec moi. Je veux savoir exactement ce qu'il en est.

— Nous avons à faire face à une autre complication. Une endocardite.

— Une infection ?

C'était mauvais signe. Les médecins l'avaient mise en garde après son opération, et chaque fois qu'elle entendait prononcer le mot « infection » elle était prise de panique.

— L'infection peut-elle avoir des répercussions sur l'opération?

— Nous devons la traiter par antibiotiques avant de pouvoir opérer.

— Vous allez me prescrire un traitement?

— Non, l'informa Karl. Vous allez entrer à l'hôpital aujourd'hui même, car nous devons vous traiter par voie intraveineuse.

— Oh, non! Mais pour combien de temps?

— Quelques jours, répondit Karl en griffonnant sur son bloc-notes sans relever la tête. Après quoi vous pourrez rentrer chez vous et continuer le traitement.

— Une fois l'infection jugulée, ajouta Cale, je pourrai opérer et voir exactement de quoi il retourne.

— L'opération comporte-t-elle des risques?

— Le facteur de risques est limité, grâce à notre vieil ami ici présent, dit Karl, avant d'ordonner à l'infirmière: Veuillez trouver une chambre pour Mme King.

— Une minute, dit Laurel. Ma secrétaire est dans la salle d'attente. Elle devait me raccompagner chez moi. Pouvez-vous lui demander de venir?

— Je vais m'en occuper, dit Karl avant de sortir avec l'infirmière.

— Anxieuse? lui demanda Cale en prenant ses deux mains dans les siennes.

— Forcément, dit-elle avec un sourire contraint. J'ai un problème: je n'ai rien dit à Annalisa, car je ne voulais pas l'affoler. J'étais censée aller la retrouver à Chicago demain.

— Veux-tu que je l'appelle pour lui parler?

— Non, surtout pas. Je vais trouver une excuse et je lui parlerai quand l'occasion se présentera. Mais je ne veux pas le lui annoncer par téléphone et l'angoisser un peu plus, alors qu'elle ne sait déjà plus où donner de la tête.

Elle fit une pause avant d'ajouter d'une voix ferme :

— Naturellement, tu gardes tout ça pour toi.

— Naturellement. Je suis tenu par le secret médical.

— Et tu n'en parles pas à ton frère.

— Surtout pas à mon frère.

Elle rit.

Il allait dire quelque chose, mais au même moment Pat entra, le front plissé par l'anxiété.

— Personne n'a voulu me dire ce qui se passait.

— J'ai une infection et je dois subir un traitement antibiotique intraveineux.

Pat regarda Cale.

Laurel fit les présentations, puis Cale sortit en disant qu'il repasserait la voir plus tard.

— Banning ? Encore un ?

Laurel pouffa de rire.

— Oui. Et ce n'est pas tout. Il y a encore un autre fils et un grand-père.

— Pourquoi est-ce que mes médecins à moi ne sont pas de beaux gosses ? demanda Pat en venant s'asseoir au bord du lit. Et maintenant, explique-moi exactement ce qui se passe.

— Je te l'ai dit, j'ai une infection.

Pat continuait de la dévisager avec insistance.

— J'ai un problème cardiaque. Ils vont me garder quelques jours à l'hôpital et me mettre sous perfusion.

— Je suis désolée.

— Moi aussi. Mais je ne veux pas affoler Annalisa. Je vais lui dire qu'il y a eu un imprévu de dernière minute qui me retient au bureau. Pour cela, je vais avoir besoin de ton aide.

446

— Pas de problème.

— Et si Jud Banning appelle…

— *Si ?* Il a déjà appelé deux fois aujourd'hui.

— Je vois. Il est en déplacement jusqu'à jeudi, me semble-t-il. Tu lui diras que je suis à Chicago et que je l'appellerai à mon retour. Même consigne pour ma mère.

— À part raconter des bobards aux uns et aux autres, y a-t-il autre chose que je puisse faire pour toi ?

— Faire écran entre eux et moi pendant quelque temps encore. Je ne veux pas que tout le monde s'apitoie sur mon sort… et c'est ce qui risque de se produire s'ils découvrent que je suis malade. Tout est arrivé de façon si subite. Je suis encore sous le choc.

— Tu peux être tranquille. Mentir fait partie de mon boulot de secrétaire. « Mme King déjeune à l'extérieur, Mme King n'est pas dans son bureau, Mme King est en réunion. » Bien, et maintenant dis-moi ce que je dois passer prendre chez toi.

Pat fit une liste, puis dit :

— Je vais m'occuper d'Henry. Si jamais tu penses à autre chose, appelle-moi sur mon portable.

Laurel se laissa retomber parmi les oreillers, la gorge soudain nouée par l'émotion et la frustration. Elle sentit qu'elle allait se mettre à pleurer et craignait de ne plus pouvoir s'arrêter une fois les vannes ouvertes.

Son angoisse était telle qu'hormis un miracle rien ni personne n'aurait pu l'apaiser. Et elle se mit à prier pour que ce miracle fût Cale Banning.

# 31

Dans les rues d'Avalon, où la norme vestimentaire était le bikini, Victor ne se sentait pas à son aise. Ce petit coin de paradis était pétri de contradictions, témoin son fameux casino qui n'avait jamais servi de maison de jeu. L'île n'était qu'une lointaine banlieue de la Californie, mais une banlieue à laquelle on ne pouvait accéder ni à pied ni en voiture. Jadis rattachée à la très pieuse couronne d'Espagne, Santa Catalina avait commencé par perdre sa vertu aux mains des contrebandiers avant de devenir l'oasis des stars de cinéma et des magnats du chewing-gum amateurs de pêche en mer.

Au loin, les côtes du continent se violaçaient de brume vers l'est. Mais ici, sur l'île, le soleil brûlant était gage d'un après-midi radieux pour les touristes qui, laissant derrière eux la froide grisaille du quotidien, étaient venus se ressourcer au bord du Pacifique.

Cependant, cette promesse de beau fixe laissait Victor indifférent. Le vieil homme vivait désormais au jour le jour, comptant sa vie en semaines et en heures, et, lorsqu'il apercevait son reflet dans l'une des nombreuses vitrines qui bordaient les rues de cette ville pour touristes, il se demandait qui était ce vieillard voûté qui marchait en claudiquant.

À présent, seules ses fêtes d'anniversaire marquaient le passage du temps, comme si le simple fait qu'il fût toujours en vie méritait d'être ritualisé. En prenant de l'âge, on réalisait, chose étrange, qu'on ne pouvait plus revenir en arrière. Vous aviez fait tous vos choix, suivi tous les chemins qui s'étaient offerts à vous.

Il était de bonne heure, et la fraîcheur de la nuit emplissait encore les recoins obscurs quand il poussa la porte de la boutique de Kathryn Peyton. Le long des murs tapissés d'étagères de tailles et de couleurs variées s'alignaient ses créations « grand public » : un vase bleu en forme de flûte, un bol vert peu profond, un pichet rouge au col étiré à la manière d'un Modigliani.

— Puis-je vous aider ?

Détail insolite, la jeune personne qui se tenait derrière le comptoir avait des cheveux noirs de jais – comme la femme qui avait peint la toile qu'il était venu chercher.

— Je voudrais voir Kathryn Peyton. Dites-lui que Victor Banning la demande.

Les pieds endoloris, il s'appuya au comptoir, sa canne au bras, et observa les aiguilles de l'horloge fixée au mur. La marche du temps était une chose mystérieuse, tantôt si rapide qu'on se retrouvait vieux du jour au lendemain, tantôt si lente – dans les moments difficiles – qu'elle semblait se figer.

La Kathryn Peyton qui émergea de l'arrière-boutique était une femme qui avait vécu trop longtemps seule. Elle affichait le port raide des âmes solitaires qui refusent de courber l'échine et cherchent à donner d'elles-mêmes une image forte. Il y avait quelque chose de surprenant à voir chez les autres ses propres faiblesses, songea le vieil homme.

— Victor, dit-elle en s'approchant.

450

Elle portait une blouse maculée de terre et de pigments, et ses bras couverts d'argile séchée semblaient avoir été passés à la chaux. La jeune femme aux cheveux noirs s'était éclipsée.

— Pourquoi êtes-vous ici ?

— Je suis venu à chacun de vos vernissages, mais vous ne m'avez jamais posé la question. Pourquoi, Kathryn ?

— Je doute que vous soyez venu dans l'intention d'évoquer le passé. Seul m'importe le moment présent.

— Vous mentez. C'est le passé qui vous intéresse. Vous et moi vivons dans le passé. Plus que la plupart des gens en tout cas.

— Que voulez-vous ? demanda-t-elle sèchement.

— Qu'est-ce qui vous fait penser que je suis venu chercher quelque chose ?

Elle rit.

— Allons, Victor. Il vous en faut toujours plus. Comme si tout ce que vous aviez déjà ne vous suffisait pas.

Le rire de Kathryn le ramena à l'époque où il croyait avoir presque tout ce qu'il désirait jusqu'à ce qu'une femme pleine de sarcasme lui fasse comprendre qu'il n'en était rien.

— Pourquoi êtes-vous venu ?

— Vous avez en votre possession une chose que je souhaite acquérir.

— Une œuvre d'art ?

— Oui. Vous m'en avez vendu une il y a très longtemps, mais elle était endommagée.

— Un juste retour des choses, ne pensez-vous pas ?

Prononcées du bout des lèvres, ses paroles froides et blessantes étaient destinées à dissimuler sa propre souffrance. Mais il était habitué à croiser le fer, il savait percer à jour les faiblesses de ses adversaires aussi aisément que s'il s'était agi des siennes, et s'en servait comme de catalyseurs pour y puiser des forces.

Il s'appuya au comptoir puis dit, sans la regarder :

— Vous et moi avons tout perdu il y a longtemps. J'ai pensé que nous pourrions peut-être arrêter de détruire ce qu'il nous reste de vie.

Il ferma les yeux et ajouta :

— Faire la paix.

Quelques instants de silence s'écoulèrent, puis elle proposa :

— Venez vous asseoir. Par ici, dans l'arrière-boutique.

— Attendez.

Au fil des ans, il avait appris à tromper l'ennemi. Peut-être y avait-il plus de son père en lui qu'il ne voulait bien le reconnaître. Quand il s'assit, il remarqua que le timbre de sa voix et ses manières s'étaient radoucis. Pour obtenir ce qu'il voulait, il devait faire vibrer la corde sensible chez cette femme.

— Tenez, dit-elle en lui tendant un verre d'eau. Vous n'avez pas l'air bien.

— J'aimerais mieux un scotch.

Elle sortit et revint avec deux verres remplis de glace. Elle lui tendit une mignonnette de whisky écossais et se servit un trait de vodka.

— Tous les avantages d'une vraie maison, dit-il en jetant un regard autour de lui. Vous arrive-t-il de rentrer chez vous ? Mais peut-être cet atelier vous sert-il de galetas ?

— Je ne vis pas dans un galetas, Victor, quoi que vous puissiez en dire.

Il avait fait mouche. Elle mordait à l'hameçon.

— Vraiment ? Vous êtes une artiste. Les deux vont de pair.

— Mais vous n'êtes pas un artiste, que je sache ?

— Non, mais j'ai le sens de l'observation.

— Moi aussi. Et vous savez ce que je vois ? Deux pauvres diables qui sont en train de se saouler à neuf heures et demie du matin, dit-elle avec un enjouement forcé.

— Deux pauvres diables qui ont eu une vie misérable.

Elle prit une gorgée.

— Parlez pour vous. Ma vie est exactement comme je veux. Et si je vivais dans une soupente, ce serait parce que je l'aurais voulu.

— Comment imaginiez-vous que serait votre vie quand vous étiez jeune ?

Il lui avait tendu un piège tout simple qui consistait à la faire parler d'elle-même, de son passé, de la perte de l'être cher, des enfants. Plus elle parlait, plus elle s'ouvrait à lui et plus il lui devenait facile de la cerner. En retour, il lui parla de la froideur de sa mère, dont il n'avait jamais réussi à recueillir ne serait-ce qu'une miette d'approbation. Il n'avait jamais parlé à personne de cette mère sans âme qui avait commis l'une des pires fautes en préférant un de ses enfants à l'autre, puis s'était condamnée à la damnation éternelle en mettant fin à ses jours.

Quand il eut fini de parler, un silence pesant mais salutaire s'installa entre eux, comme si une peau morte avait été ôtée. Il savait mieux que personne ce que signifiait se renfermer sur soi-même quand la douleur devenait insupportable. Parfois, le seul refuge possible était celui du silence, de la solitude intérieure.

— J'ai bien failli faire comme votre mère, le soir de l'accident, lui dit-elle. Il y a des moments où la mort nous semble préférable à la vie.

D'où venait aux femmes cette propension à renoncer ? Pourquoi renoncer alors que le combat était ce qui donnait

453

son sens à la vie ? Pour la énième fois, Victor en vint à se demander ce qui s'était passé entre Rudy et Rachel au moment de l'accident. L'un des deux avait-il décidé qu'ils devaient mourir ? La douleur qui l'étreignit en cet instant était si réelle qu'il en oublia momentanément ce qu'il était venu chercher. Il était trop vieux, il avait passé l'âge de s'acharner. Kathryn Peyton, malgré tout son ressentiment, son chagrin, son besoin de vengeance et son abord glacial, n'avait pas choisi de se suicider.

— Pourquoi ne l'avez-vous pas fait ?

— À cause de Laurel. Quand ma fille est entrée dans la salle de bains alors que je tenais une pleine poignée de somnifères à la main, j'ai compris que la décision ne m'appartenait plus.

Elle lui parla de Laurel, lui dit qu'elle avait été sa raison d'être dans un monde qui s'était subitement dépeuplé. Et pourtant, il voyait bien à la façon dont elle présentait les choses qu'elle n'était pas entièrement satisfaite de la relation qu'elle avait eue avec sa fille. Kathryn, en retour, l'amena à s'interroger sur lui-même. Quelle sorte de père avait-il été pour ses fils ? L'un d'eux était mort par sa faute, et l'autre ignorait qu'il l'avait engendré. Son unique préoccupation avait été d'endurcir le caractère naturellement enclin à la faiblesse des mâles de la famille Banning. Pour ce faire, il avait eu recours à toutes sortes de stratagèmes, et même à la ruse. Tous les moyens étaient bons pour faire pièce à la fragilité génétique transmise par son père à sa descendance mâle.

Soudain, elle porta sa main à ses lèvres, comme si elle avait voulu retirer tout ce qu'elle venait de dire.

— Si je vous avais considéré comme un être humain à part entière, j'aurais été obligée de vous plaindre. C'est pour cela que je ne l'ai pas fait.

Et voilà, le tour était joué. Elle acceptait désormais de le voir sous un jour différent, plus humain. En prenant l'accent de la sincérité, il l'avait amenée à se confier à lui. Eût-il été moins déterminé qu'il aurait presque eu mauvaise conscience de l'avoir manipulée, mais il n'était pas du genre à avoir des regrets. Il lui prit la main pour s'aider à se mettre debout. Sans doute s'attendait-elle à ce qu'il en vienne à la toile, mais il dit :

— Merci, Kathryn. Je vais vous laisser.

— Vous n'avez pas obtenu ce que vous étiez venu chercher.

— Si. Je crois que si.

Il savait qu'il avait obtenu exactement ce qu'il voulait. Il sortit en laissant l'enveloppe sur le comptoir.


Sitôt arrivée à Chicago, Annalisa se rendit à un cocktail, puis à un dîner organisé par un fournisseur. De retour dans sa chambre d'hôtel, elle passa une bonne partie de la nuit à se retourner dans son lit, hantée par une vision de Matt Banning en compagnie d'une demi-douzaine de blondes. Et pourtant c'était elle qui avait dit non, non et non, alors qu'elle mourait d'envie de lui dire oui. Et tout cela parce qu'elle ne voulait pas tomber dans les mêmes erreurs que ses parents. Si seulement elle avait su… Merci, papa.

Le réveil affichait trois heures quarante-trois quand elle se leva pour aller chercher une bouteille d'eau dans le minibar. Elle avala un cachet d'Excedrin PM. Ses yeux la brûlaient. Ils étaient probablement gonflés et rouges. Aucun homme au monde ne méritait qu'elle se mette dans un état pareil. Elle retapa ses oreillers puis s'installa confortablement devant la télévision.

La sonnerie du réveil la tira brutalement du sommeil. Elle se redressa en sursaut dans le lit. Allons bon, songea-t-elle en voyant que la télé était toujours allumée. Elle avait sombré dans les bras de Morphée alors qu'elle regardait une émission sur la façon de devenir millionnaire en spéculant sur l'immobilier.

Il était huit heures quand elle quitta le cocon de l'hôtel pour se rendre au hall d'exposition. Dehors, le soleil illuminait les rues. Sur la voie rapide de Lakeshore Drive, le défilé des voitures, camions et taxis battait déjà son plein. Elle avait à peine parcouru deux pâtés de maisons que son téléphone se mit à sonner. C'était sa mère. Elle prit la communication.

— Salut, m'man. Je suis en route pour l'expo.

— Parfait.

Il y eut un silence.

— Quelque chose ne va pas ?

— Il y a un problème avec les plans de la Maison de Thé, dit Laurel. Je vais devoir rester ici pour m'en occuper. La réunion est prévue samedi matin.

Annalisa se figea, puis s'écarta du flot des piétons qui marchaient sur le trottoir.

— Tu veux que je rentre ?

— Non. Tu dois t'occuper des achats.

— Seule ?

— Mais oui. Tu sais certainement mieux que moi ce dont nous allons avoir besoin. C'est un jeu d'enfant pour toi, ma chérie. Et si j'étais là, je ne ferais guère que te suivre comme un petit chien.

— Ce n'est pas vrai.

— Mais si. De toute façon, nous sommes coincées. Tu vas devoir te charger de passer les commandes. Et moi, de régler ce problème. Il est temps que tu apprennes à te débrouiller toute seule.

— Je n'ai pas envie de tout faire toute seule, dit Annalisa en songeant : « Je n'ai pas envie d'être ici toute seule. »

— Pense à ton père. Cette fois, au moins, il ne pourra pas dire que c'est moi qui ai tout fait.

— Ce n'est pas juste. Tu sais bien que je fais déjà tout ce que je peux pour qu'il me traite en égale.

Sa mère éclata de rire.

— C'est beaucoup demander à ton père que de traiter une femme en égale.

— Tu es sûre que tout va bien ? Tu as l'air fatiguée.

— Je le suis. J'ai passé une mauvaise nuit. Et toi ?

— Moi, je suis au beau milieu du trottoir, dans la cohue du matin.

— Dans ce cas, je te laisse.

Elles raccrochèrent.

— Il ne manquait plus que ça, marmonna Annalisa en se remettant à marcher.

À quelques mètres de là, un feu tricolore était tombé en panne et un agent de police, debout au milieu du carrefour, tentait de rétablir la circulation. Il eût été tellement plus confortable de laisser quelqu'un d'autre prendre les commandes de votre vie et vous montrer la voie quand les choses devenaient trop compliquées…

Elle poussa la porte d'un Starbucks, dont elle ressortit quelques minutes plus tard avec un café au lait parfumé à la vanille. Qu'elle le veuille ou non, elle allait devoir prendre le taureau par les cornes.

Arrivée devant le hall d'exposition, elle passa son badge et entra. Aujourd'hui, elle était King Design.

Il y avait des lustres que Laurel n'avait pas regardé un feuilleton télévisé. Mais ici, dans sa petite chambre d'hôpital aseptisée, il n'y avait rien d'autre à faire que regarder la télé, lire, dormir, manger des puddings caoutchouteux, ou faire les cent pas en traînant son pied à perfusion.

Elle se sentait à deux doigts de périr de désœuvrement quand Cale entra.

— Salut, beauté.

— C'est de moi que tu parles ? N'exagérons rien.

Elle eut envie de sauter du lit et de se jeter à son cou tellement elle était heureuse de recevoir de la visite.

Il jeta un coup d'œil à la télé.

— C'est Sam, alias Samantha, expliqua Laurel. Sam aime Sonny, qui se fait passer pour mort pour échapper à la mafia, afin que sa femme, Carly, ne se fasse pas descendre par les Casadine.

— Et qui sont les Casadine ?

— Une famille immensément riche et malfaisante, mélange de savants fous, de femmes intrigantes, de jeunes voyous irrésistibles et de malfaiteurs qui adorent – et engrossent – les femmes de Port Charles.

Il rit.

Elle éteignit le téléviseur.

Il jeta un coup d'œil à sa feuille de température.

— Comment te sens-tu aujourd'hui ?

— Morte d'ennui. Sans parler de la nourriture. Si ça continue, je vais être obligée d'aller faire un tour à la cuisine pour me mettre aux fourneaux. Leur gélatine est immonde, on pourrait jouer au squash avec.

Elle fit une pause, puis ajouta :

— Il t'arrive de manger ici ?

— Oh, moi, tu sais, du moment que je n'ai pas à faire la popote…

Elle posa ses deux mains sur la couverture et demanda :

— Quand pourrai-je sortir ?

— Bientôt.

— Mais encore ?

— Quand la fièvre aura cédé.

Elle se pencha en avant pour essayer de jeter un regard furtif à la feuille de température qu'il tenait à la main.

— Qu'y a-t-il ?

— Tiens, lui dit-il en lui mettant un thermomètre dans la bouche.

D'un coup de langue, elle fit rouler le thermomètre d'un côté de sa bouche et dit :

— Tu l'as fait exprès pour m'obliger à me taire.

— Jamais je ne ferais une chose pareille.

— Quelle chose ? s'enquit Karl en entrant dans la chambre.

— Lui mettre un thermomètre dans la bouche pour la faire taire.

— Cale ? s'étonna Karl. Jamais, mais moi, oui.

Cale reprit le thermomètre.

— Eh bien ? demanda Laurel.

— Eh bien quoi ? demanda Cale sans lever les yeux de ses notes.

— Super, marmonna Laurel. J'ai placé ma vie entre les mains de Dumb and Dumber.

— Les médecins sont des mal-aimés, soupira Karl en jetant à Cale un regard de chien battu. Et dire que tout ce que nous voulons, c'est rendre Laurel hardie.

Cale rit et lui jeta son stylo.

— Vous vous comportez de cette façon avec tous vos patients ?

— Non, seulement avec ceux que nous aimons bien, dit Karl.

— Expliquez-moi comment vous avez réussi à décrocher votre diplôme.

Cale rit.

— Pour cela, il faut aimer jurer comme un charretier, avoir une tête de cochon et pouvoir fonctionner avec une heure de sommeil de temps en temps.

Peu après, Karl s'esquiva non sans avoir lancé une dernière vanne. Cale vint s'asseoir au bord du lit.

— La fièvre est tombée. Attends. Je sais que tu as envie de rentrer chez toi, mais je pense qu'il est plus sage que nous te gardions encore quelques jours. Tu veux bien faire ça pour moi, dis ?

Il avait dit cela d'une voix si douce, avec un regard si bienveillant qu'elle réalisa qu'elle ne pouvait rien lui refuser.

— C'est bien, dit-il en la voyant hocher la tête.

Il lui tapota la main, puis, le plus naturellement du monde, étendit le bras pour écarter une mèche de cheveux qui lui tombait devant les yeux. Était-ce un geste spontané ou un « truc » qu'on lui avait appris quand il étudiait la médecine ? Il était toujours aussi beau, et peut-être même encore plus séduisant qu'avant. Il avait gardé le même sourire, mais son visage, marqué par les épreuves de la vie, avait plus de caractère. Elle comprenait mieux, à présent, la nature des sentiments qu'elle avait éprouvés pour cet homme qu'elle croyait aimer quand elle était adolescente.

— Je ferais mieux de partir, dit-il en consultant sa montre. Sans quoi l'infirmière va venir me déloger à grands coups de pied aux fesses.

Il remit la feuille de température à sa place et se dirigea vers la porte. Juste avant de sortir, il se retourna.

—Bonne nuit, Laurel.

Elle le regarda s'éloigner, puis se laissa retomber parmi les oreillers et se mit à tripoter les coins du sparadrap qui maintenait en place l'aiguille de sa perfusion et lui rappelait à chaque instant qu'elle avait un problème cardiaque qui risquait de lui coûter la vie. Nuit et jour, l'odeur pénétrante des médicaments flottait dans l'air, on entendait le carillon des portes de l'ascenseur, un rire étouffé, les pas d'une infirmière qui entrait dans la chambre pour remplacer la perfusion ou prendre votre température.

L'expérience terrifiante qu'elle avait vécue sept ans auparavant et oubliée depuis lui revint brusquement en mémoire. Son cœur cognait si fort dans sa poitrine qu'il faisait vibrer ses côtes. Chaque pulsation résonnait dans son cou, dans sa gorge, comme si elle avait couru pendant des heures. Elle détestait cette sensation d'emballement qui lui donnait le tournis. Elle ferma les yeux et vit le visage de Cale. Pendant toutes ces années, pour ne pas sombrer dans la folie, elle s'était interdit de penser à Cale Banning. Elle avait parfois pensé à Jud, quand Beric s'était mis à la tromper, ou après son divorce. Dans ces moments-là, elle se demandait ce qu'aurait été sa vie si elle avait choisi de prendre une autre direction.

Mais du jour où elle était sortie de la maternité de Seattle, elle avait décidé d'effacer Cale de sa mémoire. Sans quoi elle aurait été obligée de vivre avec l'idée insupportable qu'elle avait abandonné leur fils. Pour eux, il n'y aurait jamais de « et ils vécurent heureux ». Revisiter cette partie de son passé eût été comme de demander l'impossible.

Et voilà que, contre toute attente, l'impossible se produisait. Par une étrange et suprême ironie du sort, elle se retrouvait face à l'homme dont elle avait jadis brisé le cœur et qui, devenu médecin, allait tenter de réparer son cœur malade.

# 32

Matthew Banning se tenait dans le hall de l'hôtel, sous un halo de lumière dorée, quand Annalisa poussa la porte. Un seul regard, et elle se sentit gagnée par une bouffée de désir si intense qu'elle hésita entre se jeter dans ses bras ou prendre ses jambes à son cou. Dès qu'il la vit, ses traits se tendirent et sa bouche se figea comme s'il était devenu incapable de sourire. Elle reprit aussitôt contenance, s'empressant d'ériger entre eux un mur de protection invisible.

Les bruits du hall semblèrent s'évanouir autour d'eux quand il appela son nom en venant à elle.

— Je t'ai cherchée partout.

— Pourquoi cela ?

— Il faut que je te parle.

— Il y a un problème. Ma mère m'a appelée pour me dire que…

— Ma présence ici n'a rien à voir avec le travail.

Il la regardait avec une telle insistance qu'elle en fut troublée. Elle continua de marcher, lui sur ses talons.

— Je suis venu pour que nous ayons une explication. Vas-tu m'envoyer promener sans même écouter ce que j'ai à te dire ?

Elle s'arrêta, confuse. Elle ne se sentait pas le cœur de l'éconduire. Croisant les bras afin de mettre de la distance entre eux, elle dit :

— Eh bien ? Je t'écoute.

— Pas ici, dans ce hall.

Le bar était bondé de gens qui étaient en train de suivre un match à la télévision.

Elle avait déjà mangé, et de toute façon il y avait la queue au restaurant.

Il la prit par le bras.

— Allons, viens, sortons d'ici.

— Je suis fatiguée, dit-elle en se dégageant. Je suis debout depuis six heures ce matin. Je ne sens plus mes pieds. Si tu veux me parler, nous pouvons monter dans ma chambre. Là-haut, nous pourrons prendre un verre en toute tranquillité et je pourrai au moins me déchausser.

Quand ils entrèrent dans l'ascenseur, le miroir qui tapissait le mur du fond lui renvoya d'eux une image de couple – elle remarqua que sa chevelure rousse s'accordait avec les rayures de sa cravate et qu'il aurait pu aisément poser son menton sur sa tête s'il l'avait prise dans ses bras. Heureusement, l'ascenseur se remplit très vite, rendant la conversation superflue. Soudain, elle regretta de l'avoir invité à monter dans sa chambre, et en vint même à se demander si ce faisant elle n'avait pas cherché à le manipuler. Une fois dans sa suite, elle se débarrassa aussitôt de ses chaussures, puis jeta son sac sur une chaise et fila tout droit vers le minibar.

— Je peux t'offrir quelque chose ?

— Une bière.

Elle versa un trait de Jack Daniel's dans un verre de Coca light puis lui tendit une Heineken. Éprouvant le besoin de mettre de la distance entre eux, elle alla s'asseoir sur le canapé.

Il resta planté au milieu de la chambre.

— Eh bien, parle. Qu'avais-tu de si important à me dire pour avoir fait exprès le déplacement jusqu'à Chicago ?

Il prit une gorgée de bière.

— Sur le coup, ça m'a paru une bonne idée. Je me suis dit que ce serait facile, qu'il me suffirait de venir à toi et de te dire : « Ta mère sort avec mon oncle. »

— Je suis au courant.

— Super, marmonna-t-il entre ses dents. Et maintenant, je vais passer pour un crétin.

— Tu t'es dit que puisque ma mère et ton oncle sortaient ensemble, nous aurions pu en faire autant, c'est ça ?

— C'est un argument auquel j'ai pensé pendant que j'attendais à l'aéroport. Ça m'avait l'air de tenir la route. Mais maintenant je le trouve complètement idiot, tout comme ta théorie sur l'amour, du reste. On a rarement l'occasion de rencontrer des gens que l'on désire vraiment. Et je te désire vraiment, ma jolie rousse.

Des paroles de rêve. Mais alors qu'elle mourait d'envie que le rêve se réalise, elle avait failli laisser passer sa chance en envoyant tout promener.

— Écoute, reprit-il en se mettant à faire les cent pas, tu te trompes si tu t'imagines que je suis du genre à tomber amoureux au premier regard.

— Tu penses être amoureux ? cria-t-elle en retour. Et la blonde ?

— J'étais sûr que tu allais m'en parler. Si je suis sorti avec elle, c'est uniquement pour me prouver que j'en étais capable. Pour me convaincre que tu ne comptais pas plus que ça. Que je pouvais t'oublier dans les bras d'une autre. Et puis, quand je suis entré dans le restaurant et que je t'ai aperçue, j'ai eu la désagréable impression que le monde entier se payait ma tête. Après cela, chaque fois que je la regardais, c'est toi que je voyais assise en face de moi. Je l'ai ramenée chez elle aussitôt après ce dîner de malheur – le plus long de ma vie – puis je suis allé courir sur la plage. Sauf que je ne courais pas assez vite pour pouvoir m'enfuir, pour pouvoir t'oublier.

Il secoua la tête, puis ajouta en riant amèrement :

— J'ai essayé.

— Raison pour laquelle tu t'es empressé de rappliquer ici ?

— Crois-moi, ça ne me ressemble pas. Je ne comprends pas comment tout cela est arrivé, mais une chose est sûre : je n'arrive plus à faire semblant.

Elle resserra la distance entre eux.

— Moi non plus, dit-elle si doucement qu'elle n'était pas certaine qu'il l'ait entendue.

Puis il l'embrassa et l'instant d'après ses mains étaient partout, sur ses cheveux, sur ses vêtements, sur sa peau, et elle se demanda comment elle avait pu lui dire non. Elle lui ôta sa cravate tout en se débarrassant de sa veste de tailleur. Il déboutonna sa chemise tandis qu'elle défaisait son ceinturon.

À aucun moment leurs lèvres ne s'étaient détachées, mais cela ne suffisait pas. Elle aurait voulu se glisser sous sa peau. Leurs vêtements s'éparpillèrent autour d'eux, puis, comme si c'était une seconde nature, leurs corps fusionnèrent jusqu'à ne faire plus qu'un. Elle le regarda au fond des yeux et comprit qu'ils étaient en train de vivre l'un de ces moments uniques qui vous rendent à la fois fort et vulnérable, et vous entraînent au plus profond de ce grand tourbillon qu'on appelle l'amour.

Après un conseil d'administration interminable qui avait pris une journée de plus que prévu, Jud s'était retrouvé coincé dans l'aéroport de Denver bloqué par des chutes de neige. Dégoûté, il était en train de siroter une bière tiède en grignotant du pop-corn et des bretzels au bar de l'aéroport quand les haut-parleurs annoncèrent que le trafic aérien avait repris. Un grand cri de joie s'éleva dans la salle.

Un des clients qui se trouvaient là se laissa tomber sur le tabouret à côté du sien.

— Il y a longtemps que vous attendez? demanda-t-il en piochant une poignée de pop-corn.

Jud consulta sa montre.

— Six heures. Et vous?

— Pareil. Vous allez où?

— À L.A.

— Et moi à Chicago, et de là à Boston.

Jud songea que Laurel se trouvait justement à Chicago. Ils continuèrent à bavarder pendant un moment, puis l'homme se leva et dit:

— Ça y est. Mon vol est annoncé. Bonne chance à vous!

Jud jeta un coup d'œil au-dehors. La neige tombait moins dru à présent et le tarmac commençait à reprendre vie. Les feux des camions de déneigement clignotaient sur les pistes d'atterrissage. Il avait hâte de rentrer à L.A., même s'il savait que Laurel ne serait pas là. Il l'avait eue au téléphone lundi soir, et elle lui avait dit que sa fille et elle avaient fini par s'expliquer, mais il se demandait comment il allait être reçu la prochaine fois qu'il croiserait Annalisa King.

Il y avait très longtemps, il avait laissé Laurel prendre possession de son âme au point d'en perdre la raison. Elle n'avait fait que passer dans sa vie, en laissant derrière elle un tel champ de ruines qu'il en était venu à se dire qu'elle avait pris tout l'amour qu'il portait en lui et que plus jamais il ne pourrait tomber amoureux. Et puis, trente ans plus tard, leurs chemins s'étaient à nouveau croisés, et tout avait recommencé comme au premier jour. Bien sûr, Laurel et lui n'étaient plus les mêmes. Mais il avait beau avoir des cheveux grisonnants et n'être plus aussi naïf ou impatient que jadis, il ne se sentait pas vieux pour autant. Et il ne pouvait s'empêcher d'espérer que cette fois peut-être tout se passerait bien.

Il régla sa note, puis empoigna son sac de voyage et se dirigea vers la zone d'embarquement. L'écran affichait une demi-heure de retard supplémentaire, et, voyant qu'il n'y avait pas un seul siège vacant dans la salle d'attente, il continua de longer le couloir. Une voix retentit dans les haut-parleurs, annonçant le départ imminent du vol 447 pour Chicago. Jud s'approcha de la réception.

— Je voudrais échanger mon billet. Y a-t-il encore des places sur ce vol?

— Quelques-unes en première classe. Je peux faire l'échange si vous le souhaitez.

Quelques minutes plus tard, son billet pour Chicago à la main, Jud longeait la passerelle d'embarquement.


Laurel laissa tomber son sac dans l'entrée et se baissa pour prendre un Henry ronronnant d'aise dans ses bras. Elle grimaça. Le poids de l'animal faisait pression sur le cathéter qu'elle portait fixé au bras et qui dispensait la dose quotidienne d'antibiotiques dont elle avait besoin. Elle alla prendre un soda et un verre rempli de glace à la cuisine, puis sortit s'installer sur la véranda avec Henry sur ses genoux. Sur la plage, des jeunes gens au corps ferme et bronzé disputaient un match de volley. Un chien pourchassait un frisbee au bord de l'eau. Partout autour d'elle fusaient des éclats de rire et de voix, les radios diffusaient des airs de musique, et au loin on entendait le murmure des vagues. Le ciel était bleu et l'air chaud et immobile. Un dépôt blanchâtre, témoin de récents arrosages, auréolait la base des pots de fleurs qui ornaient la véranda. Instinctivement, elle se pencha pour ôter une fleur fanée d'une jardinière d'impatiens, puis recommença, une fois, deux fois, trois fois. Après quoi elle passa à une autre jardinière encore plus grande, et de là à un pot plus petit, et encore un autre, ôtant frénétiquement les fleurs et les feuilles rabougries jusqu'à ce qu'une fleur rose et blanche, veloutée comme la peau d'un bébé, attire son regard, l'obligeant à s'arrêter. Le milieu de la corolle présentait une vilaine tache brun foncé. C'était le début de la fin, le signe qu'elle allait bientôt mourir. Pour autant elle n'avait pas perdu toutes ses couleurs, la vie continuait de l'habiter. Laurel n'eut pas le cœur de l'arracher. Rassemblant les fleurs fanées dans les pans de sa chemise, elle alla les jeter aux ordures.

À l'intérieur du petit appentis où elle rangeait ses outils de jardinage, elle avisa une boîte d'engrais. L'espace d'un court instant de folie, elle se demanda ce qui se passerait si elle en avalait le contenu. Arroser les plantes, nourrir le chat, se promener sur la plage, choyer sa fille, et maintenant, et après si longtemps, faire l'amour – rien que des choses parfaitement normales, témoignant d'une vie saine. Elle reposa son arrosoir et s'immobilisa. La plage qui s'étirait devant elle ressemblait à un désert. Soudain prise d'une peur panique qui l'empêchait presque de respirer, elle songea :

*Si la fille au bikini rouge marque un point, je ferai des pâtes pour le dîner. Si cette mouette se pose sur le poteau téléphonique, je boirai un verre de vin blanc ce soir. Si cette fleur ne meurt pas dans les deux jours à venir, je resterai en vie moi aussi.*

Annalisa alla ouvrir la porte, s'attendant à trouver le garçon d'étage avec le repas qu'elle avait commandé. Elle eut un coup au cœur en voyant son père entrer dans la suite d'un pas assuré.

— Papa ? Que fais-tu ici ?

— En voilà une question ! Dois-je te rappeler que j'ai apposé mon nom sur tous les restaurants du projet ? Je suis venu m'assurer que tout se passait comme prévu. Où est ta mère ?

— Elle n'est pas là, répondit Annalisa avec amertume.

— Tu veux dire que tu es venue seule à Chicago ? Mais à quoi pense-t-elle ? C'est n'importe quoi ! Mais heureusement ton papa est là. Tu n'as plus à te faire de souci, *ma petite fille.*

Il y avait une telle condescendance dans sa voix qu'Annalisa ferma brièvement les paupières pour ne pas se mettre à hurler.

Au même moment, Matthew émergea de la chambre à coucher, vêtu seulement de son pantalon, les cheveux encore mouillés, une serviette de bain autour du cou.

— Je meurs de faim, Lili la Rousse.

Il aperçut le père d'Annalisa et se figea.

— Beric ? Monsieur King…

Annalisa observait les deux hommes en silence, trop furieuse pour pouvoir parler.

Le regard de son père se porta sur Matthew, puis sur elle.

— Peut-on savoir ce que vous faites dans la chambre de ma fille ? demanda-t-il en se dressant brusquement sur ses ergots.

— Papa, s'il te plaît.

— Je suis amoureux de votre fille, dit Matthew en passant un bras autour des épaules d'Annalisa.

Beric King plissa les paupières, plus entêté que jamais.

— Vous n'avez pas répondu à ma question, insista-t-il. Couchez-vous avec ma fille, oui ou non ?

— Ce ne sont pas tes affaires, papa.

— Oui, je couche avec votre fille, répondit Matthew au même moment.

— Et vous avez l'intention de l'épouser ? reprit Beric en ignorant sa fille.

Elle partit d'un rire sarcastique.

— Ma parole, on dirait un mauvais acteur de série B.

— Tais-toi, Annalisa, lui dit Matt.

Elle se tourna vers lui.

— Quoi !

Mais il reprit aussitôt :

— J'aime votre fille.

— Je n'ai que faire de vos sentiments. C'est le bonheur de ma fille qui m'importe. Vous couchez avec elle. Vous devez vous engager.

— On n'est plus dans les années cinquante, dit Annalisa.

Mais ni l'un ni l'autre ne l'écoutait.

Si sa mère les avait entendus discuter, elle aurait piqué un fou rire puis aurait envoyé joliment paître son père.

— Qu'attendez-vous de moi au juste ? s'enquit Matthew pour couper court.

— Je veux savoir si vous avez l'intention de l'épouser.

— Ça suffit ! cria Annalisa en agitant les bras. Ne lui réponds pas, Matthew. Cela ne le regarde pas. Et ne me demande plus jamais de me taire.

— Et voilà, poursuivit son père sans la regarder. C'est le portrait craché de sa mère.

— Oui, je suis comme ma mère. Dieu merci, parce que si je te ressemblais, je serais une vraie demeurée. Vas-tu un jour comprendre que je suis une adulte, responsable de ses choix et de ses actes ?

— Je ne le sais que trop bien.

— Dans ce cas, pourquoi es-tu là ?

— Parce que tu es ma petite fille. Je suis ici pour t'aider, dit-il simplement.

— J'ai vingt-deux ans. Pourquoi faut-il toujours que tu penses que je ne peux rien faire sans toi ?

Il ne répondit pas.

— Tu ne le sais pas ?

Une moue exaspérée plissa les lèvres closes de Beric.

— Eh bien, moi, je vais te le dire. C'est parce que tu as besoin d'être au centre de tout, papa. Sauf que ce qui se passe entre Matthew et moi ne te regarde pas. J'aime être avec lui et je pense qu'entre lui et moi ça peut marcher, même si notre histoire ne fait que commencer. Je suis heureuse, mais tu t'en fiches, parce que tu as l'impression que ton honneur est en jeu. La fierté du grand Beric King est plus importante que le bonheur de sa fille.

— Ce n'est pas vrai. Je ne cherche qu'à te protéger. Je ne veux pas que tu souffres.

— En attendant, c'est toi qui me fais souffrir, en refusant de me laisser voler de mes propres ailes. Tu m'appelles ta petite fille et tu continues de me traiter comme telle. Tu refuses de m'écouter. Eh bien, sache que j'aime travailler avec maman et que ce n'est pas parce que je l'aime plus que toi que j'ai choisi de m'associer avec elle.

Il se redressa, farouche.

— Ta place est en cuisine. Tu es en train de gâcher tes talents de cuisinière, exactement comme ta mère.

— Foutaises ! Je fais ce que j'ai envie de faire. Et je le fais bien. Mais tu n'as pas confiance en moi. Autrement, pourquoi serais-tu venu me relancer jusqu'ici ? Mais je vais te prouver, moi, que je suis parfaitement capable de me débrouiller seule. Assieds-toi.

— Annalisa, on n'élève pas la voix quand on parle à son père.

— Eh bien, moi, si. Assieds-toi, papa.

Elle alla chercher les plans d'aménagement sur lesquels elle planchait depuis des jours, ainsi que les fiches techniques, les catalogues d'échantillons et tout ce qui était nécessaire à la réalisation de cuisines professionnelles dernier cri.

— Tiens, dit-elle en les jetant sur la table de salon. Jettes-y un coup d'œil.

Elle posa son ordinateur portable sur la table basse et ouvrit son logiciel de CAO.

— Ici, c'est la Maison de Thé. Et ici, le Diner. Là, le Bistrot, et là le Patio Club et enfin le Cliff House. Et maintenant, dis-moi si tu penses sincèrement que je ne connais pas mon métier.

Quelqu'un frappa à la porte.

— J'y vais, lança Matthew.

— Ce doit être le service en chambre, dit Annalisa avant de s'adresser à nouveau à son père : J'en ai assez que tu me considères comme une tête de linotte, dépourvue d'amour-propre et d'intelligence.

— Je ne te traite pas de cette façon.

— Si !

Elle vit à l'expression de son visage qu'elle avait fait mouche.

— Matthew ? demanda Jud Banning en entrant dans la chambre, les sourcils froncés. Que fais-tu ici ? Me serais-je trompé de chambre ?

— Non, non, dit Matt en refermant la porte derrière lui.

— Il faut que je parle à Laurel, dit Jud.

Au même instant, il aperçut Annalisa.

— Ah, bonjour. Ta mère est-elle visible ?

— Elle n'est pas ici.

— Ce n'est pas grave, je vais l'attendre, dit-il en lâchant son sac.

Puis il s'approcha de Beric et lui tendit la main.

— Bonjour, ravi de vous revoir.

— Laurel n'est pas ici, dit Matt.

— Rien ne presse, je peux l'attendre, répéta Jud en se laissant tomber dans un fauteuil confortable.

— Ma mère n'est pas à Chicago. Elle est restée à L.A.

Jud pesta dans sa barbe puis dit avec un petit rire dépité :

— Lundi, quand je l'ai eue au téléphone, elle m'a dit qu'elle se rendait à la foire-expo de Chicago. Du coup, je suis venu directement ici depuis Denver.

— Elle a été retenue sur le chantier. Un problème de dernière minute.

Jud se tourna vers Matt.

— Et toi, pourquoi es-tu là ?

— Pour coucher avec ma fille, intervint Beric.

Matt jura.

Jud regarda Beric, puis Annalisa, puis Matt.

— Est-ce une bonne idée ?

— Tu sors bien avec sa mère.

474

Beric lança un drôle de coup d'œil à Jud, comme s'il le toisait du regard.

—Vous couchez avec ma femme ?

—Ex-femme, rectifia Annalisa.

Matt s'approcha du minibar.

—Quelqu'un veut-il à boire ?

—Un whisky-Coca pour moi, dit Annalisa. Et bien tassé.

—N'importe quoi sauf de la bière, dit Jud.

—Et moi une vodka. Absolut, dit Beric avant d'ajouter à l'adresse de Jud : Vous avez vu ces plans d'agencement ? Regardez plutôt cette cuisine. Elle est encore plus belle que celle de chez Camaroon.

Il cliqua pour ouvrir le dossier Cliff House.

—Et ça, tenez. C'est ma petite Annalisa qui a tout fait.

—Oui, ça ne m'étonne pas, dit Jud en prenant le verre que Matt lui tendait. Ses collaborateurs ne tarissent pas d'éloges à son sujet. Et Matthew m'a chanté ses louanges… avant que surviennent les complications d'ordre privé, je précise.

—Je ne vois pas où sont les complications, répliqua Matthew. Et puis tu es mal placé pour me critiquer.

—Je suis plus âgé que toi, j'ai davantage d'expérience.

—Ah oui ? rétorqua Matt. Dans ce cas, comment se fait-il que tu sois ici alors que Laurel est à L.A ?

—Ce que je fais de ma vie privée ne te concerne pas, répliqua Jud.

—Et inversement.

Matt échangea un coup d'œil contrarié avec Annalisa, qui lui adressa un petit sourire d'encouragement en espérant qu'il devinerait le fond de sa pensée : tout compte fait, Jud n'était pas si différent de son père.

— Je vais aller passer une chemise, dit Matt avant de s'éclipser dans la salle de bains.

Son père continuait de dévisager Jud avec curiosité.

— Ainsi, vous êtes l'un des deux frères. Mais lequel?

— L'aîné.

Beric hocha la tête d'un air entendu, puis se mit à siroter sa vodka en silence. Le voyant d'humeur songeuse, Annalisa se demanda ce qu'il savait exactement, et comment il jugeait la relation de Jud et de sa mère. S'il en avait été blessé, Annalisa l'aurait vu à coup sûr. Son père la regarda, puis leva son verre pour porter un toast silencieux, avant de dire à Jud :

— Je suis content d'apprendre que ma fille est bourrée de talent. À nous deux, nous allons faire de vos restaurants les meilleurs de toute la côte ouest.

Annalisa vida d'un trait la moitié de son verre pour ne pas éclater de rire.

Juste au moment où Matt sortait de la chambre en boutonnant sa chemise, on frappa à la porte. Il regarda Annalisa, hésitant.

Elle fit non de la tête et leva la main, paume ouverte.

— Fais tout ce que tu voudras, Matt, mais par pitié, n'ouvre pas.

## 33

Assise près de la fenêtre avec Henry ronronnant à ses côtés, Laurel contemplait le vase en cristal que lui avait offert Jud. Ce matin, en allant chercher le journal, elle avait acheté des chrysanthèmes et des lis blancs dont la blancheur virginale contrastait joliment avec les branches d'eucalyptus d'un vert poudré. Les fleurs étaient des symboles de vie, les beignets tout chauds un pied de nez à la modération, et l'enveloppe pleine de photos et de rapports d'enquête la preuve que son passé ne la laisserait jamais en paix.

L'éditorial du journal du dimanche était consacré au procès Wardwell qui s'était ouvert à Seattle. Le nom de Greg O'Hanlon y était cité à plusieurs reprises, de même que les paroles qu'il avait prononcées. Sa curiosité avait été piquée quand elle était à l'hôpital et que le procès faisait la une de tous les journaux télévisés. Maintenant qu'elle savait qu'elle courait le risque de ne pas se réveiller après l'opération, elle s'interrogeait sur son passé et en venait à se demander si elle avait fait le bon choix.

La sonnette retentit, la faisant sursauter. Promptement, elle rangea les photos dans l'enveloppe, qu'elle glissa sous le napperon qui recouvrait la table. Arrivée à mi-hauteur de l'escalier, apercevant une haute silhouette à travers la vitre dépolie, elle songea que ce ne pouvait être que Jud.

Mais le destin était d'humeur espiègle, apparemment, car c'était Cale qui se tenait devant elle quand elle ouvrit la porte.

— Bonjour, dit-il, une boîte de beignets à la main et le même journal du dimanche sous le bras.

Elle éclata de rire.

— Les grands esprits ! Entrez, docteur.

— Qu'y a-t-il de si drôle ?

— J'ai la même boîte de beignets, là-haut dans ma chambre, et j'étais déjà en train de faire une orgie de graisse, de sucre et de farine quand tu as sonné.

Il leva la boîte et dit :

— Je ne connais pas meilleure façon de commencer un dimanche.

— Et c'est un cardiologue qui parle !

— J'ai tenté ma chance, en cherchant ton adresse dans ton dossier médical, avoua-t-il en la suivant à la cuisine.

— Jolie maison, dit-il en se juchant sur un tabouret. Comment te sens-tu ?

— Bien, dit-elle sur un ton exagérément enjoué. Tu veux un café ?

— Volontiers.

Il prit un beignet qu'il dévora en buvant son café, puis piocha à nouveau dans la boîte.

— C'est du déca ?

— Boire du café sans caféine n'a aucun sens. Je ne peux pas l'avaler. Et de toute façon, une malheureuse tasse de café de temps en temps ne peut pas me faire de mal.

Il prit un quatrième beignet.

— Souviens-toi. Le maître mot est modération.

— Oui, comme d'engloutir quatre beignets en trois minutes ?

Il sourit de toutes ses dents.

478

— Et bientôt cinq. Ton cathéter ne te gêne pas trop ?

— Un peu la nuit, quand je me tourne dans le lit.

— Fais voir un peu ça, dit-il en tâtant le cathéter. Ça te fait mal quand j'appuie ? Il arrive qu'ils se bouchent. Si jamais tu constates un gonflement ou une décoloration de la peau, il faut consulter.

Elle prit un beignet et le trempa dans son café.

— Bien, chef.

— J'ai fixé l'opération à jeudi.

— Oh, dit-elle en reposant son beignet sur le comptoir.

Elle sentit la bouchée qu'elle venait d'avaler lui remonter dans la gorge.

— Je sais que tu es angoissée. Mais il faut en passer par là, Laurel.

— Tu m'as dit qu'une deuxième opération présentait plus de risques que la première. Comment ne pas être angoissée ?

Posant ses deux mains à plat sur le plan de travail pour se donner du courage, elle demanda :

— Mais quel est précisément le pourcentage de risques ?

— Ce n'est pas une bonne idée de penser au pire.

— J'ai horreur que tu éludes mes questions. Je m'attends au pire de toute façon, et ce d'autant plus que j'ai subi la première opération sans me poser la moindre question.

Il se leva et prit sa main dans la sienne. Elle regarda une fois encore ces mains qui allaient la toucher et réparer son cœur malade. Elle se demanda si Greg avait les mêmes mains que son père.

— Il faut que tu me fasses confiance, dit-il en posant sur elle ce regard qui aurait pu l'inciter à faire n'importe quoi.

— C'est que j'ai une frousse bleue.

479

Il l'enveloppa de ses bras.

— Il ne faut pas. Fais-moi confiance.

Elle ferma les yeux, sans chercher à le repousser. Quand elle les rouvrit, ce fut pour découvrir Jud qui les observait à travers la vitre, un bouquet de roses à la main.

— Oh, non, dit-elle en se dégageant de son étreinte. C'est Jud.

Elle courut à la porte d'entrée.

— On peut savoir ce que vous fricotez ? dit Jud en passant devant elle et en se dirigeant droit sur Cale. Qu'est-ce que tu es venu fiche ici ? demanda-t-il. Puis se tournant vers Laurel : Que fait-il ici ?

— Je ne suis ici que depuis quelques minutes, dit Cale posément.

— Mais tu n'as pas perdu ton temps, à ce que je vois.

— Tu le penses vraiment ? s'étonna Cale. Tu penses sincèrement que je te ferais une chose pareille ?

— Une chose qui est arrivée entre nous il y a trente ans.

— Ne sois pas idiot.

Jud lâcha les fleurs qu'il tenait à la main et s'approcha de son frère l'air menaçant. Laurel s'interposa entre eux.

— Jud ? Qu'est-ce qui te prend ? Il ne s'agit pas d'une compétition.

Mais au même moment, elle songea : *Serait-ce moi qui les oblige à se mesurer l'un à l'autre ?*

— Laurel a raison, Jud, tu es en train de faire une montagne d'une chose qui n'en vaut pas la peine.

— Pour moi, si.

— Et c'est bien là le problème, fit remarquer Cale. D'accord, j'avoue, j'ai de l'affection pour Laurel, mais ce n'est pas ce que tu crois.

— Dans ce cas, que fais-tu ici ?

Cale ne répondit pas. Il la regarda en silence.

— Je t'ai posé une question. Que fais-tu ici ?

— Il ne mérite pas qu'on lui dise la vérité, dit Laurel.

— Je vais te casser la gueule, dit Jud d'une voix étranglée.

— Et pour quelle raison ? demanda Cale.

Jud ne répondit pas.

— Qu'est-ce qui ne va pas, Jud ? Allons, parle. Explique-toi.

Mais Jud gardait un silence obstiné.

— Très bien, puisque tu refuses de t'expliquer, c'est moi qui vais le faire. Vois-tu, Laurel, il s'agit d'une vieille habitude entre Jud et moi… et qui a commencé bien avant que tu entres dans nos vies. Et tout cela à cause de Victor qui s'est amusé à nous dresser l'un contre l'autre quand nous étions petits. Depuis lors, c'est plus fort que lui, il faut toujours que Jud ait le dessus. Et quand je me suis finalement retiré de la compétition, il a continué de chercher la petite bête pour pouvoir me provoquer, et tout cela parce qu'il voulait me prouver qu'il était le plus fort. Et pourquoi ? Ça n'a aucun sens. Jud, quand finiras-tu par comprendre que tu n'as plus rien à prouver ?

Jud se tourna vers elle.

— Tu m'as dit que tu allais à Chicago. Et tu as dit à Annalisa qu'il y avait un problème sur le site. Sauf qu'il n'y a pas de problème. Je me suis renseigné, personne ne t'a appelée. Tu as menti. Et moi, je crois que tu as menti pour pouvoir être avec Cale.

— Je ne suis pas restée ici pour être avec Cale.

— Un petit déjeuner en amoureux comme celui que nous avons fait lundi matin ?

Cette fois elle voyait rouge. Voyant qu'elle tremblait de colère, Cale s'approcha et lui dit :

— Calme-toi, Laurel.

Le poing de Jud le cueillit à la mâchoire, si violent que Cale tituba à reculons et heurta le mur. Elle s'élança vers lui.

— Cale !

— Tout va bien, dit-il en frottant son menton endolori.

— Il n'était ici que depuis quelques minutes ! s'écria Laurel en se tournant vers Jud. Eh oui, j'ai menti. À ma fille. Mais cela ne te regarde pas. Parfois un mensonge est moins douloureux à entendre que la vérité. J'ai beaucoup menti dans ma vie, Jud. Et il fut un temps où j'en éprouvais de la honte. Jusqu'au jour où quelqu'un m'a dit que tout le monde mentait à un moment ou à un autre. Et c'est vrai. Peux-tu imaginer ne dire que la vérité tout au long de ton existence ? Nous mentons pour protéger les êtres qui nous sont chers. Nous mentons pour faire plaisir à ceux que nous aimons. Nous mentons à nos enfants quand nous leur parlons du père Noël, des cloches de Pâques et de la petite souris. Et je parie même que tu mens au fisc quand tu fais ta déclaration d'impôts.

— Ce n'est pas la même chose.

— Non, bien sûr, il n'y a que les autres qui mentent. Mais sais-tu pourquoi j'ai menti à Annalisa ?

— Non, et c'est sans importance, Laurel. Car comme tu l'as dit, cela ne me regarde pas.

Sur ces mots, Jud sortit.

Le visage inondé de larmes, Laurel serrait les poings en hoquetant.

— Cours le rattraper, Laurel.

— Non.

— Explique-lui ce qui s'est passé. Moi, je ne peux pas.

— Non. Je n'ai pas envie de lui parler maintenant. Il n'a plus confiance en moi. Il faut d'abord qu'il se calme.

Voyant que Cale saignait de la bouche, elle lui dit :
— Je vais te chercher de la glace.


Le dimanche soir, après avoir regardé l'émission *60 minutes* consacrée au procès Wardwell, Laurel appela Pat pour l'informer qu'elle ne reviendrait au bureau que le mardi. Le lendemain matin, à sept heures, elle s'envola pour Seattle. Dans l'avion, elle remarqua que la peau avait gonflé autour du cathéter. Sitôt arrivée à l'aéroport, elle fila aux urgences du Swedish Hospital. Vingt minutes plus tard, une infirmière répondant au nom de Donna vint s'asseoir à son chevet et entreprit de remplacer le cathéter défectueux. Tout en cherchant une veine à piquer, elle dit :
— Il faut que vous ayez quelque chose d'important à faire ici pour voyager dans cet état
Voyant qu'elle la regardait avec insistance, Laurel finit par admettre :
— Je suis venue pour voir mon fils, avant de me faire opérer.
— Comment ? Il ne peut pas faire le déplacement ?
— Non. Il est juriste et doit plaider dans un procès important.
— J'ai lu dans votre dossier médical que vous aviez subi un remplacement valvulaire il y a sept ans.
— C'est exact, dit Laurel. Mais il semblerait qu'il y ait une déchirure. Le chirurgien va tenter de la réparer.
— Quand cela ?
— Jeudi prochain. Il faut que je voie mon fils avant...
Elle s'interrompit, incapable de prononcer les mots.
— Avant de me faire charcuter, reprit-elle avec un rire nerveux.

483

— Tout va bien se passer, lui dit l'infirmière pour la tranquilliser. Il y a longtemps que vous ne l'avez pas vu ?

— Une éternité.

— Ah, les enfants, dit Donna en secouant la tête d'un air dépité. Mon fils qui est à l'université ne m'appelle jamais. Sauf pour me demander de l'argent. Quant à l'aîné, il est dans les marines et stationné à Camp Pendleton. Il m'appelle chaque semaine.

Elle se leva de son tabouret.

— C'est fini. Tout est réparé. Quand vous verrez votre fils, dites-lui de ma part qu'il doit vous appeler plus souvent. Rappelez-lui que vous êtes sa mère.

Qu'allait-elle lui dire ? *Bonjour, je suis ta mère* ? Mais, moralement, l'était-elle vraiment ?

Il était onze heures quand Laurel quitta l'hôpital pour se rendre au tribunal. Le taxi la déposa derrière une voiture de reportage. Elle régla la course puis contourna la nuée des journalistes qui se pressaient dans l'escalier. À l'intérieur, une longue file de gens attendait de passer dans le portique de détection. Il était onze heures quand elle parvint enfin à s'asseoir sur un banc à l'extérieur de la salle d'audience. Face à elle, une longue baie vitrée donnait sur un luxuriant jardin où des gens étaient en train de bavarder tranquillement en fumant des cigarettes. Un mélange de ressentiment et de tristesse s'abattit soudain sur elle quand elle songea qu'elle n'avait jamais fumé, ni rien fait qui puisse endommager son cœur. Et maintenant qu'elle était ici, au tribunal, elle était obligée de s'interroger sur les choix – le plus souvent mauvais – qu'elle avait faits dans sa vie, et qui avaient peut-être contribué à lui abîmer le cœur.

Elle consultait sa montre à chaque instant. Il était onze heures vingt-trois. Autour d'elle, les gens allaient et venaient. Deux hommes et une femme vêtus de couleurs sombres parlaient en marchant d'un pas rapide, des serviettes en cuir à la main. Des avocats. Une femme en talons plats, portant un badge doré sur sa robe rouge, courait vers la sortie en enfilant un gilet blanc. Une secrétaire qui filait déjeuner sur le pouce ? Un couple avec un tout jeune bébé dans les bras marchait en compagnie d'une femme aux allures de juriste. Lorsqu'ils passèrent devant elle, Laurel l'entendit qui disait : « Dès qu'ils seront prêts, nous vous enverrons les papiers d'adoption. » Le couple riait. Ces sourires, ces mines radieuses, Laurel se rappelait les avoir vus, elle aussi, trente ans plus tôt.

Onze heures trente-six.

Elle ouvrit son sac à main et en sortit une photo, puis se demanda pourquoi elle l'avait apportée. Croyait-elle vraiment ne pas pouvoir le reconnaître ? Greg O'Hanlon. Même si son visage n'avait pas été omniprésent à la télévision, même si son détective privé ne lui avait pas fait parvenir des photos de lui au fil des ans, elle aurait instinctivement détecté sa présence et l'aurait reconnu entre mille.

Soudain, la porte de la salle d'audience n° 3 s'ouvrit et la foule commença à se déverser dans le couloir. Laurel se leva en serrant nerveusement son sac à main. Le brouhaha s'amplifia, les pas faisaient résonner les dalles de marbre. Il était encore plus grand qu'à la télévision. Tiré à quatre épingles, il portait un costume gris avec une cravate bleu pâle. C'était un Banning jusqu'au bout des ongles. Elle se mit à marcher dans sa direction. Ses oreilles bourdonnaient et elle n'avait pas la moindre idée de ce qu'elle allait dire, mais elle continua d'avancer. Quelqu'un cria son nom et il se retourna si soudainement qu'il entra en collision avec elle. Elle en eut le souffle coupé. Voyant qu'elle chancelait, il l'attrapa par l'épaule pour l'aider à se remettre d'aplomb.

— Je suis désolé !

Elle leva les yeux sur lui, et l'espace d'un instant il lui sembla reconnaître sa mère dans l'expression de son visage.

— Vous ne vous sentez pas bien ?

Sa sollicitude n'était pas feinte.

Comment se sentait-elle ? Pouvait-elle lui parler ? *Je suis ta mère... ta mère biologique...* enfin une mère ?

Le fils qu'elle avait abandonné il y a trente ans attendait une réponse, les mains posées sur ses épaules.

— Je vais bien.

— Je suis navré, madame, je ne vous avais pas vue.

— C'est sans importance. Je vous assure.

Une voix l'appela à nouveau. De plus près, cette fois. Il se retourna et s'écria, le sourire aux lèvres :

— Salut, p'pa !

Un homme élégant dont elle avait vu le visage des années auparavant à travers la vitre de la pouponnière tapotait l'épaule de son fils.

— Allons chez Smarty manger un sandwich. À quelle heure dois-tu être de retour ?

— À une heure, dit Greg.

— Parfait, fuyons cette ménagerie.

Elle les regarda s'éloigner en bavardant, image presque trop parfaite d'un père et de son fils. Soudain, Greg se retourna pour s'assurer qu'elle allait bien. Et au même instant, elle se sentit submergée par un profond sentiment d'amour – chaud et rayonnant comme un soleil, différent de l'amour qui vous fait fondre intérieurement, différent de la passion ou du désir, mais pur et instinctif. Cet amour maternel, ce grand mystère de l'existence, l'enveloppa tout entière, pénétrant chaque pore de sa chair, et elle comprit qu'il était éternel.

Laurel agita la main en souriant à son fils. Il lui rendit son sourire, puis se retourna et continua de marcher aux côtés de son père. Elle resta un long moment immobile dans le couloir à présent vide et silencieux. Jamais elle n'avait connu un tel sentiment de paix intérieure – un de ces instants de grâce où chaque chose en ce monde semble avoir trouvé sa place. Elle sortit dans la clarté limpide du ciel de Seattle, monta dans un taxi puis reprit le chemin de l'aéroport.

Il était sept heures et demie du soir quand Annalisa ouvrit la porte de la maison de sa mère et cria :

— Maman ?

Elle la trouva dans le séjour, en train d'attiser le feu dans la cheminée, où était en train de se consumer une grande enveloppe de papier kraft.

— Qu'est-ce que tu fais ?

— Je brûle de vieux papiers dont j'aurais dû me débarrasser depuis des lustres. Va te chercher un Coca. Tu as dîné ?

— J'ai mangé une pizza, lui cria Annalisa depuis la cuisine.

Quelques instants plus tard, elle reparaissait avec une tasse de thé. Sa mère était assise à une extrémité du canapé, ses genoux ramenés sous son menton, un coussin de soie serré contre sa poitrine.

— Tiens, lui dit Annalisa en lui jetant un plaid. Tu as l'air frigorifiée. Veux-tu que j'attise le feu ?

— Non, répondit Laurel précipitamment. S'il te plaît, viens t'asseoir.

Après s'être débarrassée de ses chaussures, Annalisa déploya le plaid, puis vint se pelotonner contre sa mère. C'est ainsi qu'elles passaient les longues soirées brumeuses quand elle était petite, en dégustant une bonne tasse de chocolat chaud accompagnée de marshmallows. Et il n'y avait pas si longtemps, elles avaient passé la soirée à manger du pop-corn en regardant *Orgueil et Préjugés*, blotties l'une contre l'autre,

— Il ne t'a pas fallu longtemps pour rentrer.

— Je suis arrivée cet après-midi. J'étais chez des amis à Huntington Harbour quand tu as cherché à me joindre.

Elle était chez Matt quand sa mère l'avait appelée. Tout était si nouveau entre eux, si envoûtant, si merveilleux…

— Comment s'est passé ton séjour à Chicago?

*Féerique*, fut la pensée qui lui vint spontanément à l'esprit, mais elle répondit :

— Agité.

— Comme toujours. Mais j'étais sûre que tu saurais te débrouiller seule. Tu n'as pas eu de problèmes?

— Avec les fournisseurs, aucun. Je te montrerai la liste au bureau. Les plans sont là-bas.

Elles se turent. Annalisa songea : Je vais tout lui dire. Mais quand elle regarda sa mère, les paroles lui manquèrent. Le feu crépitait dans l'âtre. Elle commença à siroter son thé en silence. Dehors, un épais brouillard blanc collait aux vitres, masquant l'océan.

— Il faut que je te dise quelque chose, dirent-elles en même temps avant de partir d'un rire nerveux.

Sa mère ajusta le plaid et se renversa parmi les coussins.

— Toi d'abord, dit-elle.

— Papa a déboulé sans crier gare à Chicago, prétextant que je ne pouvais pas me débrouiller sans lui.

—J'espère que tu lui as remonté les bretelles.

—J'avais pratiquement fini tout le boulot quand il est arrivé.

Elle reposa sa tasse sur un plateau en terre cuite.

—Je crois qu'en réalité c'est toi qu'il était venu voir, mais je n'en suis pas certaine. Matthew était là.

—Ça tombe bien.

—Pas vraiment.

—Qu'es-tu en train d'essayer de me dire ?

—Que je sors avec Matthew. C'est arrivé là-bas. Quand il s'est présenté à l'hôtel, je me suis souvenue de ce que tu m'avais dit sur les rencontres que nous faisions dans la vie, et j'ai arrêté de… le repousser. Après quoi papa est arrivé à son tour et il a compris ce qu'il y avait entre nous. Il a semoncé Matthew, lui a parlé de mariage et débité des sornettes d'un autre âge. Un peu plus et il l'aurait provoqué en duel. Arrête de rire.

—Je suis désolée. Mais c'est ton père tout craché. Comment a réagi Matt ?

—Plutôt bien, en fait. Jusqu'à ce que Jud pointe à son tour le bout de son nez.

—Jud est allé à Chicago ?

—Il est venu directement de Denver. Il semblait avoir hâte de te voir.

—Et à la place il a trouvé Matthew et Beric.

—Un vrai vaudeville.

—Pas étonnant qu'il ait eu l'air épuisé quand je l'ai vu.

—Il a manœuvré papa de main de maître, après que j'ai dit à papa que tu sortais avec lui.

—Oh, Annalisa.

—Il aurait fini par le savoir, maman.

— Il n'empêche que j'aurais préféré que ça ne se sache pas. Pendant un certain temps tout au moins.

— Eh bien, il le sait. D'ailleurs, tu as laissé entendre que Jud était quelqu'un qui comptait pour toi.

— J'ai dit ça ?

— Oui. Sur la plage, l'autre jour. Tu n'as pas dit grand-chose. Tu ne te serais pas montrée aussi évasive si tu n'avais pas eu le béguin pour lui. Mais ne t'inquiète pas. Je suis contente que tu aies enfin rencontré un homme. Eh bien, à ton tour de parler, à présent. Qu'avais-tu à me dire ?

— Il n'y a pas eu de problème sur le site quand tu étais à Chicago. Je suis restée parce que j'avais rendez-vous chez le médecin mardi dernier.

— Quel médecin ?

— Mon cardiologue, le Dr Collins. Tu l'as rencontré. Il a fait appel à un confrère. Un vieil ami à lui, en fait.

Elle laissa échapper un petit rire, puis ajouta :

— Le père de Matthew.

— Tu plaisantes ?

— Non. Je l'ai connu peu de temps avant qu'il entre à la fac de médecine.

À présent, Annalisa comprenait mieux la remarque de son père sur les « deux frères ».

— J'ai passé des examens qui ont révélé qu'il y avait un problème.

L'estomac d'Annalisa se noua. Elle se sentit prise de nausée. Elle se remémora le visage pâle et gris de sa mère, des années plus tôt, et les cauchemars qu'elle faisait chaque nuit parce qu'elle craignait de la voir mourir.

— Ils pensent que la valve de remplacement est déchirée. Il faut qu'ils ouvrent pour voir ce qu'il en est exactement. Et réparer la fuite le cas échéant.

Sa mère parlait d'une voix ferme et assurée, pour donner le change. Elle ajouta :

— Cale Banning est chirurgien spécialiste du cœur, et apparemment excellent !

— Quand va-t-il t'opérer ?

— Jeudi.

— Tout ira bien, maman. Tout va bien se passer.

Elle aurait voulu la réconforter, mais elle s'effondra dans ses bras, comme une petite fille.

Sa mère la laissa pleurer, puis dit :

— Je ne voulais pas te l'annoncer par téléphone, alors que nous étions à des milliers de kilomètres l'une de l'autre. Tu comprends, n'est-ce pas ?

Annalisa recula et dit :

— C'est toi qui es malade et c'est moi qui pleurniche. J'aimerais te ressembler davantage, maman. Tu es la femme la plus forte que je connaisse.

— En tout cas, je suis contente que tu sois là. Et je suis contente que tu aies grandi, car ainsi je peux te dire la vérité. Dans l'immédiat, je ne suis pas aussi forte que tu le crois, ma chérie.

L'expression de sa mère en disait long. Annalisa se souvint de la fois où, enfant, elle avait échappé à sa vigilance et s'était égarée dans les méandres tentaculaires du centre commercial South Coast Plaza. Des heures plus tard, quand elle l'avait retrouvée, sa mère avait cette même expression sur le visage.

Et voilà que la vie leur jouait à nouveau des tours. Profondément émue, Annalisa se dégagea de son étreinte pour la prendre à son tour dans ses bras.

— Et maintenant, le plus dur.

— L'opération, dit Annalisa d'un air entendu.

Sa mère rit doucement.

— Ça aussi. Mais il y a pire. Je vais devoir appeler mamie et lui dire que c'est Cale Banning qui va m'opérer.

— Non, maman, dit Annalisa en se redressant. Nous allons l'appeler ensemble.

Quand Laurel lui annonça la nouvelle, Kathryn l'écouta en silence, comme en proie à l'engourdissement, jusqu'à ce qu'elle lui avoue, non sans réticence, que le chirurgien entre les mains duquel elle allait remettre sa vie était Cale Banning.

Avant qu'elle ait pu songer à répondre quoi que ce soit, Annalisa prit la communication et dit d'une voix rude, presque agressive :

— Et ne fais pas de drame sous prétexte que son nom est Banning, mamie. Cale est chirurgien, et excellent, à ce qu'on dit.

Le reste de la conversation se déroula sans émotion : elle allait prendre le premier ferry en partance pour le continent ; Annalisa irait la chercher au port ; l'opération devait avoir lieu dans deux jours. Quand Kathryn raccrocha, une sueur froide lui glaçait le front. À l'idée de ne rien pouvoir faire pour protéger sa fille, elle ressentait une peur panique, viscérale. Le nom du chirurgien était sans importance. Elle prit sa tête entre ses mains, ses tempes battaient comme des tambours. C'était sans importance. Sans importance.

Les propos aigres que lui avait tenus Laurel récemment la hantaient chaque nuit. Elle ne comprenait pas comment elles en étaient arrivées là. Comment avait-elle pu se tromper à ce point ? Il lui semblait de plus en plus évident que les Banning n'avaient été que les jouets du destin, mais que le vrai danger était ailleurs, dans la façon dont elle avait choisi de mener sa vie, repliée sur elle-même et si vindicative qu'elle avait fini par donner à sa fille l'envie de fuir. Ce qu'elle avait refusé d'oublier s'était mué en idée fixe. Comme en témoignaient ses créations artistiques. Elle se servait des coups durs de la vie pour donner du sens à son œuvre. Privé de sens, l'art n'est pas de l'art.

C'était précisément cela que Victor Banning avait cherché à lui dire, en insinuant qu'elle aurait préféré vivre dans un galetas. En fait, sa vie tout entière était un galetas, l'incarnation vivante de la souffrance humaine. K. Peyton, l'artiste qui s'était jetée à corps perdu dans les ronces du chagrin et ne s'en était jamais relevée, se plaisait à vivre dans un petit monde étriqué qui lui permettait de garder le contrôle de son existence.

Les artistes et les écrivains avaient toujours de bonnes raisons de vivre à l'écart du monde. Agoraphobes, ils préféraient s'enfermer dans un cocon plutôt que de devoir affronter le vaste monde où une tuile risquait de vous tomber dessus à chaque instant. Si vous vous en remettiez au destin ou à Dieu rien qu'en roulant sur l'autoroute, vous risquiez de perdre la vie d'un instant à l'autre. C'est la raison pour laquelle Kathryn avait vécu pendant des années par personne interposée. Après quoi elle avait créé son propre monde, un monde où il n'y avait de place que pour l'art et dont même Laurel était exclue.

Toutes ses erreurs défilaient à présent dans sa tête comme un documentaire macabre qui aurait pu avoir pour titre « Comment saborder votre propre existence ». Incapable de crier ou même de parler, Kathryn se mit à courir en tous sens dans son atelier, brisant tout ce qui lui tombait sous la main, jubilant au fracas de la céramique s'écrasant à terre ou explosant contre les murs. Elle

493

saccagea ainsi toutes ses pièces jusqu'à la dernière – toutes ces choses qui, en plus de l'esprit de vengeance maladif qu'elle portait en elle, constituaient sa vie.

Quand il n'y eut plus rien à casser, debout au milieu de ce qui ressemblait à un champ de bataille, elle se mit à compter les pots cassés. Elle dénombra vingt-cinq entailles sur le mur et se rappela le réveil qu'elle avait jeté à travers la chambre à coucher le soir où Jimmy était mort. Un geste de désespoir, un geste de colère. La preuve qu'elle avait gâché sa vie et aliéné sa propre fille.

Haletante, mais mue par une brusque montée d'adrénaline, elle tira la gigantesque toile de Rachel Espinosa de sa cachette et en ôta le film de protection d'un geste rageur. Jamais elle ne l'avait regardée depuis la fois où elle l'avait vue accrochée au mur, dans la chambre de Julia. À présent, K. Peyton la contemplait avec des yeux d'artiste. Ce qu'elle vit était un ouragan de passion, un entrelacs de lignes sombres, un déferlement d'émotions et de couleurs si vives qu'elles étaient presque insupportables à regarder. Impardonnables.

Elle n'avait jamais cherché à savoir quel était son titre, alors qu'il figurait en toutes lettres en bas à gauche : *Obsession*. Elle recula et resta à méditer la vérité contenue dans ce message.

L'enveloppe que Victor lui avait laissée était toujours sur son bureau, avec le chèque à l'intérieur. Elle écrivit un petit mot qu'elle glissa dans l'enveloppe puis, rayant son nom, y apposa celui de Victor et appela les déménageurs.


On était mardi soir, deux jours plus tôt Jud était parti de chez Laurel en claquant la porte. Il ôta son blazer, dénoua sa cravate et écouta les messages enregistrés sur son répondeur.

— Jud, c'est Laurel. Peux-tu me rappeler quand tu recevras ce message ? Il faut que nous parlions.

La rappeler maintenant, à minuit et quart ? Il s'allongea sur le lit et décrocha le téléphone en hésitant. Bah, il s'était déjà mis dans un tel pétrin qu'une gaffe de plus ou de moins n'y changerait rien.

Sa voix était presque un murmure quand elle décrocha.

— Laurel ? C'est Jud. Je viens de recevoir ton message.

— Il faut que je te parle, dit-elle. Mais Annalisa dort à la maison ce soir et j'ai besoin de te parler seule à seul. Peux-tu passer demain matin ?

— Quand ?

— Vers dix heures ?

— Entendu.

Il n'en dit pas plus, occupé qu'il était à chercher des paroles d'excuse. Voyant qu'elle n'ajoutait rien, il demanda :

— Ça ne va pas ?

— Je te dois une explication pour dimanche.

— Je passerai à dix heures, promit-il.

— Merci, Jud. Bonne nuit.

Après avoir raccroché, il croisa ses bras derrière sa tête et ôta ses chaussures avec ses pieds. La veille au soir, sentant qu'il était sur le point de disjoncter, il était allé au club de gym en pleine nuit pour jouer au squash. Mais sans parvenir à apaiser la colère qu'il sentait bouillir en lui. Chaque fois qu'il fermait les yeux, il revoyait l'expression courroucée de Laurel quand il avait frappé son frère. Après toutes ces années, la roue avait tourné.

Le lendemain, à dix heures moins cinq, il se gara devant chez elle et attendit quelques minutes dans la voiture en luttant contre l'envie de redémarrer. Il avait les mains moites et l'estomac noué quand il alla frapper à sa porte.

— Salut, dit-elle en ouvrant tout grand. Entre.

Au cours de ces deux journées de colère, il avait oublié ce qu'il ressentait quand il la voyait.

Il la suivit dans le séjour, où un plateau avec du café attendait sur la table basse devant le canapé. Elle lui tendit une tasse et dit :

— Il faut que tu saches pourquoi Cale est venu dimanche.

— Écoute, Laurel, je me suis comporté comme un abruti.

— Attends, s'il te plaît. Laisse-moi parler, dit-elle en levant la main. Tu dois des excuses à ton frère, Jud. Cale est mon médecin.

Jud s'était attendu à tout sauf à ça.

— Il va m'opérer pour réparer ma valve cardiaque. Il est venu dimanche pour m'annoncer que la date de l'opération avait été fixée et pour prendre de mes nouvelles. Je ne suis pas allée à Chicago parce que j'ai été hospitalisée. Après quoi j'ai dû suivre un traitement antibiotique. Qui n'est pas terminé, du reste. Je porte un cathéter, dit-elle en étirant le bras. Il va m'opérer jeudi.

— C'est demain ?

Elle hocha la tête.

— J'entre à l'hôpital ce soir.

— Annalisa ne m'a rien dit.

— Elle n'était au courant de rien. J'ai attendu lundi pour le lui annoncer. Je ne voulais pas la traumatiser. J'ai déjà subi une première opération à cœur ouvert il y a sept ans, qui l'a beaucoup marquée. Je ne voulais pas qu'elle s'effondre alors qu'elle était en route pour Chicago. Je ne l'ai su moi-même que la veille de son départ. En fait, c'est mon cardiologue qui a fait appel à Cale sans que je le sache. Quand je me suis présentée au rendez-vous, il était là.

Jud revit Cale avec la bouche en sang et se sentit horriblement coupable. Il reposa sa tasse et dit :

— Il ne pouvait rien dire, naturellement ?

— Non, il est tenu par le secret médical. Mais, pour être tout à fait franche, après la façon dont tu t'es comporté, j'étais tellement contrariée que je n'avais pas envie de te parler moi non plus. Comment as-tu pu penser que j'allais retomber dans les mêmes erreurs que par le passé ? J'ai quelques années de plus, et j'aime à penser que j'ai pris du plomb dans la cervelle. Mais surtout, je n'ai pas supporté de voir que tu ne me faisais pas confiance. Et comme si cela ne suffisait pas, tu l'as frappé.

— Je suis un homme faible, au fond. Dès qu'il est question de toi, je perds tous mes moyens. Je suis un sentimental, que ça me plaise ou non.

Elle posa la tête sur son épaule.

— J'imagine que tu étais lessivé. Annalisa m'a dit que tu avais fait le déplacement jusqu'à Chicago.

— Je voulais te faire la surprise.

— Et à la place, c'est Beric que tu as trouvé, dit-elle en laissant échapper un petit rire. J'aurais tellement aimé voir sa tête !

— Lui et moi nous comprenons. Nous t'avons perdue l'un et l'autre. Nous avons bien plus de choses en commun que le contraire.

— Tu ne m'as pas perdue, Jud. Jamais plus je ne m'enfuirai.

— Mais dis-moi, cette opération, c'est grave ?

—Une deuxième opération à cœur ouvert présente davantage de risques.

—Qu'est-ce que c'est que cette réponse toute faite ?

—La vérité.

Alors qu'ils venaient enfin de se retrouver après trente ans d'absence, elle risquait de ne pas survivre à son opération. Il dit :

—Je crois en nous, Laurel.

Elle posa ses doigts sur ses lèvres pour le faire taire.

—Inutile de te justifier. J'aurais dû te tenir au courant de la situation.

—Où est Annalisa ?

—Elle est allée chercher ma mère qui a fait le déplacement exprès depuis Catalina. Je dois entrer à l'hôpital en fin d'après-midi.

Il savait qu'il ne leur restait que quelques heures à partager et que bientôt ils ne seraient plus seuls, raison de plus pour profiter pleinement de l'instant présent. Il l'attira contre lui et posa le menton sur sa tête. Il voulait humer son parfum à chaque inspiration.

—Dis-moi ce que tu ressens. Parle-moi.

Cette fois, elle parla sans retenue, déballa tout ce qu'elle avait sur le cœur, sa première opération, les risques encourus, et, enfin et surtout, ce qu'elle n'avait jamais osé formuler à haute voix : sa peur de mourir.

*Amour de plomb de l'amant sublunaire*
*Dont les sens forment l'âme*
*Mal il accepte l'Absence qui efface*
*Ces éléments dont il se vit conçu.*

Les vers semblaient avoir été écrits exprès. Ils donnaient une dimension intemporelle à la souffrance humaine. Il les avait appris par cœur et il lui suffisait de se les réciter pour se souvenir que l'amour et le chagrin étaient l'affaire de tous les hommes.

Voyant qu'elle était silencieuse, il lui dit :

— Je veux que tu saches que tu peux compter sur moi.

— Je sais. Serre-moi fort dans tes bras, Jud. J'ai besoin de me sentir en vie.

## 34

La pratique de la médecine était devenue chez Cale une seconde nature, et sa blouse de médecin une deuxième peau. Par deux fois, en mettant sa voiture au garage, il s'était aperçu qu'il avait encore son stéthoscope autour du cou. Le mercredi soir, veille de l'opération de Laurel, il avait croisé Elizabeth Madison, une collègue anesthésiste, en sortant de l'ascenseur.

— Je viens de voir votre patiente. À votre tour, mon général, dit-elle en mimant le salut militaire.

— Tâchez d'arriver à l'heure, demain, lui dit-il en prenant le ton docte et sévère des grands patrons. Et n'oubliez pas la génuflexion quand j'entrerai dans la salle d'op.

— Comment ? Vous voulez dire que je ne serai pas obligée de baiser votre améthyste ?

— Non, mais vous pouvez me cirer les pompes.

— Tout le monde vous cire les pompes.

— Tout le monde sauf vous.

— Il en faut au moins un pour vous empêcher de prendre la grosse tête, dit-elle en riant. À demain matin, Cale.

Les portes de l'ascenseur se refermèrent et il se mit à longer le couloir. Comme chaque fois, à la veille d'une opération, il allait rendre visite à ses patients. Il trouva Laurel dans tous ses états, de même que sa fille et sa mère.

Il s'efforça de les rassurer et de répondre à leurs questions sans avoir l'air trop évasif, sachant que dans des cas comme celui-là le doute était encore pire que la vérité. Mais l'expression de terreur silencieuse qu'il vit dans les yeux de son frère, ce soir-là, le hanta jusqu'au lendemain.

À cinq heures du matin, quand Cale ouvrit la porte pour ramasser le journal, il trouva Jud assis par terre, le dos contre un hibiscus, ses genoux ramenés sous son menton. Il portait les mêmes vêtements que la veille, et, quand il releva la tête, il vit à ses traits tirés qu'il était dévoré d'inquiétude.

Il fut si surpris de le trouver là qu'il resta bouche bée.

Jud lui tendit le journal et dit :

— Tu as du café ?

— Oui, mais ne compte pas sur moi pour te l'apporter. Lève-toi et marche, dit Cale en retournant à l'intérieur.

Il était en train de manger une tartine de pain grillé et de lire les gros titres du journal quand il réalisa que Jud se tenait debout au milieu de la cuisine, comme un homme frappé d'amnésie.

— Tu sais où sont les tasses ? Sers-toi un café et viens t'asseoir avant de t'effondrer.

Il n'avait pas encore digéré la scène de dimanche et s'en voulait d'avoir rejeté sur Jud la responsabilité de ses propres fautes. Jusqu'ici, il avait toujours refusé de regarder la vérité en face : depuis toujours il avait cherché à se mesurer à son frère aîné et à l'imiter sans jamais faire l'effort de comprendre qui il était vraiment.

Après son mariage avec Robyn, il n'avait plus jamais cherché à lui ressembler. Mais maintenant que Robyn n'était plus là, il avait recommencé à vivre dans l'ombre de Jud. Pas étonnant dès lors qu'il perde ses moyens quand il était en salle d'op. Il avait perdu le contact avec lui-

502

même. Qui était Cale Banning ? un chirurgien, un père, un frère ? Le mari que Robyn avait laissé derrière elle ? Ces questions l'avaient obsédé pendant des années. Et c'est en voyant Laurel et Jud de nouveau ensemble, et en se remémorant tous les souvenirs du passé, qu'il avait pris conscience de l'instant présent et repris la force de se projeter dans l'avenir.

Quelques instants plus tard, Jud s'asseyait en face de lui et lui demandait, l'air penaud :

— Comment va ta mâchoire ?

— Mal, sombre crétin.

— Je suis désolé pour ce qui s'est passé l'autre jour.

— N'y pense plus.

— Si, je suis sincère, Cale. J'ai complètement perdu les pédales.

Cale posa son journal.

— Comme chaque fois qu'il est question de Laurel.

Son frère prit sa tête dans ses mains et ne dit plus rien pendant un long moment. Quand il releva à nouveau la tête, ses traits étaient crispés.

— Je l'aime, dit-il d'une voix nouée par l'émotion.

— Je sais. Il y a trente ans que ça dure. Il y a trente ans que tu souffres le martyre et que je prends plaisir à te voir souffrir.

Jusqu'à ce que Laurel revienne dans leur vie, Cale n'avait jamais vraiment mesuré l'immensité du vide qu'elle avait laissé derrière elle, ni à quel point Jud avait été anéanti par son départ.

Jud se frotta les yeux, se pinça la racine du nez.

— Dis-moi la vérité : quelles sont ses chances de survivre à l'opération ?

— Je ne peux rien dire.

— Au diable le secret professionnel, je veux savoir.

503

— Ce n'est pas un problème de confidentialité. Je ne le saurai que lorsque j'aurai ouvert. Ce genre d'opération est risqué. J'ai perdu un patient il y a moins d'un mois. C'est un peu comme d'opérer avec les yeux bandés.

Jud jura, visiblement désemparé.

— Il faut que tu la sauves.

Après avoir dit cela, Jud fit une chose que Cale ne se souvenait lui avoir vu faire que trois fois. Il fondit en larmes. De gros sanglots rauques et convulsifs s'échappaient de sa gorge. Cale se remémora le jour où leurs parents étaient morts, il revit le calvaire de Robyn, la femme qui avait été sa compagne pendant vingt-cinq ans, rongée par le cancer.

Et à cet instant, il comprit que Laurel était un cadeau du ciel, qu'elle était revenue dans leurs vies à un moment où ils avaient besoin d'elle. Elle était toujours aussi belle et attirante, et quand il l'avait vue à l'anniversaire de Victor, il s'était dit qu'il aurait pu retomber éperdument amoureux. Mais Jud ? Jud avait passé trente ans de sa vie dans le désert, car il était incapable d'aimer une autre femme.

Il laissa pleurer son frère. Il savait que les hommes n'aimaient pas qu'on cherche à les consoler. Et lorsque Jud eut versé toutes les larmes de son corps, il lui dit :

— Va prendre une douche. Tu trouveras des vêtements propres dans ma penderie. Je vais te préparer à déjeuner et ensuite nous irons ensemble à l'hôpital.

Étendue sur un lit à roulettes, Laurel était en route pour la salle d'opération. Sa fille, sa mère et Jud marchaient à ses côtés, visiblement anxieux. Tandis que l'ascenseur les emportait au cinquième étage, les infirmières échangeaient de menus propos et blaguaient gentiment pour détendre l'atmosphère. Une fois au cinquième étage, ils s'arrêtè-rent devant les portes du service de chirurgie. Le moment était venu de se séparer.

Jud se pencha sur Laurel pour l'embrasser. Elle lui avait demandé de veiller sur sa mère et sa fille au cas où il lui arriverait malheur, et elle savait qu'elle pouvait compter sur lui. Tout avait été dit et les paroles étaient désormais inutiles entre eux.

— Je t'aime, Petite, lui murmura-t-il avant de se recu-ler.

Le visage de sa mère était un masque stoïque, aussi fragile et délicat qu'une sculpture d'argile. Elle posa une main sur le front de Laurel.

— Tout ira bien, maman.

— Oui, j'en suis sûre.

Même maintenant, elles n'arrivaient pas à se dire les choses qu'elles avaient sur le cœur. Sa mère lui parut vieillie, avec ses lèvres pâles et crispées, son regard fuyant et inquiet.

Annalisa prit la main de Laurel et la serra si fort dans la sienne qu'elle éprouva un petit pincement de douleur.

— Maman, écoute-moi. S'il t'arrivait malheur, ce serait comme de perdre les mains et les jambes, comme si on m'arrachait le cœur.

Ces paroles jaillies spontanément des lèvres de sa fille étaient innocentes et sincères. Profondément émue, Laurel posa sa main sur la joue brûlante d'Annalisa en songeant que cette merveilleuse jeune femme était sa raison d'être, la chose la plus importante qu'elle laisserait derrière elle si elle venait à mourir.

Même si jusqu'ici elle s'était interdit d'y penser – car elle avait pris un jour la décision irrévocable de donner son fils à l'adoption –, elle savait que les enfants donnaient à la vie son sens le plus profond. Les larmes se mirent à couler sur ses joues.

— Maman, dit Annalisa en lui touchant la main.

— Nous nous verrons tout à l'heure, lui dit-elle posément.

Elle ferma les yeux pour ne pas voir l'expression du visage de sa fille, et quand elle les rouvrit, elle vit sa mère qui la regardait par-dessus l'épaule d'Annalisa. Sa gorge se serra et elle dut marquer une pause avant de dire :

— Oh, maman, j'ai été si dure avec toi.

— Laurel...

Sa mère se tenait à présent à ses côtés et sanglotait.

— Je suis désolée... c'est ma faute.

Annalisa s'approcha de sa grand-mère et l'entraîna au loin pour la calmer.

Elle vit Jud qui passait un bras autour de chacune d'elles, puis les néons du plafond se mirent à défiler à toute allure au-dessus de sa tête tandis qu'on l'emportait vers la salle d'opération. Une fois à l'intérieur, elle eut l'impression saugrenue de se trouver dans une cuisine de restaurant avec ses plafonniers orientables, ses vastes plans de travail en inox, ses murs blancs, ses éviers, ses étagères et chariots à roulettes.

Les infirmières l'aidèrent à s'installer sur la table d'opération. Elle se mit à inspirer profondément et à faire toutes les choses qu'on était censé faire pour se calmer et affronter bravement l'inconnu. Un air des années soixante lui parvint vaguement depuis la pièce voisine.

— Il me semble entendre Janis Joplin, dit-elle.

Les infirmières rirent.

— Oui, il est de retour.

Elle ne comprit pas à quoi elles faisaient allusion, mais n'eut pas le temps de leur poser la question, car Cale venait de s'approcher, vêtu d'une blouse verte.

— Comment te sens-tu ? lui demanda-t-il.

— Disons que ça pourrait aller mieux.

Il lui pinça doucement le bras. Il avait l'air détendu. Cale était le calme personnifié. Pas étonnant qu'il soit un bon chirurgien. L'idée qu'il puisse échouer ne l'effleurait probablement jamais.

— Ça ira mieux quand nous t'aurons opérée, dit-il. Nous allons réparer tout ça et faire en sorte que tu n'aies plus jamais à revenir.

Il lui décocha un clin d'œil. Il semblait tellement sûr de lui qu'elle oublia ses réticences. De toute façon, qu'il eût dit vrai ou non, elle était bien obligée de lui faire confiance.


L'attente était interminable. Alors que Jud tournait en rond, angoissé jusqu'à en avoir la nausée, Annalisa ne cessait de grignoter pour passer le temps. Matthew était allé lui chercher des chips et du Coca, des bonbons et des bretzels. Kathryn, quant à elle, semblait pétrifiée. Se retrouver ainsi enfermée entre quatre murs en compagnie de tous ces Banning était probablement son pire cauchemar. Jud était de retour dans la vie de sa fille – laquelle était entre les mains de Cale – et Matthew, qui était venu les rejoindre vers neuf heures, n'avait pas quitté Annalisa d'une semelle. Le nez plongé dans un magazine, Kathryn parlait peu, comme si elle avait voulu se fondre dans le décor. Jud lui tendit une bouteille d'eau fraîche.

— Vous avez mauvaise mine, lui dit-il, comme la première fois où je vous ai vue.

Elle posa sur lui un regard vide d'expression, puis se reprit et lui dit merci en prenant la bouteille.

— Comment vous sentez-vous ?

— Je ne sais pas.

Elle parlait comme quelqu'un qui n'arrive pas à trouver ses mots.

Il se l'était imaginée beaucoup plus forte qu'elle ne l'était réellement. L'échange qu'elle avait eu avec Laurel avant que celle-ci entre dans la salle d'opération en disait long sur la complexité des rapports entre la mère et la fille.

— Venez vous asseoir, je vous en prie, dit-elle enfin. J'ai eu tort de rejeter la faute sur votre frère et vous. J'ai moi aussi ma part de responsabilité dans le départ de Laurel à l'étranger. Et je ne me le pardonnerai jamais.

À l'autre bout de la salle d'attente, Annalisa et Matthew étaient assis côte à côte. Il lui prêtait une oreille attentive chaque fois qu'elle éprouvait le besoin de se confier, et se taisait quand elle se taisait. Le pauvre était fou amoureux, cela sautait aux yeux. Tout comme Jud l'avait été de Laurel, voilà très longtemps.

— Ils ont la vie devant eux, dit Kathryn. Mais qu'est-ce qu'une vie, je me le demande… En tout cas, j'espère qu'ils sauront faire les bons choix.

Peu après, Beric King fit son entrée en arborant son look de star du petit écran : longue tresse auburn, veste en cachemire et pantalon à la coupe impeccable, ceinturon et souliers de marque italienne. Il avait apporté un panier de sandwiches portant sa griffe, comme s'il s'apprêtait à nourrir un régiment. Il affichait l'allure d'un homme qui ne veut pas passer inaperçu et semblait satisfait d'avoir réussi à attirer sur lui l'attention des infirmières.

Après s'être confortablement installé, il échangea quelques mots avec Kathryn, puis regarda sa fille dévorer son sandwich. Au bout d'un moment, il dit à Annalisa :

— Il faut que je te parle des plans de travail en inox.

— Comment ? s'exclama sa fille en le foudroyant du regard.

— Les plans de travail.

— Je croyais que maman et toi vous étiez mis d'accord.

— Non.

— Papa, dit-elle calmement, je te rappelle que maman est en train de se débattre entre la vie et la mort.

— Je comprends. Tu es trop ébranlée pour pouvoir parler affaires, mais je peux attendre.

Un silence pesant s'installa dans la pièce.

— Viens, ma rousse adorée, dit Matt en la tirant par la main. Nous allons aller te chercher quelque chose à grignoter. Beric choisit un magazine dans la pile et ne dit plus rien. Malgré le peu de sympathie qu'il lui inspirait, Jud éprouvait de la pitié pour cet homme dont les airs de bravache dissimulaient une profonde blessure d'amour-propre. Beric King avait de toute évidence du mal à accepter que Laurel ne l'aime plus et qu'il n'ait plus aucun ascendant sur les deux femmes qui comptaient le plus dans sa vie.

Pour Jud, la marche du temps semblait s'être gelée. Ce matin-là, avant de venir, il avait pris un livre sur la banquette arrière de sa voiture, pensant qu'un recueil de poésie métaphysique l'aiderait peut-être à lui faire oublier ses angoisses. Mais les élégies et les sonnets pleins de soupirs et de larmes que d'antiques poètes avaient écrits en hommage à leurs compagnes ne lui procuraient aucun réconfort. L'amour qu'il éprouvait pour Laurel ne passait pas par des mots.

Si bien qu'il attendait, son regard s'attardant malgré lui sur chaque détail sordide de cette salle d'attente qu'il aurait voulu fuir pour ne plus jamais y remettre les pieds. L'horloge cerclée de noir devait être cassée, car seule la grande aiguille avait l'air de bouger. Les murs auraient eu besoin d'un bon coup de peinture. Le lino avait la couleur du ciment mouillé, et les chaises étaient minuscules.

Jusqu'ici, son frère ne leur avait fait parvenir aucune nouvelle, mais Cale était ici chez lui, sur son territoire, alors que Jud, qui ne cessait d'osciller entre rage et nervosité, tentait de sceller mentalement avec Dieu un pacte qui eût pu changer définitivement le cours de sa vie.

N'ayant rien de mieux à faire que de réfléchir, Jud se remémora la scène qui avait éclaté entre Cale et lui, dans la cuisine de Laurel. C'étaient des incidents comme celui-là qui les empêchaient de se sentir vraiment proches l'un de l'autre, comme deux frères de sang. Il repensa à la dernière fois où il s'était retrouvé dans une salle d'attente comme celle-ci, en compagnie de toute la famille, à l'époque où Robyn, rongée par un cancer, vivait ses derniers instants. Brisé par le chagrin, Cale ne s'était jamais remis de la mort de sa femme, et donnait parfois l'impression de marcher courbé.

Et voilà que Jud se retrouvait à son tour au chevet de la femme qu'il aimait plus que sa propre vie – à cette différence près que, contrairement à Robyn, Laurel avait une chance de s'en sortir. Juste au moment où il relevait la tête, il aperçut Cale qui poussait une porte battante, un sourire triomphant aux lèvres. Fou de joie, Jud fit un bond qui fit sursauter Kathryn.

—Excusez-moi, lui dit-il en la voyant pâlir. Tout va bien.

Les jambes chancelantes, elle s'accrocha à son bras pour pouvoir se lever, puis éclata en sanglots en balbutiant des paroles incompréhensibles.

—Mamie, dit Annalisa en prenant sa grand-mère par les mains pour l'obliger à se rasseoir.

—Tout s'est bien passé, annonça Cale en les regardant l'un après l'autre. C'est une battante. Vous pourrez bientôt la voir, ajouta-t-il sans cesser de sourire.

Comme il disait cela, Jud eut l'impression que son frère était soudain plus grand et qu'il se tenait plus droit.

Un éléphant s'était assis sur sa poitrine et lui enserrait la gorge avec sa trompe, l'empêchant d'avaler sa salive. Ses paupières refusaient de s'ouvrir. Des voix inconnues lui parvenaient de loin. Le seul son qu'elle réussissait à identifier était un râle qui s'échappait des profondeurs de sa poitrine au rythme de sa respiration. Enfin, elle put ouvrir les yeux. L'orée de sa vision était envahie par un épais brouillard blanc. Peu à peu, le monde d'un gris laiteux prenait de la couleur. Au-dessus de sa tête, le plafond était vert. Des tubes sortaient de sa bouche. Tout à coup, elle se souvint où elle était. À côté d'elle, un appareil émettait des bips-bips de plus en plus rapides. Le son de la vie.

Elle entendit des pas.

—Bonjour, Laurel.

Le visage d'une femme entra dans son champ de vision. L'infirmière lui prit la main.

Laurel sentit des larmes qui coulaient sur ses joues puis se répandaient dans ses cheveux.

—L'opération s'est bien passée. Le Dr Banning sera là dans une minute.

Laurel serra sa main dans la sienne.

—Je vais rester avec vous, la rassura l'infirmière.

Puis Cale entra et lui expliqua que tout était réparé. Elle n'avait pas de souci à se faire.

—Jud m'aurait tordu le cou si je n'avais pas réussi à te tirer de là. Ce qu'il ignore, et que tu ignores probablement aussi, c'est que c'est toi toute seule qui t'en es tirée. Il t'aime, Laurel. J'ai toujours senti que quelque chose lui manquait, mais je n'ai compris ce que c'était que lorsque tu es réapparue dans nos vies.

Il donna des ordres à l'infirmière, puis reprit :

—Je vais les faire entrer, deux par deux. Et ensuite on te laissera dormir. Moi, je repasserai plus tard.

Sa mère et sa fille entrèrent en pleurant. Elles lui tinrent la main, conformément aux instructions de l'infirmière, afin que Laurel puisse leur répondre pendant qu'elles lui parlaient. Elles lui dirent toutes les choses qu'elles allaient faire ensemble à sa sortie de l'hôpital, puis elles lui firent leurs adieux et s'en allèrent à contrecœur. C'était fou ce qu'elles se ressemblaient, toutes les deux, songea Laurel. Lorsqu'elles eurent quitté la chambre, elle se sentit envahie par une rare quiétude.

Autour d'elle, des moniteurs cardiaques envoyaient des signaux qu'elle était incapable de déchiffrer. Elle avait l'impression d'être un robot informatique, un personnage virtuel. Mais du moins était-elle en vie et guérie, même si elle avait besoin d'une machine pour pouvoir respirer.

Lorsqu'elle rouvrit les yeux, elle vit entrer l'homme qu'elle aimait en compagnie de son ex-mari. C'était une vision comique, quasi surréaliste. Sa première pensée, idiote, fut qu'elle devait avoir l'air d'un épouvantail avec

512

ses cheveux en bataille et tous ces tubes rattachés à ses bras et à son corps, au milieu de tous ces appareils qui n'arrêtaient pas de biper et de bourdonner.

Beric lui prit la main et se mit à battre sa coulpe en énumérant toutes les erreurs qu'il avait commises durant leur mariage. Cette litanie récitée à haute voix était tellement grotesque que Jud ne put s'empêcher de sourire. Pour finir, il dit :

— Beric, elle ne peut pas vous répondre. Vous devriez attendre et en reparler avec elle plus tard.

Beric la regarda, puis éclata de rire.

— Je sais ce qu'elle pense. Elle se dit que j'adore captiver mon auditoire, pas vrai ? D'ailleurs, elle m'a pincé la main.

Laurel ne regrettait pas son mariage ou son mari, juste les années perdues. Lorsqu'il les laissa enfin, en faisant mille effets de manche, Jud prit sa place. Et c'est alors qu'elle réalisa que c'était le contraire qui s'était passé. C'était Beric qui avait pris la place de Jud pendant toutes ces années.

Avec Jud, elle savait qu'elle pouvait fermer les paupières, qu'elle n'avait pas besoin de garder les yeux ouverts pour le rassurer. L'étau qui lui tenaillait la poitrine et la tête s'était resserré. Elle se mit à grelotter et elle l'entendit qui demandait à l'infirmière d'apporter une couverture. Après avoir administré un calmant, la femme lui conseilla de faire un somme.

— Je suis ici, Petite, dit-il d'une voix qui lui fit l'effet euphorisant d'une gorgée de whisky.

Elle sentit ses lèvres se poser sur sa paume pour baiser le creux de sa main, puis le calmant l'entraîna dans un monde étrange et lointain où elle entendait la voix de Jud Banning lui réciter un poème d'amour.

# 35

Au fil des ans, Victor avait changé de voitures, mais la bâtisse qu'il avait achetée en 1960 dans la Cité de l'Industrie était toujours la même. Tout autour, on apercevait à perte de vue des usines de peinture et de conditionnement, des conserveries. Une raffinerie de pétrole recrachait ses fumées. Ici, le temps semblait s'être figé, et l'air était tellement pollué qu'on n'avait pas envie de respirer trop profondément.

Victor émergea de la voiture plus lentement qu'il ne l'aurait voulu. Ces derniers temps, sa vieille carcasse ne lui répondait plus au doigt et à l'œil. Après avoir refermé la portière, Harlan s'adossa à la carrosserie. Un chat roux, sale et maigre, dormait roulé en boule à côté du portail.

— Je me demande depuis combien de temps ce matou rôde dans le coin, dit Victor en se tournant vers son vieux compagnon.

Le vieux visage du boxeur s'était ratatiné et ses épaules s'étaient voûtées. Sa tête ne dépassait plus le toit de la berline.

— Trop longtemps, répondit-il, comme nous.

Des volets de fer empêchaient les rayons du soleil de pénétrer dans la bâtisse parfaitement entretenue par des gens qui ignoraient ce qu'elle contenait.

D'immenses toiles éclairées par des faisceaux lumineux semblables à ceux des musées ou des galeries d'art étalaient leurs couleurs sur toute la hauteur des murs. Une fois, Harlan lui avait demandé s'il avait l'intention de les garder éternellement enfermées ici et pourquoi. Mais Victor n'avait pu lui donner de réponse satisfaisante. Il vivait depuis des années avec le souvenir de Rachel. Il avait élevé ses deux fils – son châtiment pour avoir trahi et poussé le sien à la mort. Alors qu'il aurait pu mentir à Rudy et changer ainsi le cours des événements. Après cela, il s'était mis à acheter les toiles de Rachel de manière compulsive.

Il entendit grincer les portes du monte-charge. Deux hommes entrèrent en portant un tableau protégé par une armature de bois blanc.

— Où voulez-vous l'accrocher ? demanda l'un d'eux.

— Ici, dit Victor en désignant de gros crochets sur un mur.

Ils ôtèrent la toile de son coffrage. Une enveloppe était scotchée au papier d'emballage. Victor paya les deux hommes.

— Vous pouvez partir. Je me chargerai moi-même de la déballer.

À l'intérieur de l'enveloppe, il trouva un petit mot et un chèque, intact, de deux millions de dollars. Il se demanda si le tableau était intact, lui aussi, et ôta promptement le papier. Un faisceau de couleurs vives, intenses – orange, bleu, rouge et noir – éclaboussait l'immense toile d'un blanc immaculé, peinte par la femme qu'il avait aimée au point de trahir son propre fils.

Rachel avait été le souffle qui le tenait en vie. Il l'avait aimée passionnément, aveuglément, envers et contre tout. Les sentiments qu'il éprouvait pour elle se situaient au-delà du bien et du mal, et la mort même n'y avait rien changé. Les choses auraient-elles pu se passer différemment entre eux ? Sans doute pas. Il avait cessé d'avoir des regrets. Il lut le titre du tableau sans vraiment y prêter attention, jusqu'à ce qu'il ait ouvert le mot de Kathryn.

*On dit que l'obsession, c'est l'incapacité à oublier. Mais c'est faux. L'obsession, c'est l'incapacité à pardonner.*

*K. Peyton*

Victor déchira le mot et le chèque. Il entra dans une pièce voisine et alluma la lumière. Des œuvres sculptées dans l'argile par Kay Peyton depuis ses débuts s'étalaient le long des murs sur des étagères ou dans des niches. Elles avaient été achetées anonymement au fil des ans. Quelques-unes, plus récentes, portaient la signature de K. Peyton, devenue entre-temps une artiste reconnue et appréciée des collectionneurs.

Il éteignit la lumière et revint dans la salle principale. Tirant une chaise, il s'installa devant la toile que les déménageurs avaient posée contre le mur. Au bout d'un moment, il sentit que l'air commençait à lui manquer. Mais il ne chercha pas à lutter.

Gouverneurs, sénateurs et membres du Congrès vinrent nombreux aux funérailles de Victor. Certains prononcèrent un vibrant éloge funèbre. Ils évoquèrent l'époque où la côte du Pacifique n'était encore qu'une vaste friche où poussaient les fleurs sauvages, puis le boom urbain et industriel de l'après-guerre et la généralisation de l'automobile qui avaient profondément modifié le paysage. Ils qualifièrent le défunt de visionnaire, un homme qui avait, disaient-ils, contribué à faire l'histoire de la Californie, presque un dieu. La comparaison n'aurait sans doute pas déplu à Victor.

La cérémonie ressemblait davantage à un étalage d'argent et de pouvoir qu'à un service religieux. Sans doute aurait-il préféré quelque chose de plus sincère : un peu de musique, une église pleine à craquer avec la famille réunie au premier rang. Jud écoutait ces messieurs brosser un portrait factice de Victor Banning. Pour avoir grandi à ses côtés, dans une maison sans femme où régnaient le conflit et l'esprit de compétition mais aussi un certain ordre moral et une certaine connivence génétique, Cale et lui savaient que leur grand-père était un personnage insaisissable et que tous ces gens qui prétendaient le connaître ne savaient pas qui était Victor. Ils ignoraient quels secrets le vieil homme avait emportés avec lui dans sa tombe.

Dane fut celui qui pleura le plus son arrière-grand-père, à qui il vouait une véritable vénération. Les mystères de l'hérédité sautaient parfois plusieurs générations. En le voyant ainsi éploré, Jud se rappela avoir vu Cale pleurer de la même façon des années auparavant. À présent, Cale était aussi calme et composé que Jud. Tous deux étaient des hommes qui savaient encaisser les coups durs sans montrer leurs sentiments.

Au son d'une unique trompette, les hommes du clan Banning, Harlan et le fondé de pouvoir de Victor longèrent la nef en portant le cercueil et émergèrent dans l'air parfumé du dehors. Tandis qu'ils traversaient l'église, Jud reconnut des visages qui lui étaient vaguement familiers et repéra Kathryn Peyton, assise tout au fond de l'église.

Seuls les proches et Harlan furent admis au cimetière. Vêtus de costumes sombres, une fleur à la boutonnière, Jud, Cale, Matthew et Dane formaient une haie silencieuse autour de la tombe ouverte, au fond de laquelle reposait le cercueil. Une pelle d'apparat munie d'un manche doré était fichée dans un monticule de terreau à côté d'eux.

— Ne devons-nous pas jeter de la terre sur le cercueil ? demanda Matthew.

— Des fleurs, dit Jud en ôtant celle qu'il portait à sa boutonnière pour la jeter dans le caveau.

— *Sur* le cercueil, Jud.

Mais, trop tard, la fleur avait atterri à côté.

— À ton tour, dit Jud.

— Victor n'aimait pas les fleurs, remarqua Cale.

Matt s'empara de la pelle.

— Je crois qu'on devrait y répandre de la terre. Après tout, c'est elle qui lui a rapporté tout son argent.

— Bien vu, dit Jud en riant.

Cale hocha la tête mais il ne souriait pas. Il y avait quelque chose de profondément indécent à rire au milieu de toute cette solennité. Victor aimait le théâtre, mais il préférait le drame à la comédie.

Matthew jeta une pelletée de terre sur le cercueil.

— Adieu, Victor. Je te pardonne d'avoir offert la moto-cross que je voulais à mon petit frère pour Noël en 1988.

— J'ai adoré cette motocross, dit Dane en lui prenant la pelle des mains. C'était la plus belle surprise que j'aie jamais eue. Merci, grand-père.

— J'avais complètement oublié cette histoire, dit Jud.

— Pas moi, dit Cale. Quand on est sortis de chez Victor, je vous ai laissés à la maison avec votre mère, et Jud et moi sommes partis à la recherche de la même moto pour toi, Matt, pour que tu ne sois pas déçu.

— J'ai dû attendre un mois pour l'avoir, dit Matt sur un ton qui indiquait qu'il n'avait pas tout à fait pardonné à son grand-père.

— Je sais, j'ai dû la commander. Donne-moi cette pelle.

Cale enfonça la pelle dans le terreau. Une énorme pelletée de terre s'abattit sur le cercueil avec un bruit sourd.

— Tu crois qu'il a entendu ? demanda Jud en prenant la pelle.

— Attends, lui dit Dane. Ne bouge pas.

Il courut jusqu'à la limousine et revint avec une bouteille de whisky écossais hors de prix.

— La marque préférée de grand-père, dit-il en commençant à vider la bouteille dans le caveau.

— Tu as perdu la tête ou quoi ? dit Matthew en lui arrachant la bouteille des mains. C'est du gâchis.

— Donne-la à Jud, dit Cale. C'est le plus vieux. Tu commences. Dis quelque chose et bois un coup.

Jud desserra sa cravate et leva la bouteille de scotch.

— À Victor, qui m'a enseigné l'art de la compétition.

Il prit une gorgée.

— À coups de pied au cul, précisa Cale en se campant fermement sur ses deux pieds. À Victor, qui m'a traité comme un bâtard et m'a fait perdre toute confiance en moi.

— C'est vrai, p'pa, il t'a fait ça ?

Cale abaissa la bouteille et déglutit.

— Demande à Jud.

— C'était un dur à cuire. Même quand on était petits. J'ai eu une frousse bleue la première fois que je l'ai vu.

— Je n'ai pas envie de dire du mal de lui, dit Dane.

— Parce que tu n'es qu'une poule mouillée.

— Ta gueule, Matt. J'étais son préféré, c'est tout. Tu l'as connu toute ta vie et tu n'es pas capable de parler d'autre chose que de cette moto ?

Matt ôta sa veste et l'accrocha à la pelle.

— Passe-moi cette bouteille, papa.

Il contempla le caveau pendant un long moment. Tous le regardaient, intrigués.

— OK. À Victor, qui…

— … s'est comporté comme un salopard, dit Cale en s'asseyant dans l'herbe. Et maintenant bois un coup et passe la bouteille, fiston. J'ai une liste de qualificatifs assez longue pour que chacun y trouve son compte. Et ça risque de prendre un certain temps.

La bouteille était presque vide et le soir commençait à tomber. Le chauffeur de la limousine s'était endormi derrière le volant. Étendus sur l'herbe, en bras de chemise, ils avaient jeté leurs cravates sur le cercueil.

— À Victor, qui adorait ma femme, dit Cale en prenant une gorgée.

— C'est vrai qu'il aimait maman.

— Elle a eu un long entretien avec lui après l'histoire de la motocross. Il n'a plus jamais recommencé ensuite.

Dane se redressa et dit :

— Vous avez remarqué qu'on s'est mis à dire des choses sympas sur lui ?

— Ouais, il y a environ une demi-heure, dit Jud. Depuis que tu as perdu le lancer de cravates.

Matt saisit la bouteille et en inspecta le contenu.

— À vue de nez, il ne reste pas plus de deux gorgées. Et c'est tant mieux parce que je commence à être passablement bourré. À Victor, mon arrière-grand-père, qui m'a fait entrer dans son entreprise le jour où j'ai décroché mon diplôme. Ce qui était plutôt flatteur.

— C'est vrai, dit Jud. Victor a dit de toi que tu étais la meilleure chose qui soit arrivée à BanCo. Il a dit texto : ce gamin a les couilles qu'il faut pour faire des affaires.

Ils rirent. Le vieux n'était pas du genre à faire de longs discours, préférant les formules lapidaires aux grands

521

mots. Cette fois, Jud était certain que Matt avait pardonné à son grand-père. Même Cale s'était radouci et parlait de lui avec humour plutôt qu'avec amertume. Les dernières remarques étaient devenues plus joyeuses et plus affectueuses.

— Et voilà, dit Dane en se levant et en brandissant la bouteille.

Tous se remirent sur leurs pieds.

— Le dernier adieu, dit Jud.

Levant bien haut la bouteille, Dane déclara :

— À Victor. Un homme trop grand pour la mort.

Il finit la dernière gorgée et jeta la bouteille qui se fracassa à l'intérieur du caveau. Après cette ultime communion, tous se turent instinctivement pour observer une minute de silence, tandis que le soleil couchant illuminait le cercueil couvert d'éclats de verre dans lequel reposait la dépouille de Victor Gaylord Banning.

Puis, chacun ayant récupéré sa veste, ils descendirent la colline bras dessus bras dessous et s'entassèrent dans la limousine.

# 36

Finalement, c'est à Dane que Victor donna raison. Par le biais de son testament, le vieil homme fit un retour fracassant dans leurs vies. Son fondé de pouvoir adressa les documents au bureau de Jud qui avait été désigné exécuteur testamentaire. De retour d'Alaska via New York, il était rentré juste à temps pour passer prendre Laurel à sa sortie d'hôpital, et ce n'est que le lendemain en fin de journée qu'il trouva le temps d'éplucher son courrier et de jeter un coup d'œil au testament.

Jud le relut deux fois de suite avant de décrocher le téléphone pour appeler l'avocat de Victor.

— J'ai le testament de Victor sous les yeux, Tom. Il est écrit : « À mon fils, Cale Banning ». C'est une coquille, d'après vous ?

— Victor était très précis dans le choix de ses mots. Je lui ai posé la question.

— Et qu'avez-vous appris ?

— Que Rachel était la mère de Cale, c'est tout.

Jud marqua une pause pour reprendre ses esprits.

— Il est question ici d'une collection d'œuvres d'art estimée à cinquante millions de dollars. Je connais la maison de Victor. S'il y avait eu là-bas une collection d'un tel prix, je l'aurais remarquée.

— L'essentiel de cette collection regroupe les œuvres de votre mère, Jud. Il les a rachetées au fil des ans. Avec le testament, j'ai joint plusieurs enveloppes contenant des actes de propriété et les clés correspondantes. Ladite collection se trouve dans un entrepôt de la Cité de l'Industrie. Voulez-vous que nous nous retrouvions là-bas ?

— Entendu.

Jud se leva, prit sa veste, fouilla parmi les enveloppes.

— Je pars maintenant, dit-il. Je devrais y être à quatre heures.


Il était dix-neuf heures quand Jud sortit la voiture du garage pour se rendre chez Laurel. Il ne savait pas encore ce qu'il allait lui dire, mais il ne supportait plus de ruminer cette affaire tout seul dans son coin. Tout en roulant sur l'autoroute, il essayait de mettre un peu d'ordre dans ses pensées. Satané Victor, cette révélation posthume était une bombe à retardement.

S'il avait modifié le testament, Cale n'y aurait vu que du feu. Lorsqu'il en avait touché un mot à Tom, ce dernier s'était dit prêt à cautionner son choix. Ou bien il aurait pu dire à son frère – mais non, bon sang ! à son oncle et frère – que Victor avait eu une liaison avec leur mère. S'il avait été à sa place, il n'aurait pas supporté qu'on ne lui dise pas la vérité.

La circulation était dense. Il rata la sortie de l'autoroute et dut revenir sur ses pas.

Laurel était à la cuisine quand il arriva enfin.

Elle était en train de mijoter un petit plat dont l'odeur exquise rappelait les meilleurs restaurants parisiens. Il posa ses mains sur ses épaules et déposa un baiser sur sa nuque.

— Tu n'es pas censée te reposer ?

— Je n'ai fait que ça toute la journée et maintenant je meurs de faim. J'ai envie de bonnes choses. Assieds-toi, dit-elle en désignant un tabouret.

Elle prit le temps de l'examiner, puis ajouta :

— C'est toi qui as la tête de quelqu'un qui devrait se reposer. Qu'est-ce qui ne va pas ?

*Mon grand-père était l'amant de ma mère et mon frère ignore qu'il est le fils de Victor.*

Incapable de formuler sa pensée à haute voix, il fit mine de s'affairer pour éviter ses questions.

— La journée a été rude. Je vais déboucher une bouteille.

Il avait mûrement réfléchi pendant qu'il était en route, et décidé de ne pas lui dire la vérité. Les femmes n'aimaient pas les secrets et les mensonges. Elles préféraient qu'on leur dise les choses carrément. Elles aimaient discuter, spéculer pendant des heures sur les sentiments et les intentions. Elle n'aurait pas su comment accueillir une telle nouvelle. Il savait qu'il allait devoir trancher seul le dilemme moral qui s'offrait à lui, et, si grande que fût la tentation de cacher la vérité à Cale, il ne s'en sentait pas le droit.

Après la mort de leurs parents, et même peut-être déjà avant cela, Jud s'était efforcé de protéger son frère, le plus souvent en vain. Non seulement Cale avait le droit de connaître la vérité, mais lui seul était en droit de la divulguer ou non à qui bon lui semblerait.

En attendant, Jud éprouvait le besoin de passer du temps avec Laurel, même si elle ignorait pourquoi et ne le saurait jamais.

Après le dîner, ils allèrent s'asseoir sur le canapé. La stéréo jouait une musique douce en arrière-fond et on entendait au loin le roulement des vagues. Elle posa sa tête sur son épaule et lui demanda s'il voulait du café.

— Non, merci… je suis gavé comme une oie.

— Prêt à l'abattage ?

— Il y a belle lurette que tu m'as abattu, fillette.

Il baissa les yeux et, voyant qu'elle souriait, demanda :

— Comment te sens-tu ?

— Merveilleusement bien. Fatiguée, et un peu courbatue. J'ai du mal à respirer à fond. Pas de soupirs langoureux pour moi pendant un petit bout de temps.

— Rien ne presse. Cette fois je ne te laisserai pas partir.

— Je n'ai pas l'intention de partir. Même si tu me chassais à coups de pied. Et d'ailleurs, pour quoi faire ? On est tellement bien ici, tous les deux.

Il laissa passer un petit moment avant de lui faire part de l'idée qui lui trottait dans la tête :

— Et si on s'associait pour de bon ?

Elle rejeta la tête en arrière et le regarda dans les yeux.

— Que veux-tu dire ?

— Qu'on devrait peut-être se marier.

— Est-ce une suggestion ou une proposition ?

— Ça dépend. Est-ce que tu es d'accord ?

— C'est ma mère qui serait contente. Elle ne m'a jamais pardonné de m'être mariée dans un champ de lavande en Provence. Son vœu de participer à un vrai mariage en bonne et due forme serait ainsi exaucé.

— J'avais plutôt en tête un mariage célébré dans l'intimité à Las Vegas, une fois que tu serais complètement rétablie. De là, nous partirions aussitôt en voyage de noces. Et à notre retour, nous donnerions une grande fête pour annoncer la nouvelle.

— Tu as déjà tout organisé dans ta tête.

— Quand on passe onze heures et demie dans une salle d'attente, il faut bien s'occuper.

— Ma mère va être verte, mais moi ça me convient tout à fait. J'adore l'idée de filer à l'anglaise.

Elle laissa échapper un petit rire puis grogna.

— Aïe, ça fait mal.

— Tu devrais être au lit.

— Viens avec moi, dit-elle en se levant et en lui tendant la main. Oui, oui, je sais. Rien que pour dormir. Pour l'instant.

— J'ai une réunion importante qui m'attend demain. Je ferais mieux de rentrer chez moi.

— Je croyais que tu étais chez toi ici, murmura-t-elle.

— Tu as raison.

Il la prit par les épaules et ils montèrent dans la chambre, lentement parce qu'elle s'essoufflait vite. Elle s'assit sur le lit. Lorsqu'il étira le bras pour allumer la lampe, il vit un livre sur la table de chevet.

— C'est quoi ? demanda-t-il.

— Un recueil de poésie. Il y avait des années que je ne l'avais pas ouvert, mais figure-toi qu'il m'est arrivé une chose étrange après mon opération. Sans doute à cause des médicaments, j'ai rêvé que tu me récitais des sonnets de John Donne.

Il rit :

— Moi ?

— Oui, toi.

C'est alors qu'il réalisa qu'il aimait cette femme plus que sa propre vie. Il allait tenir les promesses qu'il avait faites au destin et à toutes les divinités de l'eau, de l'air et de la terre, pendant qu'il était dans la salle d'attente. Il prit sa main dans la sienne.

— « Ainsi en sera-t-il de nous : je serai la branche mouvante ; toi, le centre de mon cercle parfait. »

Elle posa un doigt sur ses lèvres :

— « La fin du cycle sera le point de son commencement. »


Son frère ne manifesta ni colère ni chagrin en apprenant qui était son père. Il se contenta de poser une ou deux questions, en particulier : *Le savais-tu ?* Pour qui ne le connaissait pas, son laconisme aurait pu passer pour du calme et sa maîtrise de soi pour de l'apaisement, mais Jud savait qu'intérieurement Cale était loin d'être serein.

Ensemble, ils se rendirent au vieil entrepôt à l'intérieur duquel on entendait le lointain bourdonnement de l'autoroute de Santa Ana. En découvrant la collection de tableaux et d'œuvres d'art d'une valeur de plusieurs millions de dollars, Cale eut exactement la même réaction que Jud la veille – il n'en crut pas ses yeux. Il visita une salle après l'autre puis s'arrêta, une expression de stupeur sur le visage.

— C'est drôle. Pendant des années, j'ai rêvé de te ressembler parce que Victor te regardait différemment.

— À présent, nous savons pourquoi. Le vieux polisson.

— Il m'a traité comme un raté dès le premier jour.

— Et plus rien n'a jamais été comme avant, n'est-ce pas ?

Les mains dans ses poches, Cale se détourna et dit :

— Je voudrais pouvoir le haïr, mais je n'y arrive pas.

— Je sais. Quand je vois tout ça, quand je pense à ce qu'il a fait, je suis déboussolé, moi aussi, reconnut Jud. Dire que j'ai passé le plus clair de ma vie à essayer de lui ressembler.

Cale eut un rire amer.

—Alors que moi, j'ai tout fait pour l'ignorer. Quand on voit toutes ces toiles, on ne peut pas s'empêcher de penser qu'il avait beaucoup de choses à cacher.

Jud saisit la balle au bond.

—Les secrets peuvent rester des secrets. C'est à toi seul de décider si tu veux divulguer la nouvelle ou non.

—Si seulement Robyn était là ! dit Cale sans chercher à dissimuler son chagrin. Elle est la seule à qui j'aurais pu le dire, mais elle n'est plus là. Victor est mort. Il n'y a plus personne.

—Maudit Victor ! Quand je pense que c'est moi qui ai dû t'annoncer la nouvelle…

—C'est dur de réaliser que votre vie entière est bâtie sur un mensonge.

—Il n'empêche que c'est ta vie, Cale. Je suis toujours ton frère. Matt et Dane sont tes fils.

Cale était de toute évidence abasourdi. Jud songea qu'il allait avoir besoin de temps, peut-être même d'une vie entière pour pouvoir digérer la nouvelle, et il regretta de ne pas pouvoir prendre sur lui la peine de son frère.

—Il nous a légué sa collection. Que penses-tu que nous devrions en faire ?

—Nous devrions en faire don à des musées. Regarde. L'œuvre de maman est spectaculaire. L'avoir gardée enfermée ici pendant toutes ces années est un crime. Un crime parmi tant d'autres.

—Je pense que nous devrions faire la même chose avec les poteries de Kathryn. Il les a probablement achetées pour se donner bonne conscience. Si nous le lui disons, elle va penser qu'il a joué un rôle déterminant dans sa carrière.

529

— Nous devrions procéder à une vente aux enchères anonyme et faire des dons anonymes également. La recette pourrait être reversée à l'Association des mères contre la conduite en état d'ivresse et au bénéfice des mères célibataires.

Cale jeta un dernier regard pensif autour de lui.

— Allons-nous-en, dit-il en se dirigeant vers la sortie.

Après avoir verrouillé la porte, ils reprirent le vieux monte-charge jusqu'au rez-de-chaussée puis émergèrent dans la rue inondée de soleil. Éblouis, ils marquèrent un temps d'arrêt. Au bord du trottoir était garée la voiture rouge, la toute première d'une longue série de choses dont Victor s'était servi pour les éloigner l'un de l'autre. Jud sortit les clés de sa poche.

— Tiens, attrape.

— Qu'est-ce que c'est ?

— Les clés de la MG. Elle est à toi.

— Non. Je ne peux pas. Rudy était ton père, pas le mien.

Jud passa un bras autour des épaules de son frère et dit :

— Il a été ton père bien plus que Victor n'aurait jamais pu l'être.

Il referma la main de Cale autour des clés.

— Elle est à toi, vieux. Prends-la, dit-il en ouvrant la portière côté passager. Et moi, je prends la fille.

*Trois mois plus tard*

Dans la petite maison de Descanso Street, les murs avaient changé de couleur. Kathryn et sa petite-fille étaient occupées à manier le rouleau tandis que Laurel peignait

530

le tour des fenêtres. Elle recula pour juger de l'effet puis dit :

— J'adore le contraste du blanc et du caramel, maman. C'est tellement plus chaleureux... Je n'ai jamais aimé les murs bleus, je les trouvais trop froids.

Kathryn sourit.

— Moi aussi, j'adore cette nouvelle couleur.

— Comme quoi il n'est jamais trop tard pour changer, dit Annalisa.

— Comment ? demanda Kathryn en se retournant.

— Non, je plaisantais.

Kathryn lui jeta un vieux rouleau à la tête, mais la manqua.

— Toi, la gamine, surveille ton langage. Tu risques d'avoir des surprises dans la vie.

Kathryn, qui n'avait pas fini de panser ses vieilles blessures, en savait quelque chose. Mais du moins Laurel et elle avaient-elles réussi à se réconcilier. Désormais, elles arrivaient à communiquer sans se froisser. Et les moments passés ensemble, comme ce week-end, lui étaient plus précieux que toutes les années perdues. Le passé était le passé, et rien d'autre. Kathryn avait finalement appris à vivre dans le présent.

— On ferait bien de nettoyer tout ce bazar.

Annalisa acquiesça.

— Il y a des brownies tout frais qui attendent à la cuisine. J'ai faim de chocolat, dit-elle en quittant la pièce.

— L'appétit de cette gamine me surprendra toujours, dit Kathryn en commençant à replier la bâche de protection.

— Elle a hérité le métabolisme de son père, dit Laurel en emportant un bidon de peinture.

531

Elles s'installèrent toutes ensemble à la cuisine. Tandis qu'elles mangeaient les brownies, Annalisa fit des suggestions pour le repas du soir, puis on parla du retour sur le continent.

— Je vais prendre le premier ferry du matin, dit Laurel.

— Ah, mais c'est vrai, dit Annalisa. Lundi, Jud et toi partez pour Las Vegas. C'est la première fois que vous voyagez ensemble.

Laurel sourit de toutes ses dents et Kathryn comprit que sa fille avait enfin trouvé le bonheur.

— Au fait, dit-elle en sortant un sac en papier de sous le comptoir et en le tendant à Annalisa, je t'ai acheté quelque chose.

— Du chocolat ?

— Tu n'en as pas eu assez ? s'offusqua Laurel.

Annalisa poussa un petit grognement.

— Mamie… le magazine *Jeunes Mariées* ?

— Quelqu'un dans cette famille doit se marier dans les règles de l'art. Je compte sur toi, ma chérie.

— Matthew et moi nous connaissons à peine. C'est toi qui devrais te trouver un fiancé. Comme ça tu pourrais nous inviter à ton mariage.

— Moi ? Je suis trop vieille.

— Match.com, tu connais ? dit Annalisa en essuyant ses doigts pleins de chocolat. Regarde.

Elle ouvrit son ordinateur portable et se connecta sur le site Internet de rencontres. Elle avait déjà commencé à prospecter pour sa grand-mère. Kathryn la regardait patiemment faire tout en songeant qu'elle aurait préféré se faire écorcher vive plutôt que de répondre à des annonces matrimoniales à soixante-cinq ans passés. Mais elle fit mine d'écouter les recommandations de sa petite-fille, lui promit d'y réfléchir, après quoi elle les entraîna dans le séjour pour fixer au mur les étagères fraîchement repeintes.

Lorsqu'elles eurent terminé, il restait une étagère entièrement vide. Annalisa prit du recul et demanda :

— Que pourrions-nous mettre sur celle-là ?

— Quelque chose de spécial. Attendez-moi ici.

Kathryn sortit puis revint quelques minutes plus tard avec un vase blanc, tout simple, l'image même de la fraîcheur et de l'innocence.

— Mais c'est mon vase, dit Laurel. Celui que tu as fait il y a des années et que j'aimais tant. Tu l'as pris dans ma chambre ?

Posant le vase sur l'étagère, Kathryn recula pour juger de l'effet et dit :

— Non, je l'ai fait il y a deux jours.

## ÉPILOGUE

Cale avait finalement retrouvé sa passion pour l'art fragile et subtil de la médecine. À l'origine, il s'était jeté corps et âme dans l'étude pour tenter d'oublier une trahison profonde et cruelle à laquelle il n'était pas certain de survivre. Il avait eu le cœur brisé par une fille qui dès le début était destinée à son frère. Curieusement, cette blessure d'amour lui avait permis de découvrir que sa vocation était de réparer les cœurs malades.

Et Cale n'était pas certain que sans elle il aurait eu la force de parcourir le chemin qui l'avait mené là où il était aujourd'hui. Il avait finalement pardonné à Victor. Son père était mort sans qu'il ait jamais pu lui dire les choses ou lui poser les questions qui lui tenaient à cœur.

Les premières années de sa vie avaient été teintées de tragédie, mais la mort de Robyn, survenue plus tard, avait été la plus grande tragédie de toutes. Jusqu'ici il n'avait jamais compris d'où lui venait sa vocation. Mais maintenant, avec le recul, il se disait qu'il avait toujours voulu sauver des vies parce qu'il avait découvert la mort de bonne heure. D'aucuns disaient que l'école de la vie vous préparait à encaisser les coups durs, et peut-être la perte des êtres qui lui étaient chers lui avait-elle servi à comprendre ce qu'était la mort. Il en venait à se dire que

535

l'exercice de la médecine lui avait permis de garder son équilibre.

Moins d'une heure plus tôt, il avait effectué une opération chirurgicale de treize heures sur une patiente de dix-sept ans qui voulait faire des études de médecine.

Cale ôta sa calotte de chirurgien et la jeta sur son bureau. Il prit le dossier de la patiente, le signa, puis y ajouta quelques notes.

L'espace d'un instant, il tourna les yeux vers la salle d'opération. Il avait tenu le cœur de la jeune fille entre ses mains, ce qui était déjà un miracle en soi, en songeant : *Cette vie-là, tu ne la prendras pas. Nous la gardons.* Chaque fois qu'il opérait, il se battait avec une détermination qu'il tenait de son grand frère. Cale ne gagnait pas à tous les coups, mais il se battait de toutes ses forces pour ne pas perdre.

La patiente était dans la salle de réveil. L'ampoule verte s'était allumée, signe que tout allait bien. Une seconde plus tard, une voix retentit dans l'interphone :

— Elle est réveillée, docteur.

— C'est parfait, dit-il. J'arrive.

Il se renversa sur son fauteuil et s'étira. Il avait mal au dos et tous ses muscles étaient raides. Mais c'était une saine fatigue. Cale songea à nouveau à son père, l'homme qui voulait tout contrôler. Pauvre Victor. Cale était la preuve vivante de ses erreurs et de ses faiblesses. Il avait dû être terriblement difficile pour un homme aussi orgueilleux de pouvoir reconnaître en son fils ses propres imperfections. Aux yeux de la finance, il était un modèle de réussite, mais dans sa vie privée il était un raté et il le savait.

Contrairement à Victor, Cale aimait ses fils, et ses fils le savaient. Il ne s'était pas servi d'eux comme de pions sur l'échiquier de sa vie. Ils étaient proches l'un de l'autre, ils appartenaient à la même famille et étaient capables de donner de l'amour aux femmes de leur vie.

Cale se leva, s'étira encore une fois, puis sortit et commença à longer le couloir du service de chirurgie cardiaque. Chemin faisant, une image de Victor lui revint à l'esprit. Il le revit marchant d'un pas décidé, grand, fier et sûr de lui, sa tête auréolée de cheveux blancs et le teint hâlé.

Il pensa ensuite à sa jeune patiente, qui rêvait d'être médecin et qui un jour peut-être, tout comme son propre fils, prendrait la relève. À l'idée qu'elle l'attendait, il redressa les épaules et accéléra le pas. Arrivé devant la porte, il prit un instant pour se ressaisir, songeant qu'ils s'apprêtaient à vivre un moment important.

## Remerciements

Certains auteurs disent que l'écriture d'un livre leur vient spontanément, comme un cadeau du ciel. J'aimerais bien que cela m'arrive un jour. Mais ce ne fut pas le cas de ce roman.

En tout premier lieu, je voudrais remercier mon éditrice, Brenda Copeland, dont les brillantes remarques ont permis à ce livre de prendre forme et de lui donner l'envergure dont je rêvais. Merci pour sa patience et son soutien, qui consistait parfois à me laisser me débrouiller seule pour trouver la lumière. Vous êtes la meilleure, Brenda.

Merci à toute l'équipe d'Atria, et en particulier à Judith Curr, qui m'a donné le temps dont j'avais besoin pour écrire ce roman, sans jamais me mettre la pression.

Un grand merci à Linda Goodman, de la bibliothèque d'Avalon, et à tous les îliens qui ont bien voulu me faire part de leurs souvenirs.

Pour ses connaissances médicales et pour son temps, merci au Dr Barbara Snyder, la merveilleuse Katherine Stone.

Un grand merci également à mon groupe de soutien : Kristin Hannah, Megan Chance, Jenny Crusie, Christina Dodd, Kim Fisk, Jill Landis, Debbie Macomber, Teresa Medeiros, Linda Nichols, Susan Elizabeth Phillips, et les dames de RomEx, en particulier Heather McAllister et Suzanne Forster.

Pour son amitié et sa générosité, je dois beaucoup à Meryl Sawyer, qui nous a ouvert les portes de son incomparable demeure de Newport Beach et nous a fait découvrir les îles dans leurs moindres recoins.

Pour sa foi inébranlable en ce roman et en mon talent d'écrivain, je remercie du fond du cœur Marcy Posner.

Pour votre soutien, votre patience et votre amour, merci Kassandra Corinne Stadler, Jan Barnett, Kelly Walker et Linda Crone.

Un merci tout particulier à Kasey pour ses conseils et ses encouragements quand j'errais tard dans la nuit à la recherche du mot juste. Tu fus et seras toujours ma plus grande alliée.

Et enfin, je voudrais saluer toutes les mères qui ont fait le choix de donner leur enfant à l'adoption et qui l'ont assumé. Il n'y a pas de mots assez forts pour vous remercier. Et sachez que nous, les femmes, qui avons reçu ce cadeau de la vie, savons mieux que quiconque le courage qu'il vous a fallu.

Achevé d'imprimer par N.I.I.A.G. en avril 2008 pour le compte de France Loisirs, Paris
N° d'éditeur : 51882  Dépôt légal : mai 2008  Imprimé en Italie